Diogenes Taschenbuch 24477

MARTIN WALKER, geboren 1947 in Schottland, ist Schriftsteller, Historiker und politischer Journalist. Er war 25 Jahre lang Journalist bei der britischen Tageszeitung *The Guardian*. Heute ist er im Vorstand eines Think Tanks für Topmanager in Washington, den er sieben Jahre präsidierte, und ist außerdem Senior Scholar am Woodrow Wilson Center in Washington DC. Seine *Bruno*-Romane erscheinen in 15 Sprachen. Martin Walker lebt in Washington und im Périgord.

Martin Walker
Revanche

*Der zehnte Fall für Bruno,
Chef de police*

ROMAN

Aus dem Englischen von
Michael Windgassen

Diogenes

Titel der 2017 bei Quercus Editions, Ltd.,
London, erschienenen Originalausgabe:
›The Templars' Last Secret‹
Copyright © 2017 by Walker & Watson, Ltd.
Die deutsche Erstausgabe
erschien 2018 im Diogenes Verlag
Covermotiv: Foto von Eric Sander,
›Jardins d'Eyrignac, France‹
Copyright © Eric Sander

Veröffentlicht als Diogenes Taschenbuch, 2019
Alle deutschen Rechte vorbehalten
Copyright © 2018
Diogenes Verlag AG Zürich
www.diogenes.ch
600/19/852/1
ISBN 978 3 257 24477 9

Für Adèle

I

Bruno Courrèges, *Chef de police* der französischen Kleinstadt Saint-Denis, erwachte wenige Sekunden vor sechs, kurz bevor es hell wurde. Sein Hahn Blanco, benannt nach einer französischen Rugbylegende, begrüßte den neuen Tag, als Bruno in seinen Trainingsanzug schlüpfte und sich die Laufschuhe schnürte. Er freute sich auf seine allmorgendliche Joggingrunde durch den Wald hinter seinem Haus. Heute strahlte die Sonne durch das matte Grün der jungen Knospen und Blätter der Bäume, der Morgen war knackig und frisch, aber doch warm genug, dass er auf Handschuhe verzichten konnte, als er mit Balzac, seinem Basset, loslief.

Als er zurückkam, schimmerten die alten Steinmauern seines Hauses im frühen Sonnenlicht. Bruno fütterte seine Gänse und Hühner, wässerte den Gemüsegarten und schaute sich in dem neuen Treibhaus, das er als Bausatz gekauft und selbst aufgestellt hatte, die Setzlinge an. Danach stellte er den Wasserkessel für seinen Kaffee auf den Herd und ließ in einem Stieltopf zwei frische Eier garen, während er seine E-Mails checkte und dann das Radio einschaltete, das auf den Sender *France Bleu Périgord* eingestellt war. Er toastete die vom Vortag übriggebliebene Baguettehälfte, gab Balzac ein Stück davon ab und schnitt seines in pommesgroße Stäbchen auf, mit denen er das noch flüssige Eidotter auftunkte. Als die wichtigsten überregionalen Meldungen verlesen worden waren, schaltete er auf den lokalen Nachrichtensender um. Die dritte Meldung ließ ihn aufhorchen.

»Madame Marie-France Duteiller, Psychologin aus Périgueux, kritisiert die Staatsanwaltschaft wegen schleppender Ermittlungen in den rund dreißig Jahre zurückliegenden Fällen mutmaßlicher sexueller Übergriffe auf Kinder in einem von der Kirche geführten Waisenhaus in der Gemeinde Mussidan. Sie bezeichnete die von Chefermittler Jean-Jacques Jalipeau geleiteten Untersuchungen als ›unsensibel und nachlässig‹ und wirft ihm vor, den Opfern nicht gerecht zu werden, die ihrerseits mehreren namhaften Persönlichkeiten vorwerfen, sie zur Zeit ihres Heimaufenthaltes missbraucht zu haben. Von Commissaire Jalipeau war gestern Abend zu hören, dass die Nachforschungen fortgesetzt würden, obwohl nur vage Verdachtsmomente vorlägen, da alle Anschuldigungen ausschließlich auf Erinnerungen basierten, die von Psychologin Duteiller in Hypnosesitzungen erfasst worden seien.«

Was Bruno da hörte, versetzte seiner guten Stimmung einen Dämpfer. Er seufzte voller Mitgefühl für seinen Freund Jean-Jacques, der schon seit Monaten an diesem Fall arbeitete und offenbar nicht weiterkam. Und das war ungewöhnlich. Bruno mochte durchaus einräumen, dass Jean-Jacques mitunter recht unsensibel sein konnte, aber Nachlässigkeit war das Letzte, was sich dem bulligen und etwas ungepflegten Mann vorwerfen ließ, mit dem er, Bruno, immer wieder gern zusammenarbeitete. Solche Kooperationen endeten für gewöhnlich mit einem Restaurantbesuch, zu dem Jean-

Jacques als spendabler Gastgeber einlud, nicht nur zur Feier des Tages, sondern auch, um sich für die vielen Male zu revanchieren, die er an Brunos gastlichem Tisch hatte sitzen dürfen. Jean-Jacques' heitere Persönlichkeit passte zu seiner Leibesfülle, und wie Bruno hatte er ein ausgeprägtes Faible für gutes Essen und guten Wein. Ihr freundschaftliches Verhältnis hatte auch keinen Schaden genommen, als nach einer noch nicht lange zurückliegenden terroristischen Straftat in einer Zeitung eine bissige Karikatur erschienen war, die Bruno als Asterix den Gallier und Jean-Jacques als seinen großen beleibten Freund Obelix darstellte, beide mit einer Flasche Bergerac-Wein in der Hand als Ersatz für den Zaubertrank, mit dem sich Asterix gegen römische Legionäre wappnete.

Anders als die meisten seiner Kollegen von der *Police nationale* schaute Jean-Jacques auf städtische Polizisten wie Bruno nicht herab. Im Gegenteil, er schätzte Brunos umfangreiche Kenntnisse der kommunalen Besonderheiten von Saint-Denis, die er als aktives Mitglied des Tennis-, des Rugby- und des Jagdvereins seiner Stadt über Jahre gesammelt hatte. Er akzeptierte dessen ganz eigene Art, mit der er seinen Aufgaben nachging, und konnte neidlos Brunos Anteil daran anerkennen, dass Saint-Denis die niedrigste Kriminalitätsrate im ganzen Département der Dordogne aufzuweisen hatte. Bruno seinerseits respektierte Jean-Jacques als strengen und gesetzestreuen Kriminalbeamten, der sich mit verblüffender Leichtigkeit im Dickicht der französischen Strafverfolgung zurechtfand. Egal, was im Radio über ihn kolportiert wurde – für Bruno gab es keinen Zweifel daran, dass Jean-Jacques Manns genug war, sich in allen Lebens- und Berufslagen zu behaupten. Und wenn er Brunos Hilfe brauchte, wusste er, dass er einfach nur darum bitten musste.

Bruno hatte sich vorgenommen, zur Reitschule seiner schottischen Freundin Pamela zu fahren, um Hector, sein Pferd, zu bewegen, und erst dann sein Büro in der *mairie* aufzusuchen. Vielleicht würden ihm im Sattel Ideen für die Rede einfallen, die er am Wochenende halten sollte. Und vielleicht wäre auch ein neuer Anzug fällig, dachte er, als er in Gedanken an die bevorstehende Hochzeit seinen Kleiderschrank durchforstete.

Zwei Drittel des Schranks nahm seine Berufsbekleidung in Anspruch: Polizeiuniformen für Sommer und Winter, dazu eine komplette Paradeuniform und ein Überzieher. Vor der Rückwand hing ein separater Kleidersack, in dem er seine Reservistenuniform mit dem Rangabzeichen als Sergeant der französischen Armee aufbewahrte. Damit hatte er anzutreten, wenn er dazu aufgerufen wurde. In der Abstellkammer stand neben der Waschmaschine ein verschließbarer Spind, in dem zum einen seine Jagdgewehre untergebracht waren, zum anderen seine tarnfarbene Kampfmontur, die er auch für die Jagd nutzte, sowie der alte Trainingsanzug aus seiner Militärzeit, den er nach seiner frühmorgendlichen Joggingrunde zum Lüften nach draußen gehängt hatte.

An ziviler Kleidung hatte Bruno nicht viel. Es gab einen Anzug aus dunkelblauer Schurwolle, den er sich gekauft hatte, nachdem er von einem Scharfschützen in Bosnien an der Hüfte verletzt und aus dem Militärdienst ausgemustert worden war. Die während des monatelangen Krankenhausaufenthaltes zugelegten Pfunde hatte er längst wieder abgespeckt, so dass ihm der Anzug mindestens eine Nummer zu groß war. Ein dunkelblauer Blazer und eine graue Tuchhose teilten sich einen weiteren Holzkleiderbügel. Daneben hingen Khaki-Chinos und eine dunkelrote Windjacke, die Bruno über seinem Uniformhemd trug, wenn er in Zivil auftreten wollte. Eine ähnliche Jacke in Schwarz hatte er in seinem Dienstwagen dabei, einem Kleintransporter. Auf dem Einlegeboden seines Kleiderschranks lagen zusammengefaltet ein Paar Jeans, mehrere Polohemden und Sweater, seine Polizei-*képis* sowie ein zerkratzter und verbeulter Blauhelm der UN-Friedenstruppe, den er aus sentimentalen Gründen aufbewahrt hatte.

Das Innenleben dieses Schranks, dachte Bruno, erzählte auf einen Blick die Geschichte seiner beruflichen Laufbahn mit den Stationen im Militär- und Polizeidienst. Außerdem machte er deutlich, dass sein Besitzer sehr viel häufiger Uniform trug als Zivil und sparsam mit seinem Geld umging, zumal sich in puncto Kleidung der Staat um fast alles kümmerte, was er brauchte. Der dunkle, einzige Anzug war von zeitloser Eleganz und unabhängig von den Launen der Mode, die die Hosen mal eng, mal weit sehen wollte und die Krawatten oder Revers im einen Jahr breit, im nächsten schmal.

Bruno war klar, dass seine Garderobe selbst für einen Polizisten vom Lande recht bescheiden ausfiel. Selbstkritisch befand er, dass er ein Mann war, dem es an Phantasie und Stilbewusstsein mangelte, hielt sich aber zugute, womöglich nur andere Prioritäten zu setzen. Er hasste Kaufhausbesuche, konnte aber stundenlang in Katalogen blättern und sich über Jagdgewehre informieren, die er sich ohnehin nicht leisten konnte, oder über Angelruten, wenn er wieder einmal mit dem Baron Forellen fangen wollte.

Das Gute an Hochzeiten war, dachte er, dass die Gäste normalerweise nur Augen für die Braut hatten. Niemanden würde interessieren, was er anhatte, und der dunkelblaue Anzug wäre durchaus angemessen. Die Trauung sollte in der *mairie* stattfinden und anschließend im engeren Freundeskreis im Nationalmuseum für Vorgeschichte in Les Eyzies gefeiert werden. Mit dessen lebensgroßen Modellen steinzeitlicher Menschen, die, in Tierhäute gehüllt, Speere in den Händen hielten oder Flintsteine bearbeiteten, bildete dieser Ort einen eher ungewöhnlichen Rahmen für eine Hochzeit. Bruno aber fand ihn durchaus geeignet, da sowohl die Braut als auch der Bräutigam hochangesehene Archäologen waren. Clothilde leitete das Museum als Chefkuratorin, während Horst, ein emeritierter Universitätsprofessor aus Deutschland, ihr als Assistent zur Seite stand und für archäologische Grabungen zuständig war. Auch die meisten Hochzeitsgäste stammten aus ihrem beruflichen Umfeld.

Bruno fragte sich, ob vielleicht paläolithische Kost auf dem Speiseplan stehen würde statt einer neuzeitlich-zünftigen Speisefolge. Wohl eher nicht, glaubte er. Horst hätte wahrscheinlich sein Vergnügen an Früchten, Nüssen und angekohltem Fleisch, aber Clothilde war eine vernünftige Französin. Ihr war natürlich bewusst, dass sich Gäste, die zu Besuch ins kulinarische Herzland Frankreichs kamen, auf Spezialitäten aus dem Périgord freuten.

Als Horsts Trauzeuge war Bruno ein bisschen nervös wegen der Tischrede, die er zu halten hatte, zumal er nicht umhinkommen würde, mit ein paar Worten auch auf die akademische Vita seines Freundes einzugehen, und das vor einem Publikum, zu dem einige der weltweit führenden Experten für Altertumsforschung zählten. Auf Brunos Nachttischchen lag die jüngste Ausgabe von *Archéologie* mit einem Aufsatz von Professor Horst Vogelstern, in dem er kleine weibliche Statuetten von verschiedenen europäischen Fundorten miteinander verglich.

Schon lange vor seiner Freundschaft mit Horst hatte Bruno diese Zeitschrift, die sich nicht nur an Fachleute wandte, abonniert, denn seit eh und je faszinierten ihn die überaus vielfältige Höhlenkunst und Vorgeschichte seiner heimatlichen Umgebung. Das Titelbild der aktuellen Ausgabe zeigte eine aus Ton gebrannte Frauengestalt mit gigantischen Hüften, einer ausgeprägten Vulva und Schlauchbrüsten; die Bildunterschrift lautete: »Miss Europa, 25 000 v. Chr.« Neben der »ältesten Keramikfigur ihrer Art«, der Venus von Dolní Věstonice, benannt nach ihrem Fundort im heutigen Tschechien, illustrierten Horsts hochinteressanten Artikel noch etliche ähnliche Abbildungen.

Bruno war tief beeindruckt gewesen, als er gelesen hatte, dass bislang europaweit in Höhlen und Gräbern über hundert solcher Venusfigurinen aus der Zeit zwischen 28 000 und 20 000 Jahren v. Chr., also dem Jungpaläolithikum oder der frühen Altsteinzeit, gefunden worden waren. Unseren steinzeitlichen Vorfahren sei offenbar, so glaubte Horst, eine Faszination für großzügig proportionierte Frauen gemeinsam gewesen. Durchschnittlich fünf bis zwanzig Zentimeter hoch, waren diese Figurinen die ersten bekannten Darstellungen menschlicher Gestalten in äußerst stilisierter Form. Die Frauen – es waren durchweg weibliche Gestalten –

kennzeichneten, von einigen wenigen Ausnahmen abgesehen, enorme Brüste, ausladende Hüften und Schenkel, ein geschwollener Bauch und eine hervorgehobene Scham. Manche hatten raffinierte, sorgfältig modellierte Frisuren oder Kopfschmuck aus kleinen Muscheln, vergleichbar mit demjenigen, der im Museum von Les Eyzies ausgestellt war.

Die Überbetonung der primären Geschlechtsmerkmale ließ darauf schließen, dass man in ihnen Fruchtbarkeitssymbole gesehen hatte. Zahllose Bücher waren über diese Figurinen und ihre mutmaßliche Rolle in vorgeschichtlichen Kulturen verfasst worden. Häufig wurde vermutet, dass sie auf frühe matriarchale Stammesgesellschaften verwiesen, in denen weibliche Fruchtbarkeit als Mysterium schlechthin angesehen und angebetet worden war.

All dies eignete sich ausgesprochen gut als Material für eine witzige, vielleicht auch etwas stichelnde Rede zur Hochzeit, fand Bruno. Er könnte sich über Horsts lebenslange Faszination für Venusfigurinen im Besonderen und die weibliche Gestalt im Allgemeinen auslassen, was schmeichelhaft für die Braut wie den Bräutigam wäre und beider Leidenschaft für die Vorgeschichte anspräche. Er würde sagen, dass Horst in Clothilde die perfekte Frau gefunden hätte, und damit schließen, dass die Verbindung der französischen Frau Dr. Clothilde Daumier mit dem deutschen Professor Horst Vogelstern von der Kölner Universität das Beste des neuen Europa symbolisiere.

Bruno machte sich ein paar Notizen und spürte, wie ihm eine Last von den Schultern fiel. Reden zu schwingen gefiel ihm ganz und gar nicht. Wenn er nicht umhinkam, eine zu halten, bereitete er sich immer extrem gründlich darauf vor, was paradoxerweise zur Folge hatte, dass inzwischen alle Freunde ihn zu gegebenen Anlässen als Redner zu engagieren versuchten. Immerhin hatte er die Rede für Clothilde und Horst nunmehr skizziert. Für die Ausarbeitung würde er noch ein, zwei Stunden brauchen. Dabei hatte er an diesem Tag ohnehin genug zu tun. So musste er zum Beispiel um zehn in Sarlat bei einem Gerichtsverfahren als Zeuge aussagen. Bruno warf einen prüfenden Blick in den Kleiderschrankspiegel, pfiff Balzac von seiner morgendlichen Patrouille durch den Garten zurück und machte sich auf den Weg zur Reitschule. Er hatte sich gerade ans Steuer gesetzt, als sein Handy vibrierte. Es war Ahmed von der Feuerwehr, der als Festangestellter ein Team von zumeist freiwilligen *pompiers* anführte. Sie waren nicht nur für Brandbekämpfung zuständig, sondern kamen auch in der Notfallambulanz zum Einsatz.

»Wir haben einen Notruf von Commarque, das ist diese Schlossruine an der Straße nach Sarlat«, informierte Ahmed. »Anscheinend ist eine Frau vom Fels oder von der Burgmauer gestürzt. Sie soll tot sein. Der Mann, der uns informiert hat, Jean-Philippe Fumel, betreibt den Kiosk am Eingang. Er erwartet dich. Fabiola hat heute Bereitschaft und ist schon auf dem Weg. Sehen wir uns gleich?«

Bruno versprach zu kommen und rief Pamela in der Reitschule an, um ihr zu sagen, dass er sich an diesem Vormittag nicht um Hector würde kümmern können. Fabiola habe ihr schon von dem Unglück berichtet, erwiderte sie und erklärte, dass sie ihn dann am Abend zum Ausritt erwarte.

»*Bisous*«, sagte sie noch, was Bruno immer ein bisschen irritierte. Ihre Affäre war seit etlichen Monaten beendet, wenngleich sich beide immer noch zueinander hingezogen fühlten, was Bruno daran erinnerte, dass zwischen ihnen auch jetzt noch mehr als Freundschaft war. Aber für solche Gedanken hatte er jetzt keine Zeit. Er meldete sich in der *mairie* und erklärte, warum er erst später im Büro erscheinen werde. Dann suchte er in seinem Adressbuch nach der Nummer des Grafen von Commarque, eines überaus zuvorkommenden hünenhaften Mannes, der sich seit dreißig Jahren mit der Erforschung und Restaurierung des großartigen Châteaus seiner Vorfahren beschäftigte. Bruno kannte ihn vom Rugbyklub und fand, dass er möglichst schnell informiert werden sollte, zumal er vielleicht nützliche Hinweise geben konnte. Es war erst kurz nach sieben, und dass der Graf selbst nicht antwortete, wunderte Bruno nicht. Also hinterließ er eine Nachricht.

Noch vor der Abfahrt hatte Bruno einen Blick in seinen Briefkasten geworfen, auf dem deutlich sichtbar die Worte »*Pas de pub*« standen, mit denen er darauf aufmerksam machte, dass er keine Werbung wünschte. Im Kasten fand er einen Brief mit Kontoauszügen und eine Ansichtskarte aus London, die ein beeindruckendes modernes Bauwerk zeigte: die Zentrale von New Scotland Yard, wie es in der Bildunterschrift hieß. Auf der Rückseite las er: »*Ich wünschte, du wärst hier. Grüß Balzac herzlich und fühl dich von mir umarmt.*«

Unterschrieben war der Gruß mit dem Kürzel I für Isabelle, die Frau, die sich davongemacht hatte. Nein, korrigierte sich Bruno. Als sie aus dem Périgord fortgezogen war, um einen Karrieresprung ins Innenministerium zu wagen, hatte sie gehofft, dass er sie begleiten würde. Aber

Bruno konnte sich ein Leben in irgendeinem Pariser Appartement ohne Garten nicht vorstellen, das einem Hund nicht zuzumuten wäre, geschweige denn seinen Hühnern. Außerdem hätte er den Kontakt zu seinen Freunden und Vereinskollegen verloren und auch die Schulkinder nicht länger trainieren können, was einen Großteil seines Alltagslebens ausmachte. Isabelle war inzwischen noch weiter aufgestiegen und koordinierte jetzt die französischen und europäischen Antiterrormaßnahmen. Sie hatte ihm Balzac geschenkt, nachdem sein vorheriger Hund getötet worden war, und wenn sie ihm nun gelegentlich Postkarten aus anderen Hauptstädten schickte, schien sie dabei weniger an ihn als an Balzac zu denken. Oder vielleicht war es auch einfach nur ihre Art, ihn daran zu erinnern, worauf er verzichtet hatte. Was gar nicht nötig war. Er hielt die Karte an seine Nase und fragte sich, ob da tatsächlich eine Spur ihres Parfüms wahrnehmbar war oder ob er sich das nur einbildete. Als er Balzac daran schnuppern ließ, schlug der leise klagend an. Auch er vermisste sie.

2

Mit Balzac auf dem Beifahrersitz fuhr Bruno nach Les Eyzies. Wie immer winkte er im Vorbeifahren zu der Statue des steinzeitlichen Mannes weit oben auf dem Felssims über der Durchgangsstraße. Die Statue stand für die Bedeutung der Stadt als Zentrum prähistorischer Forschung. Nachdem 1868 bei Bauarbeiten für eine Eisenbahntrasse erstmals menschliche Knochenreste der Urzeit freigelegt worden waren, konnten weitere Skelettteile geborgen und von denen der Neandertaler eindeutig unterschieden werden. Die Entdeckung der sogenannten Cro-Magnon-Menschen, benannt nach dem Fundort, fiel ausgerechnet in die Zeit, da Charles Darwins neue Evolutionstheorie die ganze Welt verunsicherte. Um die vielen Besucher unterbringen zu können, die schon damals dieser Funde wegen herbeiströmten, wurde ein Hotel gebaut und – wie hätte es anders sein können? – *Cro-Magnon* getauft. Eine Vielzahl archäologischer Grabungen, die folgten, kam zu dem Ergebnis, dass das Tal der Vézère eine außergewöhnliche Lagerstätte menschlicher und vormenschlicher Überreste darstellte.

Nahe der Höhle, in der die ersten Skelettteile der Cro-Magnon-Menschen gefunden worden waren, befindet sich der Abri Pataud, ein rund hundert Meter langer Balkon unter einem Felsüberhang, auf dem moderne Archäologen Spuren von nicht weniger als vierzig verschiedenen Lagerstätten nomadisierender Rentierjäger entdeckt haben. Diese frühen Menschen hatten aus den vorgefundenen Steinen am Rand des Balkons eine Mauer errichtet und somit einen geschützten Raum gewonnen, der offenbar über einen längeren Zeitraum bewohnt gewesen war. Dort fand man auch die über zwanzigtausend Jahre alten Skelette einer jungen Frau und eines kleinen Kindes. Die Knochen dienten als Vorlage für eine lebensgroße Nachbildung der Frau, die nun im angeschlossenen Museum ausgestellt war. Bruno mochte die junge Frau sehr, und er war auch voller Bewunderung für eine andere Frauengestalt, die, wie er erst aus einem von Horsts Aufsätzen erfuhr, ganz in der Nähe gefunden worden war: eingraviert in einen Felsblock. Diese sogenannte Venus vom Abri Pataud repräsentierte vieles von dem, was Bruno an diesem Tal so sehr gefiel, in dem die Frühgeschichte der Menschen noch greifbar nah war und er sich durchaus vorstellen konnte, dass hier vor über zweihundert Jahrhunderten eine Frau zu Hause gewesen war, in die er sich vielleicht hätte verlieben können. Und so warf er ihr, als er an dem Abri vorbeikam, eine Kusshand zu, ehe er sein eigentliches Ziel ansteuerte, die mittelalterliche Festung von Commarque.

Zwischen Dordogne und Vézère thront auf einem Felsvorsprung das halbverfallene Château, eines der beeindruckendsten seiner Art in der Region, wie Bruno fand. Im Unterschied zu den berühmten Burgen von Beynac und Castelnaud, die – während des Hundertjährigen Krieges zwischen England und Frankreich Stützpunkte der verfeindeten Lager – sich zu beiden Seiten der Dordogne trutzig gegenüberstehen, lag Commarque immer schon abseits der befahrenen Touristenroute. Seine Abgeschiedenheit machte es für Bruno umso reizvoller. Die Außenmauern fassen ein ganzes Dorf ein, bestehend aus sechs großen Festungshäusern, die in der Hand verschiedener Adelsgeschlechter waren, und dem Bergfried, den die Familie der Commarque bewohnte. Diese Anlage sei eine Art Feriencamp der feudalen Elite gewesen, hatte Bruno einmal gelesen, ein Ort, wo man sich an Festtagen zusammenfand, um Ränke zu schmieden, Ehen anzubahnen oder einfach nur die schöne Aussicht über das Tal der Beune zu genießen.

Bruno hatte einmal mit dem Grafen hoch oben auf dem Turm gestanden und von ihm erfahren, dass von dort aus Lichtsignale von der zwanzig Kilometer weit entfernten Stadt Sarlat empfangen worden waren. Im Mittelalter hatte man die Höhen gerodet, um Holzkohle für die vielen Hüttenwerke und Schmieden zu gewinnen. Wo längst wieder Wälder aufgeforstet wurden, hatten damals Schafe geweidet.

Bruno lenkte seinen Transporter über eine holprige Piste hinunter zum Château und parkte vor dem Eingang. Kaum hatte er die Beifahrertür geöffnet, sprang Balzac hinaus und erkundete mit seinem Geruchssinn die nähere Umgebung, und es schien, dass er sich an frühere Besuche erinnerte. Der junge Mann im Kiosk staunte über den Anblick eines Polizisten, den ein Basset begleitete. Er gab Bruno die Hand, stellte sich als Jean-Philippe vor und fragte: »Ein Spürhund?«

»Es gibt keinen besseren«, antwortete Bruno und ließ sich den Weg zu der verhängnisvollen Felsklippe zeigen, wo Fabiola, die befreundete Ärztin, bereits auf ihn wartete.

Anscheinend hatte sie ihre vorläufige Untersuchung abgeschlossen, denn sie schaute interessiert zu den Mauern und dem hohen Turm auf und achtete nicht länger auf die Leiche der Frau zu ihren Füßen, die einen blauen Trainingsanzug trug. Ein aufgerissenes Hosenbein entblößte einen anscheinend mehrfach gebrochenen Schenkel. Unter der ebenfalls aufgerissenen Jacke sah Bruno einen Rippenknochen, der die Haut durchstoßen hatte, wobei aber nur wenig Blut hervorgetreten war. Beim Aufprall musste das Herz schon zu schlagen aufgehört haben, glaubte Bruno.

Wie immer, wenn er einen toten Menschen sah, überkam ihn tiefe Traurigkeit. Er konnte sich an den Anblick einfach nicht gewöhnen, obwohl er während seiner Militärzeit und als Polizist schon ungezählte Leichen gesehen hatte, Menschen, die eines gewaltsamen oder eines natürlichen Todes gestorben waren. Wenn er denn jemals davon unberührt bliebe, würde er seinen Dienst quittieren.

Als er neben Fabiola stand, erinnerte sich Bruno: Sie hatte einmal davon gesprochen, dass sie während ihres Medizinstudiums an einem Pflichtkurs zum Thema »Ärzte und Tod« teilgenommen hatte. Ärzte in Krankenhäusern begegneten dem Tod Hunderte, wenn nicht Tausende von Malen, allerdings meist in anonymer Gestalt. Niedergelassene Ärzte hatten dagegen sehr viel weniger mit dem Tod zu tun, aber wenn, betraf es in der Regel Menschen, die sie gut und möglicherweise über Jahre kannten. Sowohl für die einen als auch für die anderen Ärzte, so habe die Seminarleiterin damals gesagt, nehme die emotionale Belastung mit der Zeit sogar zu. Bruno machte kurz die Augen zu und versuchte, sich dann auf den Leichnam zu konzentrieren.

Die Tote hatte kurze dunkle Haare und ein rundliches Gesicht, das auffallend stark sonnengebräunt war, obwohl die südfranzösische Frühjahrssonne erst wenig Kraft hatte. Über die rechte Wange verlief ein blutunterlaufener Striemen. Sie lag auf dem Rücken, und der Kopf war so extrem nach rechts verdreht, dass der Hals gebrochen sein musste. Der rechte Arm war angehoben und im Ellbogen angewinkelt. Ein altes Kuhhorn schien ihr aus der Hand gerutscht zu sein. Die andere Hand lag auf dem Bauch in einer angesichts der Tatsache, dass sie offenbar zu Tode gestürzt war, seltsam friedlich anmutenden Pose. Der Fuß des mehrfach gebrochenen Beins war nackt, während der andere in einem billigen, für Kletterpartien völlig ungeeigneten Laufschuh steckte. Bruno schaute sich um. Der zweite Schuh war nirgends zu sehen.

»Sie ist definitiv tot. Deshalb habe ich die *pompiers* wieder abziehen lassen. Für sie ist hier nichts zu tun«, sagte Fabiola, nachdem sie Bruno mit Wangenküssen begrüßt und auch Balzac die gebührende Aufmerksamkeit hatte zukommen lassen, dessen heftig wedelnder Schwanz erkennen ließ, wie sehr er sich freute, sie zu sehen. An dem Fuß der Toten schnüffelte er kurz, zog sich aber sofort wieder zurück, setzte sich und schaute zu seinem Herrchen auf.

»Die Frakturen an Hals und Bein deuten auf einen Sturz hin«, fuhr Fabiola mit nüchterner Sachlichkeit fort. »Ihr Fingerabdrücke abzunehmen dürfte schwerfallen, da die Fingerkuppen ganz wund sind, vom Klettern, wie es scheint. Hinweise auf Fremdverschulden sehe ich keine. Ich würde sagen, sie ist ungefähr vierzig Jahre alt. Außerdem ist sie übergewichtig, weshalb es mich wundert, dass sie sich in diesen Fels gewagt hat.«

»Für dich wäre er doch kein Thema, oder?«, fragte Bruno, der wusste, dass Fabiola als Studentin eine gute Bergsteigerin gewesen war.

»Ich würde hier jedenfalls nicht im Dunkeln rauf- oder runterklettern«, erwiderte sie und schüttelte entschieden den Kopf. »Und bei Tag nicht mal ohne Seil und Mauerhaken. Ich glaube, sie hat nicht gewusst, worauf sie sich da einlässt; dafür spricht auch das Schuhwerk.«

Bruno legte den Kopf in den Nacken und blickte nach oben. Der zerklüftete Fels über dem Überhang ragte rund zwanzig Meter in die Höhe, und auf ihn setzte eine etwa ebenso hohe Turmmauer auf. Im Fels waren mehrere tiefe Nischen, in denen, wie sich Bruno erinnerte, in vorgeschichtlichen Zeiten Höhlenmenschen gehaust hatten. Auch gab es in diesen Nischen eine Küche, Lagerräume und Kammern, in denen im Mittelalter Dienstboten des Schlosses untergebracht worden waren. Auch als nach den Religionskriegen im 17. Jahrhundert das Schloss verlassen worden war, hatten in den Nischen weiterhin Menschen gelebt. Während des Zweiten Weltkriegs hatten Widerstandskämpfer dort Unterschlupf gefunden. Die Höhlen waren trocken, aber in der Nähe gab es Wasser.

Vom Grafen wusste Bruno, dass sich durch das ganze Felsmassiv, auf dem das Château gebaut war, eine Vielzahl von Spalten und Hohlräumen zog. In manchen hatte man Zeugnisse von Menschen aus der Jungsteinzeit gefunden, so zum Beispiel einen in den Stein gravierten, fünfzehntausend Jahre alten Pferdekopf. Bruno traute seinen Augen kaum, als er hoch oben auf der Turmmauer eine Folge von frisch mit gelbroter Leuchtfarbe aufgetragener Buchstaben entdeckte.

»I-F-T-I«, buchstabierte er. »Sagt dir das was?«

»Darüber habe ich mir auch schon den Kopf zerbrochen«, antwortete Fabiola. »Schau dir das letzte Zeichen genauer an; mir scheint, dass es nicht fertig geworden ist. Vielleicht hatte die Frau ein L oder ein K schreiben wollen und ist dann abgestürzt. Oder vielleicht auch ein R oder Y. Keine Ahnung, ich war noch nie gut in Kreuzworträtseln.«

»Mir fällt kein französisches Wort ein, das mit I-F beginnt. Es könnte etwas Englisches sein«, meinte Bruno. »Jedenfalls ist die Farbe da oben dieselbe wie die an der Hand der Toten. Eindeutig.«

»Stimmt. Und was hat es wohl mit diesem Kuhhorn auf sich? Sie wird es wohl kaum in der Hand gehalten haben. Entweder hat es hier schon gelegen, oder es ist ihr aus der Tasche gefallen. Möglich auch, dass es nachträglich dorthin gelegt worden ist. In dem Fall wäre jemand hier gewesen. Übrigens habe ich mich schon umgeschaut und nirgends eine Spraydose gefunden. Vielleicht hat dieser jemand sie eingesteckt.«

»Wie lange ist sie wohl schon tot?«, fragte Bruno.

»Schätzungsweise drei bis vier Stunden. Bestimmt nicht mehr als acht. Das heißt, sie wird im Dunkeln in der Wand gewesen sein. Eine Taschenlampe kann ich auch nirgends finden. In ihren Taschen ist jedenfalls keine.«

»Vielleicht war der Mond hell genug. Er ist fast voll.« Bruno hatte als Gärtner den Mondkalender stets im Blick.

»Ich werde mich erkundigen, ob es in der Nacht bewölkt war oder nicht. Fällt dir an ihrem Gebiss irgendwas auf?«

»Das sind nur ein paar Standardfüllungen, die überall in Europa gemacht worden sein könnten. Jedenfalls wirst du einen Zahnarzt zu Rate ziehen müssen. Ich wäre hier jedenfalls fertig und würde gern in die Klinik zurückkehren.«

»Gibt es, von dem Kuhhorn abgesehen, noch etwas, das dir sonderbar vorkommt?«, fragte Bruno, der an Fabiola nicht nur ihre fachlichen Kompetenzen schätzte, sondern auch ihren Spürsinn.

»Am Handgelenk und am Hals sind Spuren, aus denen ich noch nicht schlau geworden bin. Sie könnten von einem Seil herrühren, aber ich sehe hier keins. Die Polizei wird einen genaueren Blick darauf werfen müssen. Es wäre mir aber peinlich, wenn ich was Wichtiges übersehen hätte.«

»Darf ich mal deine Lupe haben?« Bruno beugte sich damit über die besagten Stellen an Hals, Handgelenk und Unterarm und entdeckte mehrere Fasern eines grünlichblauen Materials.

»Könnten das Nylonfädchen sein, vielleicht von einem Kletterseil?«, fragte er und reichte ihr die Lupe.

Sie schaute hin. »Durchaus.«

»Dann hatte sie wahrscheinlich einen Kletterpartner, der sich nach dem Sturz mit Seil und Spraydose aus dem Staub gemacht hat. Das müsstest du im Totenschein anmerken.«

Fabiola nickte. »Trotzdem sehe ich keinen Anlass für eine teure Autopsie.«

»Das entscheidet Jean-Jacques«, erwiderte Bruno. »Sie würde aus seinem Budget bezahlt.«

Als Chefermittler der *Police nationale* musste sich Jean-Jacques mit jedem Todesfall befassen, der Fragen offenließ. Was nur selten vorkam. In seinem Département lagen die jährlichen Tötungsdelikte im einstelligen Bereich, und fast immer überführte er den oder die Täter, manchmal mit Brunos Hilfe.

»Viel Erfolg bei ihrer Identifizierung«, sagte Fabiola und

klappte ihren Arztkoffer zu. »Wenn du dich freimachen kannst, komm doch nach Feierabend, und wir reiten zusammen aus. Den Totenschein kannst du dir in der Klinik abholen. Als Todesursache trage ich Sturzverletzungen ein, versehen mit einem Fragezeichen. Eigentlich müsste ich Dummheit attestieren.« Sie warf ihm zum Abschied eine Kusshand zu.

Bruno winkte ihr nach und holte sein Handy aus der Tasche, um Jean-Jacques anzurufen. Balzac gab er zu verstehen, dass er sich auf Spurensuche machen solle. Als er den Commissaire benachrichtigt hatte, fing Balzac tatsächlich zu bellen an, um kundzutun, dass er etwas gefunden hatte. Bruno ging ein paar Schritte am Fuß der Klippe entlang, wo sein Hund vor dem zweiten Schuh der toten Frau stand. Bruno lobte und tätschelte ihn, forderte ihn auf, die Suche fortzusetzen, und ging dann zurück zu seinem Transporter, wo er sein Fernglas aus dem Handschuhfach holte und die Felswand damit abscannte. Ungefähr zwanzig Meter über der Fundstelle des Schuhs und etwas nach rechts versetzt sah er etwas in der Morgensonne glitzern. Vielleicht war es ein Mauerhaken, wie ihn Bergsteiger zur Absicherung nutzten. Sollte Jean-Jacques einen Blick darauf werfen!

Wieder schlug Balzac an, diesmal von einer rund hundert Meter entfernt gelegenen Stelle. Sein Schwanz stand waagerecht nach hinten ab, eine Vorderpfote war angehoben und der Kopf vorgereckt. Diese Haltung nahm er ein, wenn er Wild entdeckt hatte. Bruno eilte zu ihm und spürte, wie der Boden unter seinen Füßen sumpfig wurde. Er näherte sich der Beune, die hier viele kleine Nebenläufe ausgebildet hatte. Sein Hund wartete geduldig, wie er es in seiner Ausbildung zum Jagdbegleiter gelernt hatte, und war von der Schwanzspitze bis zur Schnauze wie ein Pfeil ausgerichtet auf eine Stelle jenseits der Schwemmaue. Anscheinend hatte die fremde Frau, von dort kommend, die wässrige Weide überquert. Seltsam, dass es an ihren Beinen oder Schuhen keinerlei Schlammspuren gab.

Bruno kehrte zu dem Leichnam zurück und nahm sein Handy aus der Tasche. Zwar würde das Team von Jean-Jacques Fotos machen, doch wollte er selbst welche haben, um mit der Identifizierung beginnen zu können. Er schoss ein paar Bilder vom Fundort, zoomte die Großbuchstaben auf der Turmmauer heran und machte mehrere Nahaufnahmen vom Gesicht der Toten, bevor er sich die Hände noch einmal genauer anschaute. Tatsächlich waren sämtliche Fingerkuppen blutig aufgeschürft; die Kriminaltechnik würde trotzdem zumindest einen Teil der Papillarleisten rekonstruieren können.

Weitere Fragen drängten sich Bruno auf: War sie gestürzt oder gestoßen worden? Was hatte sie bewogen, die Steilwand zu erklimmen? Wer in das Château eindringen wollte, fand auch einen weniger gefährlichen Weg, zum Beispiel auf der gegenüberliegenden Seite, wo es nur eine brüchige Außenmauer zu überwinden galt. Oder hatte sie einfach nur einen Slogan an den Turm malen wollen? Vielleicht wusste der Graf eine Antwort darauf.

3

Der Graf ließ nicht lange auf sich warten. Er eilte auf Bruno zu, der am Fuß der Klippe, wo Balzac den Schuh gefunden hatte, mit einem Stock im Gras herumstocherte. Balzac kam herbeigelaufen, um den Neuankömmling zu begrüßen, der vor ihm in die Hocke ging und seine langen Ohren streichelte. Bruno berichtete ihm, was er bisher in Erfahrung gebracht hatte, und führte ihn zu der Toten.

»Die habe ich noch nie gesehen. Keine Ahnung, wer sie ist. Möge sie in Frieden ruhen.« Der Graf, den die meisten nur in heiterer Stimmung kannten, betrachtete die Tote mit ernster Miene und schüttelte den Kopf. Dann hob er die Hand und bekreuzigte sich. Als er schließlich zur Felswand emporblickte und die Schriftzeichen auf dem Turm entdeckte, wich er unwillkürlich mehrere Schritte zurück.

»Was um alles in der Welt …?« Er schaute zurück auf die Tote, dann wieder hinauf zu den leuchtenden Buchstaben, die im Licht der Sonne zu glühen schienen. »Soll das Graffiti-Kunst sein? Hat sie diese Buchstaben aufgesprüht? Und was haben sie zu bedeuten? Mir sagen sie nichts.«

»Ich hatte gehofft, Sie könnten mir bei der Identifizierung der Toten helfen oder mir erklären, was es mit diesen Schriftzeichen auf sich hat. Sie hat keine Ausweispapiere bei sich, und es wird schwer sein, der Toten Fingerabdrücke abzunehmen.«

»Spontan fällt mir nur ein, dass sie vielleicht zu den Templerfreunden gehört hat. Es gab kürzlich Ärger mit ihnen. Sie haben einzubrechen versucht, um eigene Grabungen vorzunehmen. Ich habe einige von ihnen eingeladen, sich anzusehen, was die Archäologen zutage gefördert haben, damit sie sich mit eigenen Augen überzeugen können, dass es eben nicht der legendäre Templerschatz ist, der hier angeblich zu finden ist. Ich dachte, damit hätte sich die Sache erledigt. Übrigens habe ich da noch eine E-Mail-Adresse vom Schriftführer dieses Vereins. Vielleicht kann der die arme Frau hier identifizieren.«

»Auf den ersten Blick sieht das hier nach einem tragischen Kletterunfall aus. Aber manche Details geben mir zu denken«, sagte Bruno und erklärte, warum er Jean-Jacques gerufen hatte. »Zum Beispiel ist mir nicht klar, wie sie hierhergekommen ist.«

»Vielleicht hat sie ihren Wagen oben auf dem Hügel abgestellt«, erwiderte der Graf. »Ich bin von der anderen Seite gekommen.«

»Ich habe auf dem Parkplatz kein Auto gesehen, und sie hat auch keinen Autoschlüssel in der Tasche.«

»Vielleicht werfen Sie auch einen Blick auf den Parkplatz von Cap Blanc auf der anderen Talseite. Er ist bequem zu Fuß zu erreichen, wenn auch ein bisschen weiter weg.« Er zeigte in die Richtung, in die Bruno auch von Balzac geführt worden war.

»Ich wusste gar nicht, dass Cap Blanc so nah ist«, sagte Bruno. Der Abri war bekannt für seine prähistorischen

Halbreliefs von Pferden und Wisenten, die so lebendig wirkten, dass sie gleichsam aus der Wand zu springen schienen.

»Ganz in der Nähe«, schwärmte der Graf, der die Tote zu seinen Füßen vorübergehend vergessen zu haben schien, »ist noch ein anderer *gisement,* eine Grotte, in der die Venus von Laussel gefunden wurde. Und Sie kennen doch bestimmt den Pferdekopf, der in der Höhle unterhalb der Felswand in den Stein geritzt wurde. Hier bei uns sind mehr prähistorische Fundstätten als sonst irgendwo auf der Welt.« Dann, als würde ihm erst jetzt der Grund ihres Treffens wieder bewusst, wurde sein Ton sachlich: »Hören Sie, Bruno, ich hoffe, die Tote wird bald abgeholt. Gegen Mittag kommt eine Schulklasse aus Bergerac. Was haben Sie jetzt mit der Leiche vor?«

»Kollegen von der *Police nationale* in Périgueux sind bereits auf dem Weg hierher. Die werden sich um alles Weitere kümmern. Ich schätze, die Tote wird in die Pathologie nach Bergerac gebracht. Wenn sie identifiziert werden kann, müssen sich auch Angehörige ausfindig machen lassen, die entscheiden, was mit ihr geschehen soll. Wenn nicht, werden wir die Öffentlichkeit bitten, bei der Identifizierung mitzuhelfen.«

Der Graf nickte und blickte wieder auf die tote Frau hinab. Plötzlich fiel ihm etwas auf. »Das Horn da neben ihrer Hand …«, sagte er scharf. »Wer hat es da hingelegt?«

»Es lag da, als ich angekommen bin. Ich wollte gleich den jungen Mann im Kiosk fragen, ob er mir etwas dazu sagen kann. Wissen Sie vielleicht, was es damit auf sich hat?«

Der Graf antwortete nicht, sondern ging auf das Häuschen zu, in dem Jean-Philippe Broschüren, Reiseführer und

Souvenirs auf einer kleinen Theke ausgelegt hatte. Es duftete nach Kaffee, und Bruno sah im hinteren Teil der Hütte eine Maschine dampfen.

»Nein, natürlich nicht. Wie käme ich dazu? Das Horn lag schon neben ihrer Hand, als ich sie heute früh entdeckt habe«, erklärte Jean-Philippe auf die Frage des Grafen, der ihn mit strenger Miene betrachtete.

»Da hat sich jemand einen makabren Scherz erlaubt«, sagte der Graf. Er nahm eine Broschüre von der Theke, schlug eine Seite darin auf und reichte sie Bruno. »Sehen Sie, Bruno. Hier. Die Venus mit Horn, gefunden gleich dort drüben, oberhalb von Schloss Laussel.«

Das Foto, das er Bruno unter die Nase hielt, kannte dieser schon aus Horsts wissenschaftlicher Abhandlung. Es zeigte eine in Stein gravierte dickliche Frau, die sich mit ihrer rechten erhobenen Hand ein Horn in Ohrhöhe an den Kopf hielt, fast wie einen Telefonhörer. Die Frau hatte kein Gesicht, denn der Fels oberhalb ihrer Brust war erodiert. Doch auf der dem Horn abgewandten Kopfseite war eine prächtige lange Haarpracht angedeutet.

»Genau die gleiche Haltung«, bemerkte der Graf. »Das kann kein Zufall sein. Jemand, der die Venus kennt, hat der Toten absichtlich das Horn neben die Hand gelegt.«

Und sie war nicht allein in der Wand, dachte Bruno. Er betrachtete das Foto. Diese Venus war keine Figurine, sondern ein in Stein gemeißeltes Werk. In welcher Größe, ließ sich nicht erkennen. Bruno erkundigte sich.

»Ungefähr einen halben Meter hoch. Außer ihr wurden noch mehrere andere Darstellungen dieser Art gefunden, alle aus derselben Epoche. Sie sind circa fünfundzwanzigtausend Jahre alt«, erklärte der Graf. Es hatte eine zweite, weniger gut erhaltene Venus gegeben, die ebenfalls ein Horn in der Hand zu halten schien, die sogenannte Venus von Berlin. Sie wurde 1912 an ein deutsches Museum verkauft und galt seit dem Zweiten Weltkrieg als verschollen. Weitere vergleichbare Exemplare waren zum einen die Seitenansicht einer schlankeren, jungen Frau, zum anderen zwei Frauen, die sich an den Hüften berührten, wobei die eine aufrecht sitzend, die andere kopfüber dargestellt war.

»Wir haben hier einen echten Schatz«, fuhr der Graf fort. »Da wäre zum Beispiel noch die *Femme à la Tête Quadrillée*, eine Venus mit Kopfbedeckung, wie es scheint. Wenn alles an Ort und Stelle geblieben wäre, hätten wir hier ein großartiges Museum, aber die Sammlung wurde aufgelöst, und die wichtigsten Exponate sind jetzt in Bordeaux zu sehen.«

»Lässt sich mit Bestimmtheit sagen, dass es sich um ein Horn handelt?«, fragte Bruno. »Es könnte doch auch eine große Muschel sein.«

»Oder eine Mondsichel«, erwiderte der Graf. »Es sind nämlich dreizehn Kerben darauf eingeritzt, die möglicherweise auf die dreizehn Mondphasen im Jahr hinweisen beziehungsweise die dreizehn Menstruationszyklen, was zur Deutung der Venusfigurinen als Fruchtbarkeitssymbole passen würde. Genaueres lässt sich nicht sagen. Manche Forscher sind der Ansicht, dass es sich auch um eine Art Musikinstrument handeln könnte, vielleicht um ein Jagdhorn.«

»Glauben Sie immer noch, dass die Templerfreunde dahinterstecken?«

Der Graf zuckte mit den Schultern. »Ich weiß es nicht,

aber diese Leute waren mehrmals hier, mit Metalldetektoren und Spaten. Die wollen wir hier nicht sehen, während seriöse Archäologen stets willkommen sind, denn die halten sich an Vorschriften und reichen entsprechende Anträge beim Kulturministerium und dem Museum von Les Eyzies ein. In diesem Sommer erwarten wir zwei genehmigte Grabungen unter der Leitung von Professor Vogelstern. Außerdem hat sich ein Spezialistenteam für Seismik und Echolotung angesagt, das nach Höhlen suchen will, die wir noch nicht entdeckt haben. Madame Daumier hat das veranlasst.«

»Erzählen Sie mir von diesen Templerleuten. Wonach suchen die eigentlich?«, wollte Bruno wissen und nickte Jean-Philippe dankbar zu, als der ihm einen Pappbecher Kaffee reichte. »Ich weiß, dass die Templer Kreuzfahrer waren, irgendein christlicher Orden im Heiligen Land. Mehr aber auch nicht.«

Der Graf verzog die Lippen zu einem spitzbübischen Grinsen. »Sind Sie jemals über die Pont Neuf in Paris gegangen?«

Bruno nickte. »Hin und zurück.«

»Dann sind Sie auch am Eingang zum Place Dauphine vorbeigekommen. Genau an der Stelle wurde Jacques de Molay, der letzte Großmeister des Templerordens, auf dem Scheiterhaufen hingerichtet. Das war 1314. Sterbend soll er König Philipp IV., den Papst und das Geschlecht der Kapetinger insgesamt verflucht und deren baldigen Untergang beschworen haben. Tatsächlich starben der König und der Papst noch im selben Jahr, und der Thron Frankreichs ging an das Haus der Valois über. Der Templerfluch hatte sich bewahrheitet.«

Seine Zerschlagung des Ritterordens hatte der König, so der Graf weiter, mit der Unterstellung begründet, dieser sei korrupt, übe schwarze Magie aus und betreibe Unzucht. Die eigentlichen Motive des Königs aber waren weniger fromm: Er fürchtete, dass die Templer einen Staat im Staat bildeten, und wollte deren Grundbesitz und Geld. Nicht lange zuvor hatte er zu einem Pogrom gegen die französischen Juden aufgerufen und deren Vermögen konfisziert. Nachdem es aufgebraucht war, boten sich die Templer als nächstes Opfer an.

»Dazu noch eine interessante Geschichte«, fuhr der Graf fort. »Als fast fünfhundert Jahre später Ludwig XVI. guillotiniert wurde, soll jemand ein Taschentuch in das Blut des Königs getunkt und ausgerufen haben: ›Jacques de Molay, endlich bist du gerächt.‹ Das war natürlich auf dem Place de la Concorde.«

»Die Templer waren also nicht ausgestorben?«

Der Graf zuckte wieder mit den Achseln. »Viele Freimaurergruppen des achtzehnten Jahrhunderts behaupteten, Nachfahren der Templer zu sein. Freimaurer plädierten für Reformen, für eine Verfassung und die Beschneidung kirchlicher Macht. Sie standen für die Ideale der Aufklärung. Nicht von ungefähr waren mehrere Anführer der amerikanischen Revolution Freimaurer. Haben Sie sich schon mal einen Dollarschein genauer angesehen? Darauf ist das Auge in der Pyramide abgebildet, eines der Symbole der Illuminaten, einer Freimaurersekte. Bemerkenswert, nicht wahr?«

Bruno waren schon verschiedene Verschwörungstheorien im Zusammenhang mit den Freimaurern zu Ohren gekommen. Er fragte: »Aber was interessiert die Leute immer noch so sehr an den Templern?«

»Der legendäre verschollene Schatz. Die Templer sollen enorm reich gewesen sein. Was sich der König unter den Nagel gerissen hat, wäre demnach nur ein Bruchteil ihres Vermögens gewesen. Ich bin kein Experte, aber in Sarlat wohnt ein ausgewiesener Fachmann namens Dumesnil. Er hat mehrere Bücher über die Templer geschrieben. Ich glaube, er unterrichtet am *lycée* in Brive.«

»Und was hatten die Templer mit Ihrem Château zu schaffen?«, fragte Bruno, während sie langsam zur Toten zurückgingen.

»Es war einer ihrer Stammsitze. Mein Vorfahr Gérard de Commarque beteiligte sich Mitte des zwölften Jahrhunderts am Zweiten Kreuzzug und vertraute die Burg den Templern an.«

»Wann hat Ihre Familie sie wieder in Besitz genommen?«

»Gute Frage. Die Eigentumsverhältnisse waren lange Zeit unklar. Aber sie gehört zweifellos uns, auch wenn die Grafen von Beynac immer wieder Besitzansprüche erhoben haben. Karl der Große schenkte die Ländereien ringsum meinem frühesten bekannten Vorgänger Bovon de Commarque für tapfere Dienste im Kampf gegen die Wikinger. Sie wissen vielleicht, dass sie Bordeaux und Bergerac überfallen und sogar die Abtei von Paunat gleich neben Saint-Denis geplündert haben.«

Bruno nickte. »Das haben auch König Philippe und die Templer.«

Der Graf lachte. »Ein König plündert nicht.« Dann betrachtete er wieder die Tote und fügte ernst hinzu: »Manchmal frage ich mich, ob wir hier in Frankreich nicht womöglich allzu viel Geschichte haben.«

»Ihre Familie hat eine Menge dazu beigetragen«, sagte Bruno und versuchte, einen neutralen Ton beizubehalten. Er, der seine Eltern nie kennengelernt hatte, ging fast selbstverständlich davon aus, dass seine Familie in der französischen Vergangenheit keine nennenswerte Rolle gespielt hatte. Bestenfalls, dachte er, waren seine Vorfahren Bauern gewesen, die von früh bis spät hart hatten arbeiten müssen; möglich aber auch, dass sie gewöhnliche Kriegsknechte gewesen waren, Kanonenfutter für die Träume und Ambitionen des Adels. Seiner politischen Gesinnung nach war Bruno ein strammer Republikaner, der die Revolution von 1789 als Glücksfall für Frankreich ansah, ohne die Schrecken ihrer terroristischen Auswüchse unter den Tisch zu kehren. Der Graf dagegen wusste wahrscheinlich von Vorfahren, die der Guillotine zum Opfer gefallen waren, und mochte daher eine andere Einstellung haben.

Der Graf musterte ihn scharf. »Ihre Familie bestimmt auch, so oder so. Meine Ahnen waren immerhin klug genug, ihre Frauen woanders zu suchen als ihre aristokratischen Pairs. Wahrscheinlich ist unsere Linie deshalb nie ausgestorben. Übrigens habe ich diesen Besitz hier nicht geerbt. Ich musste ihn zurückkaufen.«

»Kompliment, wie Sie damit umgehen«, sagte Bruno, was er auch so meinte. Er war voller Respekt für den Einsatz, den der Graf seit drei Jahrzehnten für Forschung und Restaurierung zeigte. »Ich würde gern Kontakt mit dem Sekretär der Templerfreunde aufnehmen.«

Der Graf holte ein Handy aus der Tasche und las einen

Namen und eine Telefonnummer vor. »Ein netter Bursche, wenn auch ein bisschen langweilig; hat früher für das Finanzministerium gearbeitet. Vermutlich haben die Templer ein bisschen Schwung in sein Leben gebracht. Und hier ist dieser Templerforscher, den ich erwähnt habe, Auguste Dumesnil. Eine Telefonnummer habe ich nicht, dafür seine E-Mail-Adresse.«

Bruno bedankte sich und schrieb alle Angaben in sein Notizbuch. »Könnte es für die Frau einen anderen Grund – außer dem der Schatzsuche – gegeben haben hierherzukommen?«

»Wenn sie die Klippe erklommen hat, um zur Donjon-Wand zu gelangen, war sie mit Sicherheit nicht auf einen Schatz aus«, antwortete der Graf. »In den Innenhof, wo so mancher Schatzsucher mit Metalldetektoren herumläuft, kommt man ohne weiteres. Und wer da nicht fündig geworden ist, sucht in den Höhlen.«

»Was könnte sie Ihrer Meinung nach an dem Donjon interessiert haben?«

»Keine Ahnung«, antwortete der Graf kopfschüttelnd. »Schon zu Beginn der Restaurierungsarbeiten ist der Wohnturm gründlich untersucht worden, und abgesehen von einer allgemein zugänglichen Ausstellung von Fotos über archäologische Funde ist dort nichts zu sehen. Über die Jahrhunderte kam es immer wieder zu Plünderungen. Es wurden sogar Mauern abgetragen, um Steine zu erbeuten. Wahrscheinlich wollte die Frau hier nur mit Graffiti auf sich aufmerksam machen, und sie ist nicht den Turm hinauf-, sondern von oben nach unten geklettert. Vielleicht gehen wir mal nach oben und schauen nach.«

Er öffnete das Eingangstor und stieg mit Bruno über eine Spindeltreppe durch den Bergfried nach oben. Doch die geführte Tour des Grafen ergab keine neuen Aufschlüsse. Die Räume, durch die sie kamen, waren bis auf ein paar Schaukästen im Obergeschoss, die die Restaurierungsarbeiten dokumentierten, völlig leer. Als sie wieder hinabgestiegen waren, sah Bruno auf der Zufahrt Jean-Jacques' Dienstwagen näher kommen, gefolgt vom Transporter der Kriminaltechnik.

Bruno warf einen Blick auf seine Armbanduhr, erklärte, dass man ihn vor Gericht erwartete, und stellte Jean-Jacques und den Grafen einander vor. Gemeinsam gingen sie zum Fundort der Leiche, wo Bruno den Commissaire auch sogleich auf die Farbspuren auf der Turmmauer aufmerksam machte.

»Wenn ich von Sarlat zurückkomme, werde ich die Fotos, die ich gemacht habe, an Presse und Fernsehen weiterleiten«, sagte er. »Wenn ich sonst noch etwas tun kann, lassen Sie es mich bitte wissen.«

»Wir bleiben in Kontakt«, erwiderte Jean-Jacques. Er betrachtete das Graffito und kratzte sich am Kopf. »Hat jemand eine Ahnung, was das heißen könnte?«

»Ich vermute, es ist entweder Englisch oder eine andere Fremdsprache«, antwortete Bruno. »Französisch ist es jedenfalls nicht.«

»Ich melde mich am Nachmittag bei Ihnen, nach dem Treffen mit dem Präfekten wegen dieser Päderasten-Geschichte, das, wie ich fürchte, unangenehm werden könnte.«

»Was hat er damit zu tun?«, fragte Bruno. »Zuständig ist doch unstrittig die Polizei.«

Präfekten wurden vom Präsidenten ernannt und vertraten den französischen Staat in allen hunderteins Départements des Landes. Ihre Hauptaufgabe bestand darin sicherzustellen, dass regionale Regierungsentscheidungen im Einklang mit der nationalen Politik standen. Im Fall von nationalen Katastrophen hatten Präfekten auch die verschiedenen Teile der Polizeikräfte miteinander zu koordinieren. Konkrete Einsatzmaßnahmen aber blieben der Polizei überlassen.

»Er sagt, es gehe um das öffentliche Vertrauen in die Polizeiarbeit.«

»Kommen Sie mit den Ermittlungen voran?«

»Nicht wirklich. Ein vertrackter Fall ist das, zumal er an die dreißig Jahre zurückliegt. Drei Kläger waren in psychiatrischer Behandlung. Deren Anschuldigungen basieren auf dem, was die behandelnden Therapeuten ›recovered memory‹ nennen, die Wiederherstellung traumatischer Erinnerungen. Mit anderen Worten, die Kläger haben nie von sich aus von Missbrauch gesprochen und sind erst durch die Behandlung dieser Frau damit herausgerückt. Wir haben viele ehemalige Heimkinder ausfindig gemacht und befragt, aber keins war selbst betroffen.« Er schaute Bruno in die Augen. »Sie waren doch auch in einem dieser kirchlichen Waisenheime, oder, Bruno?«

»Ja, in dem von Bergerac. Und das auch nur für ein paar Jahre, bis meine Tante in der Lage war, mich zu sich zu nehmen. Im Heim sind mir manchmal Stockhiebe auf den Hosenboden oder Schläge mit dem Lineal auf die Handknöchel verabreicht worden, aber zu sexuellen Übergriffen ist es nie gekommen. Das Schlimmste, woran ich mich erinnere, war die Aussage eines Priesters, wonach Tiere keine Seele haben und deshalb nicht in den Himmel kommen. Das hat mir das Herz gebrochen. Ich muss ungefähr fünf gewesen sein und habe damals meinen Kinderglauben verloren.«

Jean-Jacques nickte. »Tja, wie gesagt, das Ganze ist ziemlich vertrackt. Meine Mitarbeiter drohen mit Streik, wenn sie noch länger an diesem Fall arbeiten müssen, der, wie sie finden, nur aus Phantasien und Falschaussagen besteht. Aber die zuständige Staatsanwältin scheint zu glauben, was diese Psychologin behauptet, und besteht darauf, dass wir unsere Nachforschungen fortsetzen. Und die Frau des Präfekten will's ebenfalls.«

»Was sagt Prunier dazu?«, fragte Bruno, womit er sich auf Jean-Jacques' Vorgesetzten, den Polizeipräsidenten, bezog.

»Er würde die Akte gern schließen, aber der Präfekt ist dagegen – obwohl fast alle ehemaligen Bewohner des Heims von Mussidan bezeugen, dass es solche Vorfälle nie gegeben hat. Nur die drei Kläger und eine ehemalige Nonne sagen, dass damals die diskrete Regel galt, zwei bestimmte Priester mit Kindern nicht allein zu lassen. Und die Frau ist keine besonders glaubwürdige Zeugin, weil sie nach ihrem Austritt aus der Kirche zu trinken angefangen hat.« Jean-Jacques verdrehte die Augen. »Sie wird übrigens von derselben Psychologin betreut.«

»Ziemlich dünne Beweislage, wie's aussieht.«

»Nicht für die Staatsanwältin. Sie will sich offenbar einen Namen machen und hält alles, was diese Psychologin sagt, für die reine Wahrheit. Wie dem auch sei, mein Problem ist es nicht. Ich rufe Sie an, wenn ich beim Präfekten gewesen bin.«

4

Bruno erreichte wenige Minuten vor Verhandlungsbeginn das Gericht in Sarlat, wo ihm allerdings zwei kleine Gruppen von Demonstranten, die gegeneinander protestierten, den Weg ins Gebäude versperrten. Die einen gaben sich als Anhänger des Gewerkschaftsbundes CGT zu erkennen, der traditionell den Kommunisten nahestand. Sie forderten auf ihren Transparenten »Keine Sklavenarbeit« und skandierten »Sonntage bleiben frei«, während die anderen in der weißen Arbeitskleidung von Bäckern und mit mehlbestäubten Gesichtern dagegenhielten und »Wir wollen arbeiten« riefen. Auf Bruno wirkte die Szene nicht unfriedlich. Einer der Gewerkschafter, den er vom Rugby kannte, grüßte ihn sogar per Handschlag. Aber Bruno wusste auch, dass es in solchen Fällen plötzlich und unerwartet zu Ausschreitungen kommen konnte.

Ruhig und ohne handgreiflich zu werden, sorgten zwei Kollegen der städtischen Polizei dafür, dass Bruno ins Haus kam. Vor dem Sitzungssaal wurde er von Hugues und seinem Anwalt begrüßt. Sie lächelten erleichtert, obwohl er, Bruno, nur geladen war, um sich zur Person des Beklagten auszulassen. Hugues war in Saint-Denis geboren und aufgewachsen und führte einen gutgehenden Bäckereibetrieb im Industriegebiet am Stadtrand von Sarlat. Bruno hatte ihn schon gekannt, als er nach dem Schulabschluss zu Fauquet in die Bäckerlehre gegangen war. Nach dem Tod der Großmutter hatte die Familie deren Haus geerbt, das der Vater auf Hugues' Drängen hin verkaufte, um in eine eigene Bäckerei investieren zu können. Das war kurz vor der Bankenkrise, und der Immobilienmarkt verlangte Höchstpreise, weshalb sich Hugues anfangs mit der Pacht einer kleinen, verschlafenen Bäckerei in einem Außenbezirk Sarlats begnügte.

Er hatte allerdings sehr viel weiterreichende Pläne und genug Geld, um neue Maschinen anzuschaffen, und sah die Backindustrie am Rand einer Revolution, an der er sich fleißig beteiligen wollte. Das traditionelle Geschäft des Bäckers, der einen festen Kundenstamm aus seiner Nachbarschaft bediente, wurde von Supermärkten bedroht, die Brot und Kuchen sehr viel billiger verkaufen konnten. Hugues erkannte aber früh seine Chance auf einem anderen Markt. Er besuchte jedes Hotel, jedes Restaurant und jeden Campingplatz in der Umgebung und machte ihnen das Angebot, jeden Morgen zur Frühstückszeit frisches Brot und Croissants zu liefern – in der ersten Woche umsonst und bei Zufriedenheit im Rahmen eines festen Vertrags.

Er ließ sich also darauf ein, seine Waren an sieben Tagen in der Woche pünktlich auszuliefern. Dadurch geriet er in Schwierigkeiten. Nach französischem Arbeitsrecht mussten Bäckereien ihren Betrieb mindestens vierundzwanzig Stunden in der Woche ruhen lassen und der Belegschaft einen freien Tag gewähren. Hugues hatte inzwischen eine zweite Bäckerei in Périgueux aufgemacht und beschäftigte nunmehr sechzehn Personen, die bei ihm über dem Mindestlohn verdienten und darüber hinaus am Erfolg beteiligt wurden. Gemäß der gesetzlichen Fünfunddreißigstundenwoche führte er einen Schichtbetrieb ein, der so organisiert war, dass jeder Angestellte nur fünf Tage in der Woche arbeiten musste, obwohl die Backöfen rund um die Uhr beheizt wurden. Hugues war guten Glaubens, den Gesetzen vollauf zu entsprechen.

Der Clic-P, ein Bündnis des gewerkschaftlich organisierten Einzelhandels und des Dienstleistungssektors, das zu einer landesweiten Kampagne gegen Sonntagsarbeit und späte Öffnungszeiten aufgerufen hatte, war jedoch anderer Meinung. Bruno hatte Verständnis für den Aufruf, konnte aber nicht verstehen, warum man sich ausgerechnet auf Hugues eingeschossen hatte. Vielleicht, vermutete er, sahen die regionalen Gewerkschaftsführer in ihm ein leichtes Ziel.

»Ich kann nicht glauben, dass ich für meine sonntäglichen Brotlieferungen als Straftäter belangt werden soll«, empörte sich Hugues. »Auch meine Mitarbeiter sind fassungslos.« Er deutete nach draußen, wo seine Angestellten für ihn demonstrierten, viele immer noch in den weißen Schürzen und mit den Haarnetzen, die sie am Arbeitsplatz trugen.

»Werden Sie wirklich den Betrieb einstellen müssen?«, fragte Bruno.

»Nein, schließlich haben wir jetzt die zweite Bäckerei. Wenn wir an beiden Standorten sechs Tage in der Woche arbeiten, lässt es sich irgendwie einrichten, dass wir jeden Tag frisches Brot anbieten können«, antwortete er. »Aber wenn ich für nur einen Tag von Périgueux aus Sarlat und Umgebung zu beliefern habe, muss ich zusätzliche Kräfte nur für die Lieferung einstellen. Das treibt die Kosten in die Höhe, wo ich doch ohnehin jede Menge Schulden für die zweite Bäckerei zu tilgen habe. Ganz zu schweigen von den Kosten, die jetzt für dieses Verfahren anfallen. Am meisten ärgert mich, dass diese ganze Angelegenheit politisch geworden ist. Die Gewerkschaften legen es darauf an, dass die linken Bürgermeister und Stadträte mein Geschäft ruinieren, während die Konservativen eine Art Märtyrer aus mir zu machen versuchen. Die Rolle passt mir nun wirklich überhaupt nicht.«

Das Verfahren wurde eröffnet. Weil die Angelegenheit als Bagatellsache eingestuft war, fiel sie in die Zuständigkeit eines Polizeigerichts, in dem ein Einzelrichter, nur von einem Rechtsreferenten unterstützt, entschied. Brunos Auftritt war ganz kurz. Er kannte Hugues seit zehn Jahren persönlich und wurde als Leumundszeuge vernommen. Er schilderte ihn als großzügigen und freundlichen Mann, der nicht nur eigene Interessen, sondern auch das Allgemeinwohl im Auge hatte. Am Ende eines jeden Tages ließ er das unverkaufte Brot an das Resto du Coeur, die Tafel für Bedürftige, und andere karitative Einrichtungen der Region ausliefern. Hugues' Anwalt rief drei seiner Angestellten auf, die alle Gewerkschaftsmitglieder waren und von denen einer die Sozialisten im Stadtrat vertrat. Sie priesen ihren Arbeitgeber und die Bedingungen am Arbeitsplatz. Das eigentliche Problem, meinte der Anwalt, sei der unsauber formulierte Gesetzestext.

»Es ist deutlich geworden, dass wir es hier mit einem vorbildlichen Arbeitgeber zu tun haben, dem nicht unterstellt werden kann, dass er das Recht zu beugen versucht hat«, erklärte der Richter schließlich. »Ich kann ihn gut verstehen und schlage all jenen Gewerkschaftsmitgliedern, die zurzeit arbeitslos sind, vor, ihre Gewerkschaftsführer zu fragen, ob es sinnvoll ist, ausgerechnet gegen diese besondere Bäckerei zu protestieren. Weil mir aber die Gesetzeslage nichts anderes übriglässt, muss ich zu meinem Bedauern den Beklagten mit einer Mindeststrafe von fünfhundert Euro belegen und ihn auffordern, seinen Betrieb an einem Tag in der Woche zu schließen.«

Vor dem Gericht warteten mehrere Medienvertreter, die Interviews mit Demonstranten führten, als sich Vaugier, der Vertreter der Gewerkschaft, mit vollem Körpereinsatz brüsk an Bruno und Hugues vorbeischob, um als Erster die bereitgehaltenen Mikrofone zu erreichen und den Sieg der Gewerkschaft zu verkünden.

»Das ist erst der Anfang. Ich warne alle, die unsere Mitglieder auszubeuten versuchen und gegen geltendes Recht verstoßen. Wir werden so etwas nicht durchgehen lassen«, verkündete Vaugier, ein Mann mit schmalem Gesicht und kurzgeschnittenen grauen Haaren, an dessen Revers ein Abzeichen der *Parti de Gauche* steckte.

Die Polizei war verschwunden, und es kam zu einem kleinen Handgemenge, als zwei von Hugues' Angestellten dem Gewerkschaftsmann wütend entgegentraten und ihn als Lügner beschimpften. Bruno ergriff Hugues beim Arm und hielt ihn zurück.

»Halten Sie sich lieber raus, und überlassen Sie Ihrem Anwalt das Reden«, riet Bruno. »Jedes falsche Wort macht alles nur noch schlimmer.«

Bruno versuchte, sich mit Hugues zur Seite hin zu entfernen, doch ein Hüne von einem Mann versperrte ihnen den Weg. Er trug ein Schild mit der Aufschrift »Die Reichen sollen zahlen« und skandierte einen Slogan, auf den sich Bruno keinen Reim machen konnte. Mit seiner großen Pranke griff er nach Hugues, doch Bruno wehrte ihn ab und drängte weiter. Der riesige Kerl wollte gerade mit seinem Schild auf Bruno eindreschen, als jemand anders von hinten nach seinen Armen griff.

Bruno hatte sich in der Armee im Nahkampf zu behaupten gelernt und wusste, dass er Platz brauchte, Bewegungsfreiheit und die Gelegenheit für einen gezielten, entschiedenen Schlag. Er rammte dem Hintermann seinen Ellbogen in den Bauch, hob den anderen Arm, um das Schild abzuwehren, und schrammte in voller Absicht seine Stiefelsohle über das Schienbein des Mannes vor ihm. Bleibender Schaden entstand dadurch nicht, aber der Schmerz war so groß, dass der Betroffene laut aufschrie und in die Knie ging.

Bruno drehte sich um, schob Hugues beiseite und sah, dass plötzlich zwei Bäckereiangestellte zur Stelle waren, um zu helfen; im Hintergrund hörte er Vaugier etwas von brutaler Polizeigewalt brüllen.

»Hören Sie auf damit, oder ich knöpfe Sie mir als Nächsten vor«, rief er und spürte, wie die Wut in ihm hochkochte. Mit ausgebreiteten Armen trat nun der Gewerkschaftler, der ihn begrüßt hatte, zwischen die beiden und mahnte zur Ruhe, womit er auch augenblicklich Erfolg hatte. Bruno bedankte sich bei ihm und folgte Hugues, als dessen Angestellten auseinanderliefen. Philippe Delaron von der Tageszeitung *Sud Ouest* kam plötzlich auf Bruno zu und sagte, dass er von der versuchten Tätlichkeit des Mannes mit dem Schild ein Foto geschossen habe, falls er den Vorfall dokumentieren müsse.

»Ich hätte da für Ihre Zeitung ein interessanteres Foto«, entgegnete Bruno und berichtete ihm von der toten Frau und dem Graffito auf der Turmmauer des Châteaus von Commarque. Er wünsche, so Bruno weiter, das Foto an prominenter Stelle in der Zeitung, damit die Frau möglichst schnell identifiziert werden könne.

»Danke, Bruno. Ich habe schon durch die *pompiers* von der Sache gehört. Das mit dem Graffito könnte eine gute Story abgeben. Rote Leuchtfarbe, sagen Sie? Eine politische Parole?«

»Mehr noch, ein Rätsel. Machen Sie sich selbst ein Bild davon. Vielleicht können Ihre Leser auch in der Hinsicht weiterhelfen. Die unbekannte Frau war nicht allein. Jemand hat die Spraydose und das Kletterseil mitgehen lassen. Die Schlagzeile schreibt sich gewissermaßen von selbst – Rätselhafte Verunstaltung eines nationalen Monuments durch unbekannte Frau. Ist sie gestürzt, oder wurde sie gestoßen?«

Zurück in seinem Büro, mailte Bruno anderen Zeitungen und Rundfunkstationen eine Beschreibung der toten Frau zu mit der Bitte, ihre Leser- und Hörerschaft zur Mithilfe bei der Identifizierung der Frau aufzurufen. Sie sah friedlich aus auf dem Foto, dessen Veröffentlichung nichts im Weg stand, zumal in Frankreich Persönlichkeitsrechte, insbesondere das Recht am eigenen Bild, mit dem Tod erloschen. Darüber hinaus schickte Bruno das Foto an das *réseau des communes,* dem alle *mairies,* Fremdenverkehrsbüros und Hotels der Region angeschlossen waren. Die Jugendlichen vom Computerklub des städtischen *collège* hatten dieses Netzwerk auf Brunos Anregung hin entwickelt. Anschließend postete er noch den Steckbrief der Frau ins Register verschwundener Personen in der Hoffnung, dass sich ein Familienmitglied um sie Sorgen machte und sich mit der Polizei in Verbindung setzte. Zu guter Letzt rief er den Sekretär des Templervereins unter der Nummer an, die der Graf ihm gegeben hatte, und hinterließ auf dessen Anrufbeantworter die Bitte um Rückruf. Er wollte sich gerade der eigenen Post widmen, als sich der Bürgermeister über die interne Telefonleitung meldete und ihn in sein Büro bat.

Bruno vermutete, dass Mangin, sein Bürgermeister, über die unbekannte Frau informiert werden wollte, und druckte die Fotos aus, die er am Fundort der Leiche aufgenommen hatte. Damit ging er, nachdem er die Tür sorgfältig zugezogen hatte, um zu verhindern, dass sich Balzac selbständig machte, hinüber in Mangins Büro. Doch der Bürgermeister hatte offenbar etwas ganz anderes im Sinn. Als Erstes stellte er ihm nämlich eine junge schwarze Frau vor, deren nach Moschus und Gardenien duftendes Parfüm bereits den ganzen Raum erfüllte. Sie stand vom Besucherstuhl auf und gab Bruno die Hand.

»Amélie Plessis«, sagte sie. »*Enchantée.*«

Sie hatte einen kräftigen Händedruck und für eine Frau recht breite Schultern. Die Haare waren sehr kurz geschnitten, und die Absätze ihrer schwarzen Lederpumps gefährlich hoch, und ihre strahlenden Augen blitzten eine Spur übermütig. Der rote Lippenstift, der betont blaue Lidschatten und die blendend weißen Zähne ließen Bruno an die Trikolore denken. Amüsiert von diesem Gedanken und beeindruckt vom selbstbewussten Auftreten der jungen Frau, tauschte er lächelnd mit ihr die Visitenkarten.

»Vom Justizministerium«, fügte sie überflüssigerweise

hinzu, da dies auf ihrer Karte stand. Was im Übrigen auch ihr Outfit erkennen ließ: ein schwarzes Kostüm mit knielangem Rock und eine weiße Bluse. »Ich freue mich auf unsere Zusammenarbeit und bin schon gespannt auf Ihre Philosophie als *Chef de police*.«

Was um alles in der Welt mochte sie damit meinen? Bruno versuchte, sich seine Verwunderung nicht anmerken zu lassen. Warum schickte das Justizministerium statt der üblichen blassen Bürokraten eine Frau wie sie nach Saint-Denis? Woher stammte sie überhaupt? Ihr Akzent war definitiv nicht französisch; die Vokale klangen allzu großzügig, und ihr Sprachrhythmus war eher melodisch und nicht das typische Pariser Geratter. Ihr Tonfall hatte, wie Bruno fand, einen leicht karibischen Einschlag. Aber er hatte auch Anklänge an das in Québec oder Marseille gesprochene Französisch. Ihr Lächeln wirkte etwas oberflächlich, weil die Augen unbeteiligt daran zu sein schienen. Bruno glaubte, so etwas wie Argwohn oder übertriebene Vorsicht darin zu entdecken. Anscheinend hatte sie gelernt, sich vor Polizisten in Acht zu nehmen.

»Mademoiselle Plessis erzählte mir gerade, dass die neue Ministerin eine große Unterstützerin der kommunalen Polizei ist, weil die Polizei dem Bürger nähersteht als die Gendarmerie und ein freundlicheres Image hat«, sagte der Bürgermeister mit einem diskreten Augenzwinkern in Brunos Richtung. »Gleichwohl möchte sich die Ministerin in ihrer wohlwollenden Einschätzung bestätigt sehen, und wir glauben, dass Sie, mein lieber Bruno, als beispielhaftes Vorbild dienen könnten. Mademoiselle Plessis möchte Ihren Arbeitsablauf kennenlernen, Sie in den nächsten zwei Wochen begleiten und dabei Protokoll führen.«

Bruno war sprachlos. Eine Pariser Regierungsbeamtin wollte jeden Schritt, den er tat, und jedes Wort, das er sagte, dokumentieren? Er merkte selbst, dass ihm die Kinnlade heruntergefallen war, richtete seinen hilfesuchenden Blick auf den Bürgermeister und fragte sich, was ihn geritten haben könnte, seinen treuen Chef de police dermaßen in Verlegenheit zu bringen.

»Ich wusste, dass Ihnen das gefällt«, sagte der Bürgermeister. »Wahrscheinlich werden im Hinblick auf die Eröffnung des neuen Lascaux-Museums auch Sicherheitsfragen zu besprechen sein. Mademoiselle Plessis ist zu Ohren gekommen, dass unser Präsident höchstpersönlich daran teilnehmen wird. Sie sind doch selbst der Meinung, dass die Stadtpolizei in kommunalen Angelegenheiten den Gendarmen um einiges voraus ist, weil die selten lange genug vor Ort sind, um wirklich nützlich sein zu können. Jetzt können Sie es beweisen.«

»Ich habe verstanden, *Monsieur le Maire*«, erwiderte Bruno, der verzweifelt nach einem Vorwand suchte, der ihn von der drohenden Pflicht entbinden mochte. »Aber da sich mit der neuen Führung unserer Gendarmerie mittlerweile eine so gute Zusammenarbeit entwickelt hat, sind meine Vorbehalte hinfällig geworden. Sie haben letzte Woche ja auch selbst der Lokalzeitung gegenüber erwähnt, dass die Zusammenarbeit zwischen uns und Commandante Yveline kaum besser sein könnte.«

»Ja, ja, aber unser Gast möchte keine Zeit verlieren. Zeigen Sie ihr doch bitte das Hotel, in dem sie die nächste Zeit verbringt, und halten Sie sich bitte für den Rest des Tages zu ihrer Verfügung.«

5

Bruno nahm der jungen Frau den Koffer ab und führte sie über den Platz zum Hotel. Weil ihm so vieles durch den Kopf ging, fiel es ihm schwer, ihr seine volle Aufmerksamkeit zu schenken. Sie bestand darauf, dass er sie Amélie nannte, und erzählte, dass sie kürzlich erst ihren Abschluss an der Verwaltungshochschule gemacht habe und sofort vom Ministerium angeheuert worden sei. Ihre Familie stammte aus Haiti, aber sie war auf französischem Staatsgebiet zur Welt gekommen, nämlich auf Guadeloupe, weil ihre Eltern kurz zuvor der korrupten Herrschaft der Duvaliers entflohen waren. Nachdem sie in Marseille aufgewachsen und zur Schule gegangen war, hatte sie ein Stipendium der Universität in Montréal bekommen, wo sie für ein Taschengeld in Nachtklubs gesungen hatte. Nach dem Studium war sie nach Frankreich zurückgekehrt, hier der Radikalen Linkspartei beigetreten und hatte sich sofort vorgenommen, Karriere in der Politik zu machen. Das alles berichtete sie auf den wenigen dutzend Metern zum Hotel. Bruno fühlte sich von ihrer schieren Energie nahezu erschlagen.

»Wie sind Sie zu Ihrer Anstellung im Ministerium gekommen?«, fragte er, als sie den Eingang erreicht hatten und Amélie zwischen zwei Sätzen kurz Luft holte. Er hätte sie lieber singen hören, war aber höflich genug, Interesse an ihrer Laufbahn zu zeigen.

»Ich hatte die Ministerin kennengelernt. Wir gehören derselben Partei an. Ich nehme an, Sie und Ihr Bürgermeister stehen politisch eher rechts. Aber keine Sorge, ich lass mich in meinen Bewertungen davon nicht beeinflussen.«

»Politik hat mit meiner Polizeiarbeit nicht viel zu tun«, erwiderte Bruno und wünschte, er hätte ihr eine Frage zu den Nachtklubs in Montréal gestellt.

»Wirklich?«, hakte sie nach und hob eine Augenbraue an. »Nach meiner Meinung hat alles mit Politik zu tun.«

Er wartete, bis sie eingecheckt hatte, und kehrte dann ins Bürgermeisteramt zurück. Unterwegs überlegte er sich krampfhaft, wie er sich aus seiner absurden Zwangslage befreien konnte. Wie sollte man sich als Polizist auch nur annähernd normal verhalten, wenn einem jemand aus dem Ministerium ständig auf die Finger schaute?

In ihrer Gegenwart wäre es natürlich ausgeschlossen, dass er die in lästiger Regelmäßigkeit vom Ministerium ankommenden Papierberge nach flüchtiger Sichtung in den Papierkorb werfen würde; im Gegenteil, jetzt müsste er so tun, als lese er das ganze Zeug, wonach ihm kaum Zeit für die eigentliche Arbeit bliebe. Mit der jungen Frau an seiner Seite, die sich womöglich ständig Notizen machte, würde ihm niemand mehr etwas Vertrauliches mitteilen wollen. Fauquet im Café würde sich hüten, den neuesten Klatsch weiterzugeben, wenn er fürchten müsste, dass alles aufgezeichnet wurde. Von einer Ministerialen aus Paris würde es doch auch bestimmt missverstanden werden, wenn Bruno hier und da in den kleinen Hofschaften rings um Saint-Denis haltmachte und sich ein kleines Gläschen Wein oder Likör einschenken ließ.

Schon allein vom Timing her passte ihm der Besuch aus der Hauptstadt überhaupt nicht in den Kram. Die Fische hatten wieder zu beißen angefangen, und Brunos Garten verlangte besonders viel Zeit. Wer in Paris wohnte, würde nie verstehen, dass es für einen Polizisten vom Lande kaum möglich wäre, Respekt einzufordern, wenn er seinen Garten nicht gebührend pflegte oder auf der Jagd und als Angler versagte. Als er nun die Treppen zum Büro des Bürgermeisters hochstieg, legte er sich ein paar Gründe zurecht, mit denen er sich bei Mangin entschuldigen wollte.

»Ich würde ja liebend gern mit dem Ministerium zusammenarbeiten, halte mich aber für denkbar ungeeignet...«

»Unsinn, Bruno. Die Sache ist in trockenen Tüchern, Sie kommen da nicht mehr raus. Und wenn Sie's nicht schaffen, eine junge hübsche Frau, die noch grün hinter den Ohren ist, um den Finger zu wickeln, sind Sie nicht mehr der Bruno, den ich kenne. Gehen Sie und schlucken Sie Ihre Medizin wie ein Mann.«

Solchermaßen zurechtgewiesen, wandte sich Bruno zur Tür und dachte, dass die Zeit mit Amélie ja vielleicht nicht nur ermüdend, sondern unter Umständen durchaus auch interessant sein könnte. Er wollte gerade das Büro verlassen, als der Bürgermeister, nun in freundlicherem Ton, sagte: »Sehen Sie's positiv, Bruno. Wenn sie über jede Fahrt, die Sie mit ihr machen, Buch führt, werden vielleicht auch diese Idioten in der Hauptstadt endlich begreifen, dass unsere Kommune größer ist als Paris. Sie ist immerhin eine Protegée der neuen Ministerin. Das heißt, sie hat *pistons* – beste Beziehungen und politischen Einfluss.

Sie ist schon im Exekutivkomitee der Jungsozialisten, und ich weiß, dass sie heute mit meinem geschätzten Kollegen, dem Apotheker, zu Abend isst. Behalten Sie das im Kopf. Eine gescheite junge schwarze Juristin mit politischen Ambitionen ist genau das, was seine Partei allzu gern fördern und an die große Glocke hängen würde. Diese junge Frau wird es noch weit bringen.«

Der Apotheker und Bezirksvorsitzende der Linkspartei war sich bestimmt im Klaren darüber, über wie viele *pistons* Amélie verfügte. Und da sowohl sie als auch der Bürgermeister bestätigt hatten, dass der Präsident der Republik, ein Sozialist, zur Eröffnung des neuen Lascaux-Museums zu erscheinen gedachte, würde sich wahrscheinlich die Hälfte der hiesigen Parteifreunde ebenfalls um eine Einladung bemühen.

Auch Bruno brannte darauf, dieses neue Projekt – Lascaux IV – in Augenschein nehmen zu können. Lascaux I war die 1940 entdeckte Originalhöhle, die 1963 für die Öffentlichkeit geschlossen werden musste, weil die ausgeatmete Luft der Besucher und deren hereingetragene Bakterien einen weißen Pilz wachsen ließen, der die siebzehntausend Jahre alten Gemälde zu zerstören drohte. Lascaux II, eine exakte Kopie der beiden besonders beeindruckenden Kammern der Höhle, war 1983 fertiggestellt und der Öffentlichkeit zugänglich gemacht worden. Als Lascaux III wurde eine Wanderausstellung von Teilkopien, Filmen, Fossilien und audiovisuellen Erklärungen bezeichnet, die seit mehreren Jahren rund um die Welt reiste.

Und nun sollte Lascaux IV eröffnet werden, ein rund sechzig Millionen Euro teures Projekt, gedacht als Leistungsschau der französischen Spitzentechnologie: die Ausstellung eines Lascaux des 21. Jahrhunderts mit einer neuen Reproduktion der gesamten Höhle, die so exakt wiedergegeben war, wie es der Einsatz modernster Computer erlaubte. Geplant waren 3D-Präsentationen, interaktive Vorführungen davon, wie Urmenschen ihre Höhlenbilder gemalt hatten, und Vergleichsausstellungen von Höhlenkunst aus anderen Kulturen und Epochen. Außerdem sollte das neue Museum sehr viel mehr Touristen aufnehmen können als Lascaux II, durch das immer nur in zeitlich bemessenem Rhythmus kleine Gruppen geschleust wurden.

Beworben und vorangetrieben von einem altgedienten sozialistischen Politiker der Region und finanziell unterstützt von sozialistischen Regierungen, war das Projekt zu einem politischen Spielball mutiert, auf den die Gegner fleißig eintraten mit der Begründung, dass das Geld an anderer Stelle besser verwendet worden wäre. Bruno teilte diese Ansicht nicht. Sein erster Besuch der Höhle hatte ihn tief beeindruckt und bewegt, nicht zuletzt deshalb, weil ihm dort deutlich vor Augen geführt worden war, dass die Menschen, die diese Meisterwerke geschaffen hatten, wahrhaftig nicht als primitiv bezeichnet werden konnten. Und er hatte sich spontan gewünscht, dass die ganze Menschheit diese Erfahrung machte und auf ähnliche Weise berührt sein würde.

Bruno holte Balzac aus seinem Büro und wollte gerade den Platz überqueren, um Mademoiselle Plessis zu treffen, als er Pater Sentout über den Weg lief, dem Priester von

Saint-Denis, der die Spiele des städtischen Rugbyteams mit einer Hingabe verfolgte, die dem Engagement für sein Amt als Oberhirte einer immer kleiner werdenden Schar von Kirchgängern beinahe gleichkam.

»*Mon cher Bruno*, kommen denn die Ermittlungen in diesen schrecklichen Missbrauchsfällen, von denen heute Morgen im Radio berichtet wurde, inzwischen voran?«

»Ich fürchte, nein. Die Fälle liegen Jahre zurück, und die Erinnerungen daran sind nicht mehr zuverlässig. Warum sind Sie so interessiert daran?«

»Weil der Beschuldigte ein Amtsbruder war, der verstorbene Pater Francis. Ich kannte ihn schon als Dozenten meines Priesterseminars. Das war nach seiner Zeit in Mussidan, und ich kann kaum glauben, dass er solche Dinge getan haben soll.«

»Er wäre nicht der erste Priester, der sich auf diese Weise schuldig gemacht hat.«

»Ja, leider. Eine Tragödie für die Kirche ist das. Aber ich kannte Francis als einen wahrhaft guten Menschen. Weil er sich jetzt selbst nicht mehr rechtfertigen kann, baue ich darauf, dass seine Freunde und die, die ihn kannten, ihn verteidigen und sein Andenken ehren. Gibt es die Möglichkeit, dass ich und andere Priester vor der Polizei oder der Staatsanwaltschaft Zeugnis über seinen Leumund ablegen?«

Bruno nannte ihm den Namen und die Adresse Jean-Jacques' sowie des Polizeipräsidiums in Périgueux und schlug vor, sich schriftlich für eine Zeugenaussage anzubieten. Als er Amélie aus ihrem Hotel kommen sah, wollte er sich entschuldigen, doch der Priester legte ihm die Hand auf den Arm.

»Francis ist zwar tot, aber diese falschen Anschuldigungen sind ein Frevel und beschmutzen seinen Namen. Nicht wahr, Bruno, Sie glauben doch an die irdische Gerechtigkeit wie ich an die letztgültige Gerechtigkeit im Himmel? Ich bin mir sicher, Sie verstehen mich.«

Bruno wandte sich von ihm ab, spürte aber seinen Blick auf sich ruhen, als er den Platz überquerte, um die junge Frau auf den Eingangsstufen zum Hotel zu begrüßen. Statt ihres Kostüms trug sie jetzt enge Jeans und eine schwarze Lederjacke über der weißen Bluse. Die hochhackigen schwarzen Pumps hatte sie anbehalten.

Er machte sie mit Balzac bekannt, der sofort ganz närrisch auf sie war, was wie es schien, auf Gegenliebe traf. Trotz ihrer engen Jeans ging sie in die Hocke und kraulte ihm die langen Ohren. Balzac revanchierte sich, indem er sie ansprang und ihr mit der Zunge über das Gesicht fuhr. Sie lachte und gab ihm ein Küsschen auf den Kopf. Bruno zog eine Grimasse. Balzac würde nun auf ewig ihr Sklave sein – trotz ihres schweren Parfüms, das weiß der Himmel wie auf seinen ausgeprägten Geruchssinn wirken mochte.

»Haben Sie noch andere Schuhe im Gepäck, welche, mit denen man auch querfeldein laufen kann?«, fragte er. »Ich verbringe nur die wenigste Zeit auf asphaltierten Straßen.«

Sofort eilte Amélie auf ihr Zimmer und kam wenig später mit Wildlederstiefeln zurück, deren Absätze größer und sehr viel flacher waren als die ihrer Stöckelschuhe. Dennoch seufzte Bruno innerlich bei der Vorstellung, wie um alles in der Welt er ihr denn die Gummistiefel schmackhaft machen sollte, die im Heckraum seines Transporters warteten.

Er führte die junge Magistratin zu Fauquet auf eine Tasse

Kaffee und hoffte, sich mit ihr auf ein paar Grundregeln verständigen zu können. Er hatte sich vorgenommen, darauf hinzuwirken, dass sie die meiste Zeit über im Wagen blieb und diskret Abstand hielt, wenn er seine Nachforschungen machte, sich mit seiner Klientel unterhielt oder Meldungen über verdächtige Aktivitäten nachging. Fauquet und den Stammgästen stellte er sie einfach als eine Kollegin aus Paris vor. Nicht ganz sicher, was sie mit dieser Auskunft anfangen sollten, aber sichtlich beeindruckt von Brunos Begleitung begrüßten sie diese förmlich und mit Respekt und hatten es plötzlich eilig, die Bar zu verlassen. Bruno wunderte sich, dass sie nicht länger blieben, um mehr über die tote Frau zu hören. Über die *pompiers* würde inzwischen die ganze Stadt von ihr erfahren haben. Fauquet kehrte ihnen den Rücken und bediente die Kaffeemaschine.

»Hier bekommt man die besten Croissants weit und breit«, erklärte Bruno. »Sie werden schnell Stammgast sein, so wie wir alle hier.« Er sprach so laut, dass Fauquet ihn hören musste.

Entsprechend milde gestimmt, legte der auf beide Untertassen je einen Schokoladenkeks und spendierte ihr einen Croissant aus dem Korb auf dem Tresen. »Geht aufs Haus«, sagte er. »Damit Sie sich Ihr eigenes Urteil über meine Backwaren bilden können. Sind Sie für längere Zeit in der Stadt?«

Die Verhörtechnik des erfahrenen Cafébesitzers würde die meisten Polizisten beschämen. Bevor das Croissant aufgegessen war, hatte Fauquet von Amélie erfahren, wie sie hieß, woher sie kam, was sie studiert hatte, womit sie ihr Geld verdiente und dass ihr Vater Lehrer in Lyon war. Sie erzählte ihm auch, dass sie zwei ältere Brüder habe, wovon der eine bei der Air France als Ingenieur arbeitete, der andere im Ministerium für Arbeit und Soziales. Damit war sie in Fauquets Augen eine respektable junge Frau aus guter Familie und somit ein gerngesehener Gast, auch wenn sie sich äußerlich von seiner übrigen Kundschaft unterschied. In Saint-Denis gab es nur eine schwarze Familie: die von Léopold, einem gebürtigen Senegalesen, der mit afrikanischen Stoffen, Ledergürteln, Schnitzereien und Perlenketten auf dem Markt handelte. Bruno mochte insbesondere seine beiden Söhne, die das Rugbyteam des *collège* bereicherten und als Doppel auf dem Tennisplatz in ihrer Altersklasse nicht zu schlagen waren.

Doch nun führte Bruno Amélie auf die sonnige Terrasse hinaus, um ihr außerhalb von Fauquets Hörweite zu erklären, wie er sich die Zusammenarbeit mit ihr vorstellte.

»Ich bin heute Morgen um sieben zum Fundort einer toten Frau gerufen worden, die allem Anschein nach von einer Château-Mauer gestürzt ist. Ich war gerade zurück in meinem Büro, als mich der Bürgermeister in sein Büro bestellte, um mich mit Ihnen bekannt zu machen«, fing Bruno an.

»Was hat diese Frau dort gewollt?«

Bruno zuckte mit den Achseln. »Als es passierte, muss es stockdunkel gewesen sein. Vielleicht hatte sie auch getrunken. Meine Aufgabe wird es nun sein, sie zu identifizieren, und das könnte dauern.«

»War es ein Unfall?«

»Möglich, aber es gibt erhebliche Zweifel. Es muss noch jemand zugegen gewesen sein, der sich dann offenbar aus dem Staub gemacht hat. Wenn Sie nichts dagegen haben, zeige ich Ihnen, wo's passiert ist. Ich muss jetzt nämlich sowieso nach Les Eyzies und weiter nach Montignac, wo ich mit Kollegen verabredet bin. Und wo wir das Foto der toten Frau herumzeigen könnten. Ich werde gleich die Gendarmen anrufen, um sie in Kenntnis zu setzen. Bei der Gelegenheit lasse ich sie auch wissen, dass Sie als meine Hospitantin für ein paar Tage bei uns sind.«

Er reichte ihr eins der ausgedruckten Fotos und eine Kopie des von Fabiola ausgestellten Totenscheins und ging dann an den Tresen zurück, um auch Fauquet einen Ausdruck zu geben. Vielleicht hatte ja einer seiner Gäste die Frau schon einmal gesehen.

»Die Gendarmerie widersetzt sich dem Projekt, an dem ich mitwirke«, erklärte Amélie, als er wieder bei ihr war. »Man will sich offenbar nicht in die Karten schauen lassen. Wir hätten nicht das Recht dazu, sagen sie, und es würde ihre laufende Arbeit erschweren, wenn wir sie auf den Prüfstand stellen.«

»Haben Sie versucht, sich in deren Lage zu versetzen?«, fragte Bruno vorsichtig. »Auch für mich wird der Dienst wahrscheinlich nicht leichter, wenn Sie mich auf Schritt und Tritt begleiten. In Ihrer Gegenwart werden mir wahrscheinlich keine vertraulichen Mitteilungen mehr gemacht werden. Und es gibt da Leute, die mir aus lauter Freundlichkeit Kaffee und Kuchen anbieten oder auch ein Glas Wein. Denen wäre es sehr unangenehm, wenn man sie für Informanten halten würde. Wenn ich Sie überallhin mitnehme, sind sie in Zukunft vielleicht weniger mitteilsam, und das kann ich mir nicht leisten, denn dieses persönliche Nachrichtennetz ist das A und O meiner Arbeit.«

»Ich will Ihnen nicht zur Last fallen, muss aber auch an meinen Auftrag denken«, entgegnete Amélie mit einem zögerlichen Lächeln. »Keine Sorge, an den Namen Ihrer Informanten bin ich nicht interessiert. Ich werde auch Abstand halten, wenn Sie es wünschen.«

»Würden Sie gegebenenfalls auch im Wagen bleiben, wenn ich Sie darum bitte?«

Sie verriet etwas Unmut, deshalb fragte er: »Ist in irgendeiner Form fixiert worden, was von Ihnen erwartet wird?«

Sie zog einen transparenten Aktenordner aus ihrer Tasche. Die Unterlagen darin zeigten die vertrauten rot-weißblauen Diagonalstreifen des Justizministeriums in der oberen rechten Ecke. In dem Brief, der ihre Aufgaben umriss, hieß es: »… den diensthabenden Beamten zu begleiten und einen detaillierten Verlaufsbericht über dessen Arbeit und Einsätze zu erstellen, was eine möglichst enge Observierung während der Dienstzeit voraussetzt, die aber nicht behindernd sein sollte.«

Bruno nahm die Formulierung »während der Dienstzeit« mit einiger Erleichterung zur Kenntnis, da diese auf fünfunddreißig Stunden in der Woche beschränkt war. Darüber hinaus würde er seine Zeit in gewohnter Weise verbringen. Auf den Halbsatz »die aber nicht behindernd sein sollte« wies er sie ausdrücklich hin.

»Ich darf Sie also gegebenenfalls bitten, im Einsatzfahrzeug zurückzubleiben, nicht wahr? Vielleicht sollten wir der Gendarmerie gleich einmal einen Besuch abstatten. Auf dem Weg dorthin werde ich kurz haltmachen bei einem Büro, das *gîtes* an Touristen vermietet, und der Belegschaft das Foto der toten Frau vorlegen. Vielleicht erkennt sie jemand.«

»Als Sie das Foto im Café herumgezeigt haben, habe ich es über Instagram und Facebook gepostet«, sagte Amélie wie beiläufig. »Vielleicht hilft's. Ich nutze diese Medien in letzter Zeit nur noch selten, habe aber bei Facebook über fünfzehnhundert Freunde, und wenn alle jetzt ihrerseits das Foto teilen, haben Sie Tausende von möglichen Zeugen. Auf Instagram könnten es noch mehr sein.«

»Was haben Sie?« Bruno richtete sich überrascht auf. »Schön, dass Sie mir zu helfen versuchen, aber in dem Fall hätten Sie mich vorher fragen sollen. Ich glaube nicht, dass es eine gute Idee ist, das Gesicht einer toten Frau über soziale Netzwerke zu verbreiten. Was, wenn die Familie auf diese Weise vom Tod ihrer Angehörigen erfährt? Das wäre ein ziemlicher Schock.«

Sie zuckte mit den Achseln. »Jetzt kann ich's nicht mehr rückgängig machen. Und es hat doch wahrscheinlich Priorität, sie so schnell wie möglich zu identifizieren.« Sie legte eine Pause ein und musterte ihn gelassen. »Kann es sein, dass Sie sich ärgern, nicht schon selbst daran gedacht zu haben?«

»Ich hoffe, professionell genug zu sein, um zwischen persönlicher Verärgerung und dem, was mir geboten zu sein scheint, unterscheiden zu können«, entgegnete er scharf und ahnte, dass er in diesem Augenblick einen womöglich etwas zu schroffen Eindruck machte. Er zwang sich zu einer freundlicheren Miene, weil ihm schlagartig wieder bewusst wurde, dass er mit ihr halbwegs klarkommen musste, wenn er denn die nächsten zwei Wochen heil überstehen wollte.

»Tatsächlich kenne ich mich mit solchen Sachen nicht besonders gut aus«, räumte er ein. »Wir sind hier im Périgord nicht gerade die Avantgarde des Informationszeitalters. Mir reicht es, dass ich mit E-Mails und Online-Recherchen zurechtkomme. Hoffen wir, dass Sie mit Ihrer Initiative Erfolg haben.«

Sie überraschte ihn mit einem Lächeln, das aber ziemlich aufgesetzt wirkte. »Und hoffen wir, dass nicht einer ihrer Nächsten und Liebsten darüber stolpert. Ich verstehe, dass einem das nicht recht sein kann.«

»Aber wenn's klappt, haben wir eine Menge Zeit gespart«, erwiderte er in der Hoffnung, dass damit eine Art Waffenruhe zwischen ihnen vereinbart war.

»Übrigens, jetzt ist mir klar, warum ich Sie auf Twitter nicht finden konnte«, fuhr sie fort, ohne ihn anzusehen, denn sie war mit ihrem Smartphone beschäftigt und tippte etwas ein. »Die *mairie* hat zwar eine Facebook-Seite, aber der einzige Link auf Sie ist Ihre Telefonnummer.«

Sie steckte ihr Smartphone zurück in die Tasche und blickte zu ihm auf. »Das ist nicht gut, Bruno. Ich hoffe, Sie verstehen, welche Bedeutung den sozialen Medien gerade für die Polizeiarbeit in Zukunft zukommt. Darüber kommunizieren die meisten jungen Menschen schon heute. Ich glaube, das werde ich in meinem Bericht mit Nachdruck fordern: dass für Polizisten in ländlichen Gebieten Kurse angeboten werden, in denen sie lernen, diese Medien zu nutzen.«

Bruno nickte höflich, war aber von dieser Aussicht alles andere als angetan. »Mal sehen, was bei Ihrer Facebook-Anfrage herausspringt.«

6

Früher hatten französische Gendarmen traditionellerweise in Kasernen gewohnt, die denen des Militärs entsprachen. Gegründet nach der Revolution von 1789, hatte die Gendarmerie ihrem Auftrag gemäß die ländlichen Gebiete Frankreichs fast wie eine Besatzungsmacht unter Kontrolle gehalten, da sich dort die alten Strukturen und insbesondere die Kirche hartnäckig zu behaupten versuchten, nicht selten mit Mitteln der Gewalt. Die Gendarmerie unterstand dem Verteidigungsministerium und bildete einen Teil der französischen Streitkräfte. Entsprechend wurde der einzelne Gendarm nie in seiner Heimatregion eingesetzt und war gehalten, zu den Bewohnern seines Einsatzgebietes Abstand zu halten. Die Gendarmerie von Saint-Denis war in einem äußerst bescheidenen Gebäude untergebracht, das wie geschaffen zu sein schien, um Belagerungen standzuhalten, zumal Hinterhof und Parkplatz, wie bei solchen Polizeiposten üblich, streng abgeschirmt waren.

Amélie war entsprechend überrascht, als sie das Tor zum Hinterhof geöffnet vorfand und sah, dass junge Zivilisten mit hemdsärmeligen Gendarmen auf dem Platz Basketball spielten. Noch mehr erstaunte sie die weit offen stehende Eingangstür und der Flur dahinter, der mit bunten Bildern von Grundschulkindern behängt war. Balzac trottete so selbstverständlich hinter Bruno und Amélie her, als wäre er hier zu Hause.

Amélie schien zu gefallen, was sie sah, denn sie sagte anerkennend: »Eine gewöhnliche Gendarmerie ist das hier nicht!«

»Auch unsere *Commandante* entspricht nicht unbedingt dem Klischee«, fügte Bruno hinzu. »Und ich denke, Sie werden sich gut mit Yveline verstehen. Sie gehörte zum Aufgebot unserer Hockeymannschaft für die Olympischen Spiele und ist bei allen hier sehr beliebt, selbst bei den Altgardisten unter den Gendarmen, die zuerst entsetzt waren, eine Frau vor die Nase gesetzt zu bekommen – selbst sie sagen anerkennend, sie sei hart, aber fair.«

Sergeant Jules war auf seinem Posten, ein typischer Gendarm alter Schule, groß und kräftig, dessen schon ganz zerfurchtes Gesicht auszudrücken schien, dass es alles schon mehrfach gesehen hätte und man ihm nicht mit demselben noch mal kommen solle. Hinter Jules' grimmigem Äußeren verbargen sich jedoch ein freundliches Wesen und eine Liebe zu Saint-Denis, die fast an seine Begeisterung für den lokalen Jagdverein heranreichte. Dass Bruno in früheren Jahren ein einigermaßen gutes Verhältnis zur örtlichen Gendarmerie aufrechterhalten konnte, hatte er einzig und allein Jules zu verdanken, der regelmäßig zwischen ihm und seinen damaligen sturen Vorgesetzten vermittelt hatte. Inzwischen war der alte Sergeant Yvelines größter Fan, die ihrerseits ein Auge zudrückte, wenn er den Versuchen der übergeordneten Behörde, ihn in einen anderen Bezirk zu versetzen, eine geschickt platzierte Abfuhr erteilte.

Jules begrüßte Bruno und Balzac wie immer herzlich und

machte große Augen, als Bruno ihm Mademoiselle Amélie als eine Kollegin aus dem Justizministerium vorstellte, die gekommen sei, um der *Commandante* einen Höflichkeitsbesuch abzustatten. Mit sichtlichem Unbehagen schaute der Sergeant auf die Kinderzeichnungen an den Wänden, denn er fürchtete wohl, dass die hohe Regierungsbeamtin aus Paris Anstoß an ihnen nehmen könnte und sie als Wandschmuck einer *Gendarmerie de la République* unangemessen finden müsste.

»Wir haben hier eine Sonderausstellung, mit Erlaubnis des Generals aus Périgueux«, stammelte er, als ihm Amélie die Hand entgegenstreckte.

»Gefällt mir«, sagte sie. »Ist doch mal eine hübsche Abwechslung zu den langweiligen Postern, die sonst an solchen Orten an den Wänden hängen. Und dass Ihre Jungs draußen Basketball spielen, finde ich auch sehr sympathisch.«

Yveline kam mit einem freundlichen Lächeln auf Bruno und Amélie zu und führte sie in ihr Büro, wo eine Kanne Kaffee auf sie wartete und weitere Kinderbilder an den Wänden hingen. Für Balzac war es ganz selbstverständlich, auf dem Fuß zu folgen, zumal Yveline eine alte Freundin für ihn zu sein schien.

»Der Bürgermeister hat mir Ihren Besuch bereits angekündigt, und es freut mich, dass auch ich Sie in Saint-Denis willkommen heißen darf«, sagte Yveline. »Wie Sie vielleicht wissen, haben sich die Regierungsspitzen in Paris nicht dazu durchringen können, Ihr Projekt offiziell zu unterstützen, was uns aber nicht daran hindern wird, Ihnen nach Kräften zu helfen. Ich finde Ihr Vorhaben sehr gut und bin sicher, dass Sie in Bruno einen überaus geeigneten Gegenstand

Ihrer Untersuchungen gefunden haben. Wir arbeiten eng mit ihm zusammen und können uns voll auf seine Ortskenntnisse und Beziehungen verlassen.«

»Ich würde mich freuen, wenn wir in den nächsten Tagen Zeit für ein informelles Gespräch fänden, in dem wir uns darüber unterhalten, wie sich die Beziehungen zwischen Polizei und Gendarmerie verbessern lassen könnten. Mir scheint, Sie haben einen ermutigenden Ansatz gefunden«, sagte Amélie.

»Vielleicht im Rahmen eines Abendessens bei mir zu Hause?«, schlug Bruno vor, in Erinnerung an den Appell des Bürgermeisters und weil er wusste, dass ein gutes Essen immer auch für gute Beziehungen sorgte.

»Eine tolle Idee«, sagte Yveline. »Bruno ist ein hervorragender Koch. Es erwartet uns nicht weniger als ein Festmahl.«

Amélie strahlte. »Vielleicht dürfen wir dann ausnahmsweise von den Vorschriften abweichen und ein oder zwei Gläser mehr trinken.«

»Nicht, wenn Yveline fährt«, meinte Bruno grinsend. »Aber ich könnte Sie vom Hotel abholen und später dafür sorgen, dass ein Taxi Sie beide zurück in die Stadt bringt. Nicht, dass unser Projekt mit unnötigem Ärger beginnt. Wie wär's mit morgen Abend um sieben?«

Als sie wieder auf den Flur hinaustraten, fotografierte Philippe Delaron gerade unter Sergeants Jules' argwöhnischer Aufsicht die ausgestellten Kinderzeichnungen. Doch beim Klang von Brunos Stimme reagierte der Reporter der *Sud Ouest* sofort, und ohne seinen Blick vom Display des Fotoapparats abzuwenden. »Ah, Bruno. Sehen wir uns heute schon zum zweiten Mal! Jules hat mir verraten, dass Sie hier sind. Ich habe das Foto vom Château an unsere Bildredaktion gemailt, und da findet man es gut, dass wir unsere Leser bitten, bei der Identifizierung der Toten mitzuhelfen. Wissen Sie schon, wer sie ist?«

Endlich blickte er auf und war ebenso überrascht wie vorhin Sergeant Jules, als hinter Bruno Amélie auftauchte.

»Oh – *bonjour*.« Er reichte ihr die Hand und setzte sein charmantestes Lächeln auf, dem er zahllose weibliche Eroberungen verdankte. »Und wer sind Sie, Mademoiselle?« Sofort hob er die Kamera für einen Schnappschuss, was bei vielen jungen Frauen Wunder wirkte.

Doch Bruno verdeckte das Objektiv mit der Hand. »Das geht Sie nichts an, Philippe.« Er sagte es freundlich, aber bestimmt, denn er konnte nicht riskieren, dass ein Foto in der *Sud Ouest* von Amélies Besuch bei Yveline der *Commandante* von Saint-Denis unnötige Scherereien einbrachte. Philippe nahm es sportlich. Er und Bruno hatten schon viele Sträuße miteinander ausgefochten. »Über die tote Frau gibt es auch noch nichts Neues, weshalb wir Sie bitten, ihr Foto in die morgige Ausgabe zu setzen.«

»Es ist schon auf unserer Website aufgeschaltet«, entgegnete Philippe.

»Aber die lesen doch nur Sie und Ihre Konkurrenz und in Ausnahmefällen auch ich.«

»Sie sind weder Brunos neue Freundin, noch stehen Sie unter Arrest, also haben Sie vermutlich von Amts wegen mit ihm zu tun«, sagte Philippe und lächelte Amélie an. »Ich bin Philippe, Fotograf und Reporter für die *Sud Ouest*, eine Zeitung, die mehr Leser hat als *Le Monde*. Sind Sie länger in der Stadt?«

»Es reicht, Philippe«, fuhr Bruno dazwischen. Amélie sagte nichts, ihre Miene blieb ausdruckslos. Philippes Charmeoffensive, mit der er sonst meist Erfolg hatte, verfing bei ihr offensichtlich nicht. *Chapeau,* dachte Bruno. »Wir arbeiten zusammen, und ich zeige ihr jetzt die Stelle, an der die Tote gefunden wurde.«

»Den Gang können Sie sich sparen, da ist nämlich nichts mehr zu sehen. Ich war soeben vor Ort. Die Jungs von der Police nationale haben sie ins Leichenschauhaus gebracht, und Commissaire Jean-Jacques Jalipeau und der Graf unterhalten sich hinter verschlossenen Türen. Aus dem Typen, der die Eintrittskarten verkauft, habe ich auch nicht viel herausbekommen. Aber vielleicht bringen Sie mehr in Erfahrung, Bruno. Halten Sie mich bitte auf dem Laufenden.« Er wandte sich wieder Amélie zu und zeigte jetzt ein Lächeln, das nicht aufgesetzt wirkte. »Lassen Sie sich von Bruno nicht einschüchtern. Im Grunde hat er ein Herz aus Gold. Er hat mich sogar vor dem Gefängnis bewahrt.« Er winkte und verschwand.

»Sie scheinen eine besondere Beziehung zur lokalen Presse zu unterhalten, aber der junge Mann scheint seine Rolle als eifriger Reporter doch etwas zu übertreiben«, sagte sie, als Bruno sie, von Balzac gefolgt, über die Rue de Paris führte. Er wollte ihr den alten Stadtkern von Saint-Denis zeigen, die mittelalterlichen Häuser und den Brunnen. Amélie jedoch gingen Delarons Abschiedsworte nicht aus dem Sinn.

»Haben Sie Philippe wirklich vor einer Gefängnisstrafe bewahrt?«

»Nach Möglichkeit verzichte ich auf Inhaftnahmen.«

»Erzählen Sie, wie war das mit Philippe, ich bin neugierig«, hakte sie nach.

»Die Geschichte liegt fast zehn Jahre zurück und passierte kurz nach meiner Ankunft in Saint-Denis«, erklärte Bruno. »Philippe war in seinem letzten Schuljahr und hatte mit drei Freunden das Auto eines älteren Briten, der hier wohnt, geknackt, um eine Spritztour zu unternehmen. Sie waren zu schnell unterwegs, bauten einen Unfall und machten sich aus dem Staub, nachdem sie Lenkrad, Schaltknüppel und Türgriffe abgewischt hatten, um keine Fingerabdrücke zu hinterlassen. Sie hielten sich für besonders clever.

Philippe war ein ziemlicher Rabauke, und ich hatte ihn schon länger im Auge. Es gelang mir, an dem Hebel, mit dem man den Fahrersitz verstellt, Fingerabdrücke sicherzustellen. Ich bin daraufhin zuerst zu dem geschädigten Briten gefahren, dann in die hiesige Kfz-Werkstatt von Lespinasse und schließlich zu Pascal, dem Versicherungsmakler. Erst danach habe ich die Delarons aufgesucht und Philippe und seinen Eltern gesagt, dass dringender Tatverdacht gegen ihn besteht und ich ihn mit in die Gendarmerie nehmen muss.«

»Sie haben ihn also doch in Haft genommen?«

»Die Geschichte ist noch nicht zu Ende«, antwortete er. »Die Fingerabdrücke haben ihn überführt. Philippe wurde in eine der Zellen im Keller gebracht, wo er eine Weile brummen musste, während ich mit Sergeant Jules im Café nebenan ein Bier getrunken habe. Danach bin ich runter zu ihm in die Zelle und habe ihn gefragt, wo seine Kumpane steckten. Philippe wollte sie decken und schwieg. Ich habe die Namen zweier Jungs genannt, mit denen er sich damals viel herumtrieb, der eine ist inzwischen stellvertretender

Küchenchef eines schicken Restaurants in Bordeaux, der andere arbeitet für ein Unternehmen, das Ballonfahrten anbietet und bei Touristen sehr beliebt ist. Den dritten Namen hielt ich in Reserve. Philippe weigerte sich zu bestätigen, dass die beiden mit von der Partie gewesen waren. Ich tat verärgert, doch seine Loyalität imponierte mir.«

»Wenn er zu diesem Zeitpunkt nicht in aller Form festgenommen worden war, hätten Sie ihm keine Fingerabdrücke abnehmen dürfen«, bemerkte Amélie.

»Richtig, und deshalb habe ich ihn vor die Wahl gestellt«, fuhr Bruno fort. »Entweder Strafverfahren oder Wiedergutmachung. Der Geschädigte hatte versprochen, von einer Anzeige abzusehen, wenn Philippe und seine Kumpel sich persönlich bei ihm entschuldigen, einen Wintervorrat Holz für ihn hacken und sein Auto über einen absehbaren Zeitraum waschen und polieren würden. Der Versicherungsagent war einverstanden, die Schadenssumme vorzuschießen und von den Übeltätern abstottern zu lassen. Und Lespinasse von der Werkstatt war so freundlich, die Reparaturkosten sehr niedrig zu halten, zumal er wie auch ich seinen Neffen Maurice im Verdacht hatten, der vierte Jugendliche im Wagen gewesen zu sein.

Unsere im Grunde harmlosen Jungs, die sich diesen einen Fehltritt geleistet hatten, sind nie wieder straffällig geworden. Der Brite hat jede Menge Brennholz bekommen, ohne dafür zahlen zu müssen, sein Auto wurde repariert und regelmäßig gewaschen. Philippe und seine Freunde verdienten Geld in diversen Gelegenheitsjobs, um ihre Schulden abzutragen, die nicht besonders hoch waren, weil Lespinasse für die Reparatur nur einen symbolischen Preis verlangt hatte.

Mir selbst hat diese Lösung außerordentlich gut gefallen«, fuhr Bruno fort, »nicht zuletzt deshalb, weil ich darüber neue Freunde gewonnen habe: Lespinasse, Pascal, den Versicherungsmakler und den netten englischen Mathematiklehrer, der sich in Saint-Denis zur Ruhe gesetzt hat.«

»Genau das verstehe ich unter vernünftiger Polizeiarbeit«, meinte Amélie. »Junge Kerle haben jede Menge Dummheiten im Kopf, aber harte Strafen machen alles nur schlimmer. Leider gibt es für die meisten Jugendlichen, die mit Marihuana in der Tasche oder beim Ladendiebstahl erwischt werden, keine so günstige Lösung wie die, die Sie geschildert haben. Darf ich diesen Fall in meinem Bericht als beispielhaft darstellen? Die Namen würde ich natürlich weglassen.«

»Gern. Philippe kommt auch heute noch bei jeder Gelegenheit darauf zu sprechen«, erwiderte Bruno. »Ist Ihnen auch klar, dass es für Gendarmen nahezu unmöglich ist, so zu handeln, wie ich es getan habe? Sie haben diese Flexibilität einfach nicht.«

»Wie soll ich das verstehen?«

»Gendarmen haben Zielvorgaben: soundso viele Verhaftungen, soundso viele Ordnungsstrafen und so weiter und so fort. Ein Wahnsinn ist das. Beurteilen Sie die Leistung eines Polizisten etwa daran, wie viele Straftäter er ins Gefängnis steckt?«

»*D'accord*«, antwortete Amélie. »Aber dafür braucht man Polizisten, die mit den Menschen, die in ihrem Dienstbereich leben, auf gutem Fuß stehen. Vielleicht verstehen Sie jetzt, warum ich mir für mein Forschungsprojekt Saint-Denis ausgesucht habe.«

Bruno blieb überrascht stehen. »Nein, das verstehe ich nicht. Die Geschichte, die ich Ihnen soeben erzählt habe, dürfte neu für Sie gewesen sein.«

»Ja, aber ich wusste von einer anderen, in der es um Betrügereien im Trüffelhandel ging, der sich zudem zu einem großen Fall von illegaler Einwanderung ausweitete.«

»Wo haben Sie denn *davon* gehört?«

»In der Verwaltungshochschule. Es gab da eine Gastdozentin von Eurojust, die einen Vortrag über europäische Haftbefehle und vergleichende Polizeiarbeit gehalten hat. Sie betonte, wie wichtig unsere kommunale Polizei sei, und führte dabei Saint-Denis als Beispiel an.«

Bruno stockte der Atem. Es gab nur eine Eurojust-Bedienstete, die von Saint-Denis und dem hiesigen Trüffelmarkt wissen konnte.

»Hieß die Gastdozentin zufällig Commissaire Perrault?«, fragte er.

»Isabelle Perrault, richtig. Sie kennen sie bestimmt, denn Sie sagte, sie sei einige Zeit hier stationiert gewesen. Sie ist phantastisch, ein regelrechter Star.«

Bruno nickte. Die Wehmut, die der Gedanke an Isabelle hervorrief, mischte sich mit Stolz darüber, dass sie ihn als Beispiel guter Polizeiarbeit ins Feld geführt hatte. Der Sommer ihrer Liebesaffäre war für ihn immer noch die glücklichste Zeit seines Lebens, so wie die Wochen nach ihrem Weggang um der Karriere willen zu den traurigsten zählten. Ein Star, ja, das war sie, aber kein Glücksstern für ihn.

Sie hatten Ivans Bistro erreicht. Die Uhr der *mairie* schlug zwölf, was traditionsbewussten Franzosen Appetit aufs Mittagessen machte.

7

Ivan hatte den Preis für sein Mittagsmenü auf vierzehn Euro angehoben, was immer noch äußerst günstig war, denn es bestand aus einer Suppe, einem Stück selbstgemachter *pâté*, gefolgt vom Hauptgericht des Tages, Salat, Käse, Dessert und einem Viertelliter Hauswein. Das Bistro war voll, und das nicht etwa bloß, weil in der Stadt das Gerücht die Runde machte, Bruno habe eine neue Kollegin, und alle Stammgäste darauf brannten, sie zu sehen. Ivans Lokal war eine Institution, die dank seines abwechslungsreichen Liebeslebens immer wieder neue internationale Spezialitäten in Saint-Denis einführte. Bei einem Urlaub auf Ibiza hatte er eine Belgierin kennengelernt und dazu überreden können, mit ihm ins Périgord zu kommen, worauf es Muscheln in allen möglichen Variationen bei ihm zu essen gegeben hatte – *à la Normande, à la Crème,* an einer Currysahnesauce oder traditionell *à la Marinière*. Als sie sich von ihm getrennt hatte und mit dem Koffer zum Bahnhof gegangen war, hatte die ganze Stadt mit Ivan getrauert.

Von einem Frühlingsurlaub in der Türkei war er mit einer Spanierin zurückgekehrt, die mit ihren Paëllas, Tapas und Gazpachos für einen denkwürdigen Sommer sorgte. Bruno schwelgte immer noch in Erinnerung an ihre *leche frita*, ein köstliches Milchdessert in knuspriger Panade. Eine junge

Frau aus Österreich oder Deutschland hatte das ganze Tal verrückt auf ihre Wiener Schnitzel gemacht, die sie mit einem kräftig gewürzten Kartoffelsalat servierte. Als Ivan von seiner jüngsten Reise durch Thailand und Malaysia zurückkehrte, hatten sich seine Stammgäste auf Currygerichte gefreut, die dann auch bei ihm zur Auswahl standen, allerdings nicht, wie erwartet, von einer Thailänderin zubereitet, sondern von einer jungen Frau aus Australien.

Zurzeit aber lebte Ivan allein und kochte ausschließlich selbst. Mandy, die Australierin, absolvierte in Bordeaux eine Ausbildung zur Winzerin, und Ivan ließ wieder die traditionelle Küche des Périgord zu ihrem Recht kommen, seine eigentliche Spezialität. Seine Gäste aber, selbst wenn sie seine Suppen und Fleischgerichte mit Genuss aßen, wirkten irgendwie bedrückt. Wie Jagdhunde, die einer Fährte folgten, hielten sie plötzlich inne und hoben aufmerksam die Köpfe, als hörten sie an irgendeinem tropischen Strand das Meer branden und Rufe fremdländischer Fischer, die eine neue Gaumenfreude für die immer kosmopolitischer werdenden Geschmacksknospen von Saint-Denis versprachen.

Als sich nun Ivan bei Amélie erkundigte, ob ihr das Essen geschmeckt habe, und fragte, welches denn ihre gastronomische Heimat sei, wurde es im Bistro schlagartig still. Und als sie »Guadeloupe« antwortete, ging ein Raunen durch den Raum, das sich wie eine tropische Brise anhörte. Träume von fangfrischem Fisch, der bei Sonnenuntergang an einem karibischen Strand über glühender Holzkohle garte, vereinten Ivans Gäste zu einer Art spirituellen Gemeinschaft, wie es Pater Sentout mit seinen sonntäglichen Gottesdiensten nur selten gelang.

»Und was vermissen Sie am meisten?«, wollte Ivan wissen.

»*Épice*«, antwortete sie spontan, »die klassische Sauce aus geschmortem Paprika und Knoblauch, Petersilie, Thymian und grünen Zwiebeln. Sie wird zu fast allen Gerichten gereicht – ich mag sie am liebsten zu Reis und roten Bohnen, mit Hühnchen und Cashewnüssen nach dem Rezept meiner Mutter.«

Obwohl er eigentlich satt war, spürte Bruno, wie ihm das Wasser im Mund zusammenlief, und er sah, dass sich auch die anderen im Raum die Lippen leckten. Ivan fragte: »Können Sie mir zeigen, wie diese Sauce gemacht wird?«

»Wollen Sie mir etwa die Geheimrezepte meiner Mutter entlocken?«, entgegnete sie mit einem kehligen Lachen, in das alle anderen Stammgäste fröhlich miteinstimmten.

Einer nach dem anderen trat nun an ihren Tisch und ließ sich von Bruno vorstellen: Rollo, der Rektor des städtischen *collège,* der Schotte Dougal, der eine Agentur zur Vermittlung von Ferienwohnungen besaß, und Hubert vom berühmten Weinhandel der Stadt. Joe, Brunos Vorgänger als Stadtpolizist, blieb am längsten. Er hielt Amélies Hand in seinen gichtigen Pranken und wollte wissen, welchen Wein man auf Guadeloupe zu karibischen Speisen trank.

»Nicht Wein, sondern Rum«, antwortete sie, »manchmal mit Cola verlängert, manchmal mit einem Spritzer Zitronensaft. Hier in Frankreich trinken meine Eltern im Sommer normalerweise Rosé und im Winter Rotwein.«

Joe warf einen Blick auf die mit Bergerac Sec gefüllte Karaffe, die Ivan auf den Tisch gestellt hatte. Er kaufte bei Hubert immer die Zehnliterkartons Cuvée Roxanne, die auch Bruno stets auf Vorrat hatte.

»Und finden Sie, dass unser weißer Bergerac-Wein zu karibischem Essen passt?«

»Sehr gut sogar«, sagte Amélie und lächelte dem höflichen alten Mann zu.

»Wir müssen ihr auch all unsere anderen Weine nahebringen«, sagte Joe an Bruno gewandt, bevor er sich mit einer diskreten Kusshand in Richtung Amélie entfernte.

»Das ging aber schnell! Ihr erster Tag in Saint-Denis, und schon haben Sie die halbe Stadt für sich eingenommen«, sagte Bruno, als sie das Lokal verließen. Amélie hatte bezahlt, weil sie erstens, wie sie Bruno gegenüber beteuerte, der die Rechnung übernehmen wollte, über ein großzügiges Spesenkonto verfüge, und zweitens, um sich vorab für seine morgige Einladung zu sich nach Hause zu revanchieren.

»Wir fahren jetzt talaufwärts«, erklärte Bruno und ließ Balzac im Heckraum seines Transporters Platz nehmen.

»Sie sagten, Sie hätten in Nachtklubs gesungen. Was singen Sie so?«, fragte er, als sie losgefahren waren.

»Alles Mögliche«, antwortete sie. »Angefangen zu singen habe ich im Kirchenchor und davon geträumt, Opernsängerin zu werden. Dann aber habe ich Broadway-Musicals und den Jazz für mich entdeckt. Meine Mama hat mir irgendwann eine Schallplatte von Ella Fitzgerald geschenkt, und da wollte ich nur noch Scat singen, also die Stimme wie ein Instrument einsetzen und frei improvisieren.«

»Sie meinen wie *Wop-bob-a-doo-bop*?«

Darauf lachte Amélie wieder ihr kehliges Lachen, das so ansteckend war, dass Bruno sofort mitlachte.

»Nicht wirklich, vielleicht eher so ...«, antwortete sie und ließ eine überraschende Kaskade von Klängen vernehmen, die nur aus einzelnen Silben bestand und in ihrer rhythmisch akzentuierten, vorwärtstreibenden Folge an das Schlagzeug einer Jazz-Combo erinnerte. Dabei ließ sie sich immer neue Variationen einfallen, bis sie schließlich eine Melodie anstimmte, die Bruno zu kennen glaubte. Es war »How High the Moon«, wie er sich plötzlich erinnerte, während er auf dem Steuerrad unwillkürlich mit den Fingern den Takt schlug und dazu den Kopf hin und her wiegte.

»Das ist großartig«, sagte er. »Früher habe ich mich gefragt, ob der Sänger einfach nur seinen Text vergessen hat.«

»Nein, es geht um die Schöpfung neuer Klänge – neuer Wörter, wenn man so will. Und es gibt die unterschiedlichsten Stilrichtungen. Hören Sie sich den Scatgesang von Ella Fitzgerald an, und Ihnen wird auffallen, dass sie den Sound einer Bigband ihrer Zeit nachahmt. Sarah Vaughan dagegen hört sich an wie Bebop, der zu ihrer Zeit in Mode war. Zwei Frauen, zwei Stile, aber in beiden Fällen ist es Scat, Jazz für die menschliche Stimme. In der Karibik singt man so schon seit Generationen, manche behaupten, dass die schwarzen Sklaven damit angefangen haben, die aus Afrika verschleppt worden sind. Wer weiß? Aber es muss nicht immer nur Jazz sein.«

Sie gab nun eine klassische Opernarie zum Besten, ein getragenes, deutlich tragisches Lied, das Bruno halbwegs bekannt vorkam. Und es waren diesmal keine frei erfundenen Silben, wie ihm auffiel – sie sang den Originaltext auf Italienisch, eine Sprache, die er nicht verstand.

»Aus *Tosca*«, erklärte sie. »Das ›Vissi d'arte‹. In der Interpretation von Leontyne Price hört es sich für mich ein wenig wie Scat an. Oder hören Sie sich von Maria Callas das ›Casta Diva‹ aus *Norma* an. Ein ganz ähnlicher Effekt, wie ich finde. Was ich ebenfalls gern singe, sind Stücke von Cole Porter und Irving Berlin. Kennen Sie sie?«

Und schon stimmte Amélie, ohne Brunos Antwort abzuwarten, »Cheek to Cheek« an, einen Song, den Bruno in der französischen Version von Daniel Roure kannte. Obwohl er stimmlich bei weitem nicht mit Amélie mithalten konnte, trällerte er unwillkürlich mit, auf Französisch, und so sangen sie im Duett, bis sie den Kreisverkehr vor Les Eyzies erreichten.

»Vielen Dank, das hat mir sehr gefallen«, sagte er. »Normalerweise singe ich nur in Gegenwart meines Hundes. Oder unter der Dusche.«

»Sie haben aber eine schöne Stimme und können die Melodie halten.«

»Treten Sie noch öffentlich auf?«

»Nur ganz selten«, antwortete sie schulterzuckend. »Während meines Studiums hatte ich wenig Zeit und habe deshalb nur noch auf Partys, für Freunde oder gelegentlich zum Aufbessern meiner Finanzen im Club gesungen. Ich würde gern wieder mehr machen, was sich kaum mit meinem Beruf wird vereinbaren lassen.«

»Während der Feriensaison veranstalten wir am Flussufer von Saint-Denis Gratiskonzerte. Sie wären herzlich willkommen. Alle Unkosten würden erstattet, und wir könnten Ihnen auch eine kleine Gage zahlen. Darf ich Sie vormerken? Ich bin Mitorganisator.«

»Klingt verlockend. Und verrät mir eine weitere Seite Ihrer Arbeit als Polizist, die in meinem Bericht nicht fehlen darf.«

Er parkte an der Hauptstraße von Les Eyzies im Schatten einer hoch aufragenden Felsklippe. Als sie ausgestiegen waren, zeigte er auf das riesige Standbild einer nur spärlich bekleideten, menschlichen Gestalt mit eingezogenen Schultern, die von einem Felsvorsprung aus über Stadt und Fluss blickte.

»Das ist unser Cro-Magnon-Mann, der stellvertretend für alle vorgeschichtlichen Funde steht, die hier im näheren Umkreis gemacht wurden. Jedes Mal, wenn ich hier vorbeikomme, winke ich zu ihm hoch.«

Louise Varenne, die Stadtpolizistin, erwartete ihn in der *mairie*. Dass Amélie ihn begleitete, überraschte sie offenbar nicht. Wahrscheinlich hatte Jules ihr schon telefonisch Bescheid gegeben. Sie kannten einander von einer Grillparty, die Bruno für alle Polizei- und Gendarmeriekollegen im Tal bei sich gegeben hatte. Louise war bei dieser Gelegenheit zum allerersten Mal mit einer *gendarme commandante* in privatem Rahmen zusammengetroffen, und inzwischen nannten sie einander beim Vornamen, was der Zusammenarbeit sehr zugutekam. Leckeres Essen, wusste Bruno inzwischen, war *die* Geheimwaffe eines *Chef de police*. Je mehr Leute er um seinen Tisch versammelte, desto mehr nützliche Informationen kamen ihm zu Ohren, und desto häufiger wurde er seinerseits in den einen oder anderen der insgesamt zwölfhundert Haushalte von Saint-Denis eingeladen.

»Ich habe das Foto der Toten kopiert und es auf Campingplätzen, in Läden und Cafés herumgereicht«, sagte Louise, nachdem sie nach Amélie auch Balzac gebührend begrüßt hatte. »Bisher hat sich nur der Mann von der Tankstelle gemeldet, er glaubt, dass die Frau vor wenigen Tagen einen silbernen Peugeot Traveller bei ihm betankt und bar bezahlt hat.«

Bruno erzählte, was der Graf ihm über jüngste Einbrüche im Schloss Commarque berichtet hatte. »Gibt es Templerfreunde bei Ihnen in der Stadt?«

»Dutzende. Seit diese Bestsellerromane erschienen sind, werden es immer mehr«, antwortete Louise. »Ich hab selbst welche gelesen. Der Hype darum hat aber auch schon wieder deutlich nachgelassen, zumindest bei denen, die nicht vom Tourismus leben.«

Fast jeder zweite Laden in der Region verkaufte Spielzeugschwerter, Plastikhelme und Waffenröcke in Kindergrößen mit einem roten Kreuz auf der Brust. Nur Touristen aus England glaubten, dass hier englischer Ritter gedacht wurde, während den meisten anderen klar war, dass mit solchen Angeboten das Interesse an den Templern bedient werden sollte.

»Wissen Sie, wer bei Ihnen Kletterseile aus blaugrünem Nylon verkauft?«, fragte Bruno. »Frau Dr. Stern hat entsprechende Fasern am Leichnam sicherstellen können.«

»Nein, aber mein Bruder ist im Kletterverein«, antwortete Louise und langte nach ihrem Telefon, um sich sogleich mit ihm in Verbindung zu setzen und nachzufragen. Sie hörte ihm eine Weile zu, bedankte sich und versprach, ihm ein Foto der Toten per E-Mail zukommen zu lassen, das er auch seinen Kletterfreunden zeigen möge.

»Er sagt, dass die Faserreste wahrscheinlich eher nicht von einem regulären Sportseil herrühren, sondern von handelsüblicher Billigware. Wenn jemand aus seinem Kreis die Frau wiedererkennt, gebe ich Ihnen sofort Bescheid.«

Bruno bedankte sich bei ihr und führte Amélie zum Museum, das gleich um die Ecke lag. Er begrüßte die beiden Frauen am Eingangsschalter mit den üblichen Wangenküssen, stellte ihnen Amélie vor und erkundigte sich, ob Clothilde in ihrem Büro sei. Die beiden wussten von seiner Rolle als Trauzeuge bei der Hochzeit ihrer Chefin und ließen ihn sofort zu ihr durch. Auf der Treppe nach oben erklärte er Amélie gerade, dass Clothilde zu den führenden Prähistorikern Frankreichs zählte, als er über sich Schritte hörte und eine Stimme, die sagte: »Lass gut sein, Bruno. Du bringst mich in Verlegenheit. Und erspar uns bitte solche Schmeicheleien in deiner Tischrede zu unserer Hochzeit.«

Eine kleine, energiegeladene Frau, eine Lesebrille an einer Kette um den Hals, tauchte vor ihnen auf, die ihre feuerrote Haarpracht mit Hilfe eines Bleistifts hochgesteckt hatte. Sie trug ein grünweißgestreiftes Herrenhemd über schwarzen Leggins.

»Hoffentlich störe ich dich nicht«, sagte Bruno, küsste sie auf die Wange und machte sie mit Amélie bekannt. »Unter dem Felsen von Commarque wurde heute Morgen eine Frau tot aufgefunden.« Er zeigte ihr das Foto und zitierte den Grafen, der, als von den Templerfreunden die Rede war, ihren, Clothildes, Namen ins Spiel gebracht und darauf aufmerksam gemacht hatte, dass die Lage der Toten an die Darstellung der Venus von Laussel erinnere.

Clothilde betrachtete das Foto und schüttelte den Kopf. »Nie gesehen, aber ich könnte das Foto einscannen und auf meiner Facebook-Seite posten. Darüber stehe ich mit den meisten meiner Kollegen aus der Archäologie in Kontakt.

Aber für gewöhnlich klettert unsereins nicht, bei uns geht es eher in die Tiefe.«

»Sagen dir diese Buchstaben was?« Er zeigte ihr die Fotos, auf denen der Graffito zu sehen war. »Wir gehen davon aus, dass sie die Zeichen auf die Donjon-Mauer gesprüht hat, bevor sie gestürzt ist. Fällt dir dazu irgendetwas ein? Welche Sprache ist das?«

»Nein, tut mir leid. Englisch ist es jedenfalls schon mal nicht.« Clothilde blickte zu ihm auf. »Stell dir vor, Bruno, ausgerechnet diese Woche rückt das Bodenradar- und Seismographen-Team an. Das wird unsere ganzen Hochzeitspläne durcheinanderbringen. Horst und ich werden dabei sein müssen, wenn sie ihre Messungen durchführen. Könnte also gut möglich sein, dass wir dich kurzfristig bitten, uns ein paar Erledigungen abzunehmen.«

»Klar, ich helfe gern. Aber mal sehen, was die *Police nationale* meint. Wenn sie Commarque zum Tatort erklärt, wird aus den Messungen vorerst nichts.« Grinsend fügte er hinzu: »Übrigens, meine Rede steht schon, zumindest im Entwurf. Wann kommt eigentlich deine *dame d'honneur* an?«

»Lydia Manners nimmt am Freitag mit ihrem Mann den Flieger von London und wird pünktlich zum *dîner des témoins* in Laugerie-Basse sein. Wir Trauzeugen tafeln dann dort in der Höhle, die eigens für uns geöffnet wird. Lydias Ehemann ist Engländer, ein ehemaliger Soldat. Ihr, du und er, werdet euch bestimmt gut verstehen. Sie ist Amerikanerin, arbeitet aber für das Ashmolean Museum in Oxford, wo sie auch wohnt. Apropos, vergiss nicht, du hast versprochen, das Abendessen zum Junggesellenabschied am Donnerstag mit Horst und seinen Freunden zu organisieren. Nicht wahr, Du passt auf, dass er nicht zu viel trinkt und –?«

»Hast du schon mal von einem Templerforscher namens Dumesnil gehört?«, unterbrach Bruno sie. »Er wohnt in Sarlat. Der Graf sagt, er sei ein Experte, der mir vielleicht weiterhelfen könnte.«

»Dumesnil? Du wirst ihn auf unserer Hochzeit kennenlernen. Horst und ich halten große Stücke auf ihn. Ein hervorragender Mann, der eins der wirklich guten Bücher über die Templer geschrieben hat. Er ist Geschichtslehrer in Brive, wohnt aber in Sarlat. Du solltest ihn einmal dort besuchen. Er lebt wie in einem mittelalterlichen Kloster, und zwar streng nach den Regeln der Benediktiner, obwohl er selbst weder Mönch noch Priester ist.«

»Was heißt das?«, fragte Amélie.

»Er hält sich an die klösterliche Gebetsordnung – Vigil, Laudes, Mittagshore und so weiter. Wenn Sie mich fragen, ist er ein bisschen verrückt, aber auf seine Art eben auch brillant. Er könnte eine Professur an jeder europäischen Universität haben, meint aber, dass die Arbeit als Schullehrer seiner Vorstellung von monastischem Leben doch näherkommt. Ein seltsamer Vogel, aber irgendwie faszinierend.«

»Er lebt streng nach klösterlichen Regeln, ist aber selbst kein Mönch?«, fragte Bruno nach.

»Noch Priester, wie gesagt. Auguste bezeichnet sich sogar als konfessionslos. Ich glaube allerdings, er hat der katholischen Kirche nur deshalb den Rücken gekehrt, weil sie die Messe nicht mehr auf Latein lesen lässt. Immerhin singt er noch im Chor der Kathedrale von Sarlat mit.«

Nachdem sie eine Tasse Kaffee mit Clothilde getrunken hatten, fuhren Bruno und Amélie weiter nach Sarlat. Unterwegs machte er sie auf einzelne archäologische Fundstätten und Châteaux aufmerksam und bog dann nach Cap Blanc ab, wo er die Belegschaft fragen wollte, ob jemand die tote Frau wiedererkannte. Als er dort am Vormittag einen Zwischenstopp eingelegt hatte, war die Grotte für das Publikum noch nicht geöffnet gewesen. Die Frau, die die Eintrittskarten verkaufte, schaute sich das Foto genau an und sagte, sie erinnere sich, dass die Frau vor zwei oder drei Tagen mehrere Reiseführer der Region gekauft habe.

»Sie sprach Französisch mit einem leichten ausländischen Akzent«, fügte sie hinzu. »Fließend und fehlerfrei, aber ein bisschen altmodisch und gestelzt. Und sie hatte neben Euroscheinen auch amerikanische Dollars im Portemonnaie. Ich erinnere mich gut an sie, weil sie mich fragte, ob es einen direkten Weg nach Commarque gebe. Ich habe ihn ihr gezeigt, er ist ja nicht so leicht zu finden. Mir ist auch aufgefallen, dass sie Wanderstiefel trug und einen Rucksack. Sie nahm ihn ab, um die Bücher einzustecken.«

Bruno machte sich Notizen, bedankte sich und ließ Amélie wissen, dass er nun in allen Hotels, Pensionen und Fremdenverkehrsbüros der Region das Foto der toten Frau herumzeigen wolle. »Es ist gut möglich, dass sie Ausländerin ist. Deshalb werde ich das Außenministerium bitten müssen, ihr Foto auch in allen Botschaften und Konsulaten herumgehen zu lassen. Es gibt wohl keinen zeitaufwendigeren Job, als vermisste Personen aufzuspüren.«

»Es gibt doch Software zur Gesichtserkennung. Vielleicht kommt man damit schneller ans Ziel«, meinte Amélie. »Ich weiß von einem Pilotprojekt, das vom Innenministerium ausgeht und die Datenbank zu nutzen versucht, auf der die Fotos von französischen Personalausweisen gespeichert sind. Wir könnten auch die Amerikaner um eine entsprechende Recherche bitten. Wenn die Frau Dollars im Portemonnaie hatte, stammte sie vielleicht aus den USA, und die hätten dort bestimmt ihr Foto registriert.«

Bruno warf ihr einen überraschten Blick zu. »In all den Unterlagen und Broschüren, die mir von verschiedenen Ministerien zugeschickt werden, war bislang nie die Rede von der Identifikation vermisster Personen über Ausweisfotos. Das könnte sehr nützlich sein. Ich wette, Jean-Jacques weiß auch noch nichts davon, dabei ist er doch der Chefermittler im Département Dordogne.«

Amélie tippte bereits etwas in ihr Handy. Bruno staunte, wie schnell sie ihre Finger fliegen lassen konnte.

»Nach dem Terroranschlag der ISIS in Paris«, sagte sie, »hat man sich einiges einfallen lassen, wie sich die vom Staat gespeicherten Daten aus Führerscheinen, Ausweispapieren, Pässen und Strafakten besser nutzen lassen. Ein Riesenberg Arbeit, und ich weiß nicht, wie weit man damit ist. Jedenfalls habe ich gerade einer Studienfreundin, die jetzt fürs Innere arbeitet, ein Foto der Toten geschickt. Vielleicht kann sie es durch ihre Datenbank jagen und Interpol um Hilfe bitten.«

Als sie ihren Text eingegeben und versendet hatte, meinte sie: »Nicht zu fassen, dass Sie über diese neuen Möglichkeiten so gar nicht informiert worden sind. Darauf werde ich in meinem Bericht nachdrücklich hinweisen. Haben Sie mit diesem Jean-Jacques Jalipeau häufiger zu tun?«

»Ja. Er klärt mich über alles auf, was in unserem Teil des Départements vor sich geht. Heute Morgen erst habe ich ihn an den Fundort der Toten gerufen. Ungeklärte Todesfälle gehören in seinen Aufgabenbereich. Eigentlich gehört es auch zu seinem Job, die Tote zu identifizieren, aber ich helfe natürlich mit meinen Möglichkeiten hier vor Ort. Wir, die *Police nationale,* die Gendarmerie und ich, haben zwar drei verschiedene Arbeitgeber, das hindert uns aber nicht daran zusammenzuarbeiten. Wir stehen auf derselben Seite.«

Brunos Handy ließ plötzlich die ersten Takte der »Marseillaise« verlauten. Er fuhr rechts ran, um den Anruf entgegenzunehmen. Es war der Mann des Templervereins. Er sagte, dass er die Frau nicht kenne und über neue Hinweise auf einen Schatz von Commarque nichts wisse, er habe das Foto vorsorglich aber trotzdem allen Vereinsmitgliedern zugeschickt.

»Sagen Ihnen die Buchstaben I-F-T-I irgendetwas? Könnten sie im Zusammenhang mit Templerlegenden stehen? Ich frage, weil die Frau etwas an die Burgmauer zu schreiben versucht und diese Buchstaben aufgesprüht hat.«

»An eine Mauer von Commarque? Eine Schande ist das. Mit jemandem, der so etwas tut, will unser Verein nichts zu tun haben. Nein, diese Buchstaben sagen mir nichts. Aber ich werde mich umhören.«

»Sind Sie sicher, dass es in Commarque nie einen Templerschatz gegeben hat?«

»Wer weiß? Commarque ist nur einer von dreitausend Orten in Frankreich, die mit den Templern in Verbindung gebracht werden können. Das Schloss war allerdings nie eine *commanderie templière,* eine Verwaltungszentrale. Davon gab es in der Dordogne fünf oder sechs. Wenn man damals einen Schatz vor dem König verstecken wollte, wird man das bestimmt nicht in einer solchen Zentrale getan haben.«

»Also eher an einem weniger bedeutenden Stützpunkt wie Commarque?«

»Möglich, aber Philippe IV. hat gründlich suchen lassen und großen Aufwand betrieben, um die Templer niederzuschlagen, was ihm recht schnell gelungen ist. Er erließ an alle Vögte und Seneschalle Frankreichs parallel den geheimen Befehl, den Ritterorden mit einem einzigen Schlag zu vernichten. Mehr als fünftausend Tempelritter wurden in der Nacht auf Freitag, den 13. Oktober 1307, verhaftet. Bis zum Zweiten Weltkrieg hat kein französischer Staat eine derart groß angelegte Operation durchführen können. Selbst unter Napoleon nicht. Stellen Sie sich vor, wie groß das Polizeiaufgebot und die Truppen gewesen sein mussten, ganz abgesehen von den Gefängniszellen zur Unterbringung all der Gefangenen. Und alles wurde unter strengster Geheimhaltung durch berittene Boten im ganzen Land organisiert.«

Bruno runzelte die Stirn. Das Ausmaß eines solchen Kommandounternehmens konnte er sich durchaus vorstellen, aber er hätte es sich nie träumen lassen, dass ein spätmittelalterlicher Monarch dazu in der Lage gewesen wäre.

»Fünftausend kampferprobte Ritter, gefangen genommen in einer einzigen Nacht. Haben sie sich denn wehrlos ergeben?«, fragte er.

»Na ja, die Wehrhaften unter ihnen kämpften gerade in Spanien und auf Zypern gegen die Sarazenen. Auf französischem Boden zurückgeblieben waren fast ausschließlich ältere Ritter. Nichtsdestotrotz war es eine erstaunlich gut konzertierte Aktion, die da in die Wege geleitet wurde. Sie zeigt, wie wichtig es dem König war, sich den Schatz der Templer unter den Nagel zu reißen.«

»Aber das hat er nicht geschafft, oder?«

»Er hat deren Ländereien und Burgen und Gutshöfe beschlagnahmt, und das war eigentlich bereits Beute genug. Zuvor schon hatte er die Templer gezwungen, ihm riesige Summen Geld zu leihen. Aber den Schatz fand er nie.«

»Glauben Sie denn, dass sich einer finden ließe?«, fragte Bruno.

»Ja, und ich glaube, er wurde übers Meer nach Schottland geschmuggelt, vielleicht sogar nach Nova Scotia. Es gibt verschiedene Theorien. Aber Commarque scheidet als Versteck für mich aus, weil dort etliche archäologische Grabungen stattgefunden haben und immer noch stattfinden. Und der Donjon, den diese Frau offenbar zu erklimmen versuchte, ist wiederaufgebaut und gründlichst durchsucht worden. Wenn ein Schatz dort zu bergen wäre, dann in den Höhlen im Felsfundament.«

Bruno hatte an seinem Handy den Außenlautsprecher eingeschaltet, damit Amélie mithören konnte. Als er das Telefonat beendet hatte, sagte er zu ihr: »Unglaublich, nicht wahr, fünftausend Männer, die in einer Nacht verhaftet wurden. Da wäre selbst unsere heutige Polizei schwer gefordert.«

»Mag sein, aber vergessen Sie nicht, ich arbeite für das Justizministerium, nicht fürs Innere. Ein Arbeitgeber, der zu so etwas in der Lage ist, wäre mir nicht geheuer.« Sie zeigte auf das Display ihres Handys.

»Während Sie telefoniert haben, habe ich ein wenig recherchiert. Die Buchstabenfolge I-F-T-I scheint es nur im Arabischen zu geben, und zwar hauptsächlich in Personennamen. Wenn das T eigentlich ein R hätte werden sollen, würde das zu *Ifriqiya* passen, dem alten Namen für Nordafrika. Und wenn man sich das I am Schluss als unfertiges A vorstellt, könnte *iftar* gemeint gewesen sein, das Abendessen während des Fastenmonats Ramadan. Aber was hätte ein solches Wort an einer Burgmauer verloren? In Frage käme auch noch das Wort *Iftikhar,* was so viel wie Stolz oder Ruhm bedeutet.«

Bruno glaubte zu spüren, wie sich in seinem Kopf ein Gedanke anbahnte, der ihm aber, flüchtig, wie er war, sofort wieder verlorenging. Solche Ahnungen hatte er öfter. Manchmal deutete er sie als Vorahnung, manchmal als eine Idee, die wie von außen an ihn herangetragen wurde oder aus einem Teil seines Gehirns stammte, der aus Neugier, Erfahrung und Intuition zusammengesetzt war, die sich wechselseitig befruchteten, um schließlich als Hypothese ins Bewusstsein vorzudringen. Im Stillen zählte er die Teile seines jüngsten Puzzles auf: ein altes Château und ein arabischer Name, Kreuzfahrer und Templer, eine Frau, die in den Tod gestürzt, vielleicht gestoßen worden war. Und er war zuversichtlich, dass diese Teile, richtig zusammengefügt, irgendwann ein stimmiges Bild ergeben würden.

8

Bruno hielt zwar nur selten die fünfunddreißig Wochenstunden seiner vorgeschriebenen Dienstzeit ein, fragte sich jetzt aber, ob Amélie diesen Umstand in ihrem Bericht vermerken würde. Sei's drum, dachte er und zuckte mit den Schultern. Dass er freiwillig oft länger arbeitete, würde das Ministerium kaum beanstanden können. Er nahm sich vor, darauf zu achten. Vielleicht hielt sich Amélie genauer an die Uhr.

»Wäre es Ihnen recht, wenn wir heute etwas länger Dienst machten?«

Sie warf einen Blick auf die Uhr. »Rund zwei Stunden könnten wir anhängen. Um sieben muss ich allerdings zurück im Hotel sein. Ich bin mit einigen der Sozialisten hier zum Essen verabredet und hoffe, ihnen die Gründung einer regionalen Jugendsektion schmackhaft machen zu können. Ich finde es sehr bedauerlich, dass die meisten Parteien ihre Nachwuchsarbeit vernachlässigen.«

»Haben Sie über eine solche Sektion Interesse an der Politik gefunden?«

»Nein, über meine Eltern. Wir haben zu Hause viel diskutiert. Meine Mutter wählt links, mein Vater grün. Als ich eingeschult wurde, gab es diese Aufstände in den Vorstädten. Junge Leute setzten Autos in Brand. Dann kam die

Rezession, und die Krise spitzte sich zu. Jetzt möchte ich politisch mitwirken.«

Bruno fuhr in Richtung auf Le Buisson an Huberts *Cave* vorbei; er nahm sich vor, Amélie dort bei Gelegenheit den Wein der Region verkosten zu lassen, und bog nach links ab in eine Siedlung, die er als Vorstadt von Saint-Denis bezeichnete. Hier war in den fünfziger und sechziger Jahren Wohnraum geschaffen worden, der in den vergangenen Jahren für die wachsende Zahl der Rentner aus dem Norden und Osten Frankreichs erweitert worden war, die es des milderen Klimas wegen ins Périgord zog. Die meisten der neugebauten Bungalows wurden für rund hunderttausend Euro angeboten; sie bestanden aus vier Zimmern, Küche, Diele, Bad und einem Garten, der groß genug für eine kleine Rasenfläche, ein Gemüsebeet und eine Terrasse war. Mit ihren weißverputzten Wänden und den halbrunden Ziegeln auf den Dächern hätten sie, wie Bruno fand, eigentlich besser in die Provence gepasst als ins Périgord. An einer Straßenecke hielt er vor einem dieser Häuser an. Es war stattlicher als die anderen und bestand aus zwei Gebäudeflügeln, in deren Mitte ein kleiner Turm aufragte.

Die Haustür öffnete sich, und Dilla, die Frau des Mathematiklehrers Momu, trat heraus und begrüßte Bruno mit einer Umarmung. Er war mit ihr und ihrem Mann gut befreundet und ein Fan von Dillas Couscous-Gerichten, die sie zu ihrem jährlichen *méchoui*-Festessen auftischte, wenn für die Freunde ein ganzes Lamm gegrillt wurde. Sie und Momu waren bekennende Atheisten, tranken Wein und besuchten jedes Rugbyheimspiel, um den gemeinsamen Sohn Karim, den Star der Mannschaft, anzufeuern. Dessen kleine

Kinder halfen ihnen über den Schmerz des Verlustes von Sami hinweg, dem adoptierten autistischen Jungen, dessen Tod sie Dschihadisten zum Vorwurf machten. Als Bruno Dilla und Amélie miteinander bekannt machte, kam Momu aus dem Wohnzimmer und umarmte Bruno zur Begrüßung. Im Hintergrund spielte Barockmusik.

Nach dem üblichen »Wie geht's, wie steht's« zeigte Bruno den Freunden eine Kopie des Fotos von den Buchstaben an der Turmmauer. »Möglich, dass das letzte Zeichen nicht vollständig ist, denn die Frau, die dafür verantwortlich ist, ist dabei in den Tod gestürzt. Könnt ihr mit dieser Buchstabenfolge etwas anfangen?«

»Du sprichst von der Frau, die in Commarque aufgefunden wurde?«, vergewisserte sich Dilla. »Soeben kam eine Meldung im Radio über sie, aber von diesen Schriftzeichen war nicht die Rede. Traurige Geschichte. An so einem schönen Ort. Ich werde nie wieder dort sein können, ohne an sie erinnert zu werden.«

»Dieser Ort war eine Festung«, stellte Amélie nüchtern fest. »Über Jahrhunderte werden dort jede Menge Leute ums Leben gekommen sein.«

»Natürlich«, entgegnete Dilla mit einem kritischen Seitenblick auf Amélie, bevor sie den Besuch ins Wohnzimmer führte, gefolgt von ihrem Mann, der die Musik leiser drehte und ihnen etwas zu trinken anbot. Amélie bat um einen Tee, Bruno schloss sich ihr an. Neben Momus Fauteuil stapelten sich Klassenarbeiten auf dem Boden, davor ein Glas, das halb mit Scotch gefüllt zu sein schien. Von ihrer algerischen Heimat war in der Einrichtung des Zimmers nichts zu sehen, und die Bücher im Regal trugen ausnahmslos französische

Titel. Auf einem Couchtisch lag die jüngste Ausgabe von *Le Monde Diplomatique*.

»Warum ein arabisches Wort in lateinischen Buchstaben?«, fragte Momu, als er das Foto betrachtete. »Es könnte auch *iftin* gemeint sein, was Licht bedeutet, oder *iftian* – Verzauberung. Oder der Name Iftikhar, der in der arabischen Welt allerdings nur selten vorkommt, eher im Sudan oder in Pakistan und Persien. Es gibt einen pakistanischen Dichter namens Iftikhar Arif.«

»Hat der Name eine Bedeutung?«

»Es soll heißen: das, was Stolz oder ein Selbstwertgefühl schafft; es lässt sich auch mit Ehre oder Ruhm übersetzen. Im Osmanischen Reich gab es den sogenannten Nischan el Iftikhar oder Orden des Ruhms, vergleichbar mit unserer *Légion d'honneur*.«

»Fallen dir noch weitere mögliche Wörter ein?«

»Nicht auf Anhieb. Aber wenn du möchtest, könnte ich einen Freund anrufen, der gebildeter ist als ich.«

Dilla kam mit einem Tablett, darauf winzige Teegläser und eine altmodische bauchige Teekanne mit langer, dünner Tülle – ein Familienerbstück. Im ganzen Zimmer duftete es plötzlich nach Minze. Momu stand auf und schenkte, sichtlich stolz auf seine Geschicklichkeit, den dampfenden Sud aus großer Höhe in die Gläser ein, während Balzac zufrieden an einem Keks knabberte, den Dilla ihm gebracht hatte.

»Trinken Sie Ihren Tee immer so süß?«, fragte Amélie, nachdem sie ihr Glas geleert hatte.

»Immer«, antwortete Dilla ernst. Amélie blickte verlegen drein.

Bruno hielt es für besser, das Thema zu wechseln. »Das

ist die Frau, die zu Tode gestürzt ist.« Er reichte Dilla und Momu je einen Ausdruck des Fotos, das er von der Toten gemacht hatte.

Momu betrachtete ihr Gesicht. »Arme Frau.« Dann blickte er auf. »Arabisch oder pakistanisch sieht sie nicht aus. Ich würde sie eher für eine Europäerin halten.«

»Anscheinend war sie nicht allein. Jemand muss die Spraydose und vielleicht auch ein Seil, das sie zum Klettern gebraucht hat, wieder mitgenommen haben. Die Ausdrucke könnt ihr behalten. Vielleicht weiß dein gebildeter Freund mehr.«

Als Bruno sein drittes Glas Tee ausgetrunken hatte, stand er auf, bedankte sich und verabschiedete sich von Dilla und Momu. »Liebe Grüße auch an eure Enkelkinder«, sagte er und verließ mit Amélie das Haus.

Er setzte sie vor dem Hotel ab und ließ sie wissen, dass er morgen ab acht in der Früh Streife auf dem Wochenmarkt gehen werde. Balzac bekam zum Abschied wieder einen Kuss auf den Kopf, sein Herrchen jedoch nur einen förmlichen Händedruck und ein herzliches Dankeschön für den interessanten Tag.

Den Abend hatte Bruno also frei, und so kaufte er in Huberts *Cave* vier Flaschen Weißwein vom Château de la Jaubertie und machte sich dann auf den Weg zum *jour fixe* in Pamelas Reitschule, wo sich einmal in der Woche der engste Freundeskreis zum Abendessen einfand. Diesmal waren Fabiola und ihr Partner Gilles mit Kochen an der Reihe, während Bruno für den Wein verantwortlich war.

Aber vorher mussten die Pferde bewegt werden, für ihn die schönste Feierabendbeschäftigung, auf die er sich schon freute. Er würde einen Apfel an Hector verfüttern, sich in seine Reitstiefel quälen und den Duft von Pferden und frischem Stroh genießen. Und wenn er den Sattel auflegen und den Gurt anziehen würde, würde Hector sein Spielchen mit ihm treiben und seinen Bauch aufblähen, worauf Bruno ihn mit dem Knie anstupsen und ihm zu verstehen geben würde, dass er den Trick längst kannte.

Im Stall war niemand, als er ankam. Er hatte sich ein wenig verspätet. Hector aber wartete auf ihn, und an der Tür seiner Box hing ein von Pamela handgeschriebener Zettel mit der Nachricht, dass sie schon vorgeritten seien und die Audrix-Runde drehten. Bruno gab Hector seinen Apfel, genoss es, den warmen Atem des Pferdes auf seiner Hand zu spüren, und lehnte seine Stirn an Hectors Hals. Dann trat er zurück und schaute zu, wie der Wallach Balzac beschnupperte, den er schon als ganz kleinen Welpen kennengelernt hatte. Bruno fragte sich, ob Hector den Basset als eine Art Miniaturpferd wahrnahm und Balzac in dem Pferd einen Riesenhund sah. Wie auch immer, die beiden Tiere waren Freunde und offenkundig froh, sich wiederzusehen.

Als Bruno das Zaumzeug anlegte, fiel ihm auf, dass es mit Sattelseife behandelt worden war – wahrscheinlich von Félix, der sich unter Pamelas umsichtiger Führung von einem mürrischen jungen Delinquenten in einen hilfsbereiten Stallburschen verwandelt hatte, aus dem ein guter Reiter zu werden versprach.

Hector konnte es kaum erwarten, den Sattelplatz hinter sich zu lassen, zumal er nicht von anderen Pferden ausgebremst wurde. Miranda, Pamelas Geschäftspartnerin, winkte Bruno vom Küchenfenster aus zu, als er am Haus vorbeiritt und Hector freien Lauf ließ. Auf dem leicht ansteigenden Feld hinter Pamelas Anwesen hatte der Wallach bald ein ruhiges Galopptempo erreicht, das er fast eine halbe Stunde beibehalten konnte.

Am Reitweg durch den Wald angekommen, zügelte Bruno sein Pferd, um Balzac aufholen zu lassen. Zu dritt ging es gemächlich weiter, an einer Stelle vorbei, an der Bruno, wie er sich erinnerte, im vorigen Herbst prächtige Steinpilze gefunden hatte. Bald lichtete sich der Wald, und vor ihnen tauchte in der Ferne der kleine Glockenturm der Kirche von Audrix auf. Auf halber Strecke, vielleicht zwei Kilometer entfernt, sah er eine kleine Reitergruppe. Hector, der sie anscheinend schon gewittert hatte, ließ sich nicht lange bitten und machte sich im gestreckten Galopp an die Verfolgung, so schnell, dass der Gegenwind Brunos Augen tränen ließ.

»Es scheint, ihr habt euren Spaß«, sagte Gilles, als Bruno aufgeschlossen hatte. Er saß auf Victoria, einer etwas in die Jahre gekommenen Stute, Fabiola ritt eine wohlerzogene Stute der französischen Sportpferderasse Selle Français, die mit der Reitschule eingekauft worden war, und Félix war mit dem Andalusier unterwegs. Pamela ritt Primrose, das Pferd aus dem ursprünglichen Bestand der Reitschule, an dem sie schon interessiert gewesen war, bevor sie dann kurzerhand beschlossen hatte, den ganzen Stall zu kaufen. Dazu gehörten drei weitere Pferde und ein Pony, die alle ungesattelt und an langer Leine zu Trainingszwecken mitgeführt wurden.

»Ja, Hector geht wieder mal herrlich«, erwiderte Bruno und strahlte vor Freude, nicht nur über den Ausritt, sondern auch darüber, die Freunde wiederzusehen. Im Schritttempo ging es weiter, an Audrix vorbei und über die kürzere Strecke zurück, auf der Pamela die Gruppe anführte und Bruno das Schlusslicht bildete. Diese Position hatte Hector gar nicht gern, wenn ein hohes Tempo geritten wurde, aber jetzt, da es nur langsam voranging, schien er auch daran Gefallen zu haben. Sie erreichten den Hügelkamm und hielten an. So vertraut der Ausblick auch sein mochte, er versetzte sie immer wieder in Staunen. Unter ihnen mäanderte die Vézère durch das weite Tal auf ihre Mündung in die Dordogne zu. Die wenigen Häuser der Ortschaft Limeuil schienen sich am Steilhang festzuklammern, den seit Jahrhunderten eine Burg krönte, die über den Zusammenfluss der beiden Wasserläufe und die auf ihnen betriebene Schifffahrt wachte.

Pamela wendete ihr Pferd und ritt bergab auf den rückwärtigen Eingang der Reitschule zu. Gilles und Fabiola dagegen ließen ihre Pferde gesattelt vor dem Stall zurück und gingen geradewegs in die Küche, um das Essen vorzubereiten. Pamela umarmte Bruno, als sie abgestiegen waren, und drückte ihn eine Sekunde länger als gemeinhin üblich, was wohl als eine Geste zu verstehen war, mit der sie ihn als ihren ehemaligen Liebhaber offenbar an das erinnern wollte, was einmal zwischen ihnen gewesen war – dabei hatte sie damals die Beziehung beendet.

Zusammen mit Félix sattelten sie die Pferde ab und rieben sie trocken, brachten Sättel und Zaumzeug in die Geschirrkammer und wuschen sich die Hände über dem Spülbecken im Stall. Balzac wartete auf sein Fressen, um sich anschließend zu Hector in die Box zu legen. Félix füllte seinen Napf mit Trockenfutter, das Bruno zu Hause selbst zusammenstellte und von dem in der Reitschule immer ein großer Vorrat zur Verfügung stand.

Die anderen hatten sich schon in der großen Küche des alten Herrenhauses versammelt. Bruno durchströmte wieder einmal ein warmes Gefühl von Zuneigung und Behaglichkeit in Anbetracht der Freunde, die sich an jedem Montagabend zusammenfanden, um gemeinsam zu essen. Der Baron schnitt auf der Arbeitsplatte neben der Spüle eine Schlangengurke für den Salat in feine Scheiben. Gilles würfelte ein Weißbrot, während Fabiola Käse für ihr Fondue rieb. Im Obergeschoss war das Lachen der in der Badewanne planschenden Kinder von Miranda und Florence zu hören, der Naturkundelehrerinnen am *collège*. Pamela machte sich daran, die Käseplatte zu bestücken. Jack Crimson, Mirandas Vater, öffnete Weinflaschen, zu denen Bruno die von ihm mitgebrachten stellte.

»Komm, wir holen Wasser«, sagte Bruno zu Félix, und die beiden gingen mit großen Plastik-*bidons* zur Quelle, die ein paar Schritte vom Haus entfernt aus dem Felsen sprudelte.

Auch dieser Weg gehörte für Bruno mit zum montäglichen Ritual. Begonnen hatte es damit, dass Pamela und Miranda kurz nach ihrem Erwerb der Reitschule ins große Haus gezogen waren und sich darangemacht hatten, Ferienwohnungen einzurichten. Bruno, der Baron, Gilles und Fabiola hatten die schwer schuftenden Frauen mit Aufläufen und Eintöpfen versorgt. Dann kam Florence dazu und brachte ihre kleinen Zwillinge mit, damit sie mit Mirandas Kindern spielten und ihnen halfen, Französisch zu lernen.

Vom Baron, mit über siebzig der Älteste, über Jack Crimson, der in den Sechzigern war, und dem Teenager Félix bis hin zu den Kindern waren fast alle Altersgruppen vertreten. Eines Abends war Bruno auf den für ihn überraschenden Gedanken gekommen, dass ihm diese Freundesgruppe wohl annähernd das war, was andere als Familie bezeichneten. Er genoss es, wenn er mit den frisch gebadeten und noch nach Shampoo duftenden Kindern an dem langen Küchentisch sitzen durfte, bis diese nach dem Essen die Treppe hochgetragen und ins Bett gebracht wurden. Dass zwei verschiedene Sprachen gesprochen wurden, kam Brunos Englisch und Mirandas Französisch zugute, während die Kinder ein ganz eigenes Franglish entwickelten.

»Hier, den musst du probieren«, sagte Jack und reichte Bruno, als er vom Wasserholen zurückkam, ein Glas Weißwein. »Von der Domaine de l'Ancienne Cure bei Colombier. Da war ich heute.«

Der pensionierte ehemalige Geheimdienstler aus England hatte sich vorgenommen, jedes Weingut im Arrondissement Bergerac zu besuchen, eines pro Woche, wofür er sich jedes Mal einen Nachmittag Zeit nahm – ein schöner Anreiz, wie er meinte, noch weitere zwanzig Jahre zu leben, denn es gab insgesamt rund neunhundert Winzer in der näheren Umgebung. Bruno kannte Christian Roche, den Winzer von l'Ancienne Cure, und natürlich auch seine Weine, ließ dies aber nicht durchblicken, da Jack ganz offensichtlich mit dem neuen Wein vor ihm angeben wollte.

»Sehr gut«, sagte Bruno nach dem ersten Schluck. »Wie viel hast du gekauft?«

»Eine Kiste, halb Weißwein, halb Rotwein. Den weißen könnten wir zum Fondue probieren.«

»Übrigens, du hast doch viel Zeit in der arabischen Welt verbracht, nicht wahr?«, fragte Bruno. »Heute ist am Château Commarque eine Frau zu Tode gestürzt, als sie eine Parole oder bestimmte Zeichen an die Burgmauer zu sprühen versucht hat.« Er zeigte Jack das Foto auf seinem Handy. »Eine Kollegin hat herausgefunden, dass es diese Buchstabenkombination nur im Arabischen gibt.«

»Ja, das könnte Teil eines arabischen Wortes sein. Aber warum in lateinischer Schrift geschrieben? Schick mir das Foto doch mal per E-Mail. Ich werde es dann an unsere alten Kamele weiterleiten, die vielleicht helfen können.«

»Kamele?«

»So nennen wir die Kollegen vom diplomatischen Dienst in der arabischen Welt.«

Jack hatte seine Stimme erhoben, um gegen den Lärm der Kinder anzukommen, die jetzt nach dem Bad die Treppe heruntergepoltert kamen und auf der Suche nach Balzac durch die Küche auf den Hof und in Richtung Stall stürmten. Ihre Mütter hatten offenbar noch ein paar Momente vor dem Spiegel verbracht, bevor sie sich nun mit nachgezogenen Lippen und gutsitzender Frisur zeigten.

»Wie schafft ihr es bloß, so gut auszusehen, nachdem ihr den Sheriff für vier kleine Banditen gespielt habt?«, fragte Bruno und begrüßte sie mit *bisous*.

»Ganz einfach«, antwortete Florence. »Wir haben sie gewarnt: Wenn sie nicht artig sind, liefern wir sie dir aus. Und wo sind unsere Gläser?«

Crimson füllte zwei Gläser, die Bruno ihm abnahm und an Miranda und Florence weiterreichte. Beide Frauen waren blond, aber damit endete auch schon die Ähnlichkeit zwischen ihnen. Miranda hatte eine rundliche Figur und eine so frische, klare Haut, wie sie nur jemand haben konnte, der im kühl-feuchten Klima Englands aufgewachsen war. Florence dagegen war schlank und wirkte darum, obwohl sie ungefähr gleich groß wie Miranda war, um einiges größer, was auch an ihrer aufrechten Haltung und an den markanten Wangenknochen liegen mochte, die ihrem Gesicht eine klassische Eleganz verliehen.

Bruno erinnerte sich an seine erste Begegnung mit Florence. Sie war eine überarbeitete, unterbezahlte und alleinerziehende Mutter gewesen, die eine schwierige Scheidung hinter sich hatte, die Haare ungepflegt und absichtlich schäbig gekleidet, um sich den Avancen ihres Arbeitgebers zu entziehen. Jetzt aber, als Lehrerin in einer Anstellung, die ihr überaus gut gefiel, mit einem anständigen Einkommen und guten Freunden, war Florence ein ganz anderer Mensch geworden, der mit Pamela zum Shopping nach Bordeaux fuhr und sich entsprechend elegant kleidete. Pamela hatte ihr auch einen guten Friseur empfohlen. Mit Florence, Fabiola und Miranda nahm sie an einem Pilateskurs teil und spielte mit ihnen regelmäßig Tennis.

Was für eine großzügige Frau, dachte Bruno, als er sich Pamela zuwandte, ihr ein Glas anbot und sah, dass sie ihn fragend musterte. Es schien, als habe sie seine Gedanken gelesen, als er Florence und Miranda im Gespräch miteinander betrachtet hatte. Schon seit Monaten schlief er nicht mehr mit Pamela, war ihr aber immer noch mehr als freundschaftlich zugetan. Neben Katarina, der bosnischen Lehrerin, die dem schrecklichen Krieg zum Opfer gefallen war, und der betörenden Isabelle, der er den leidenschaftlichsten Sommer seines Lebens verdankte, behauptete Pamela einen festen Platz in seinem Herzen und in seinem Leben.

Da wich sie seinem Blick plötzlich aus und setzte eine Miene auf, die er längst an ihr kannte, aber nie wirklich zu deuten wusste, weil die eine steil aufgerichtete Augenbraue fragend und spöttisch zugleich zu sein schien.

»Mir ist zu Ohren gekommen, dass du eine neue Begleiterin hast – von Haiti, wie man munkelt«, sagte sie mit deutlich neckendem Unterton. Bruno kannte seine Stadt gut genug, um zu wissen, welchen Verlauf ein Gerücht nahm. In diesem Fall würde Dr. Gelletreau nach seinem Bistrobesuch seine Kollegin Fabiola informiert und diese mit Pamela geredet haben. »Wie wär's, du bringst sie nächste Woche einfach mit?«

»Sie wird dir gefallen. Sie singt wie ein Engel, Jazz oder Klassisches. Ich hoffe, sie für eins unserer Uferkonzerte im Sommer gewinnen zu können.«

Pamela runzelte die Stirn und lächelte ein wenig unterkühlt, sagte aber nichts. »Sie ist Juristin und arbeitet für das Justizministerium«, fuhr Bruno fort, wobei er sich fragte, warum er sich zu diesen Erklärungen gedrängt fühlte. »Sie ist zu Forschungszwecken in der Stadt und untersucht Möglichkeiten einer besseren Zusammenarbeit zwischen Polizei und Gendarmerie. Und es scheint, sie ist fast so computeraffin wie Florence.«

»Wie du es immer wieder schaffst, dich mit interessanten Frauen zu umgeben, Bruno! Ein wirklich attraktiver Zug an dir«, bemerkte Pamela. Sie legte eine Hand auf seinen Arm und rief die Freunde zu Tisch.

Von ihren Plätzen aus sahen alle zu, wie Fabiola geriebenen Greyerzer und Emmentaler in den leicht köchelnden Sud aus Weißwein und Zitronensaft rührte und darin zergehen ließ. Dann gab sie ein wenig Maismehlstärke, einen Teelöffel Senfpulver und eine Prise Muskat dazu. Auf einem zweiten Fonduekocher garten Kartoffelwürfel und Möhrenscheiben für die Kinder, die ihren Spaß daran hatten, unterschiedliche Gemüsesorten zu probieren und aufzuspießen, um sie dann in den geschmolzenen Käse zu tauchen. Bruno ging zur Tür, um sie zu Tisch zu rufen, während Fabiola die für die Kleinen bestimmte Portion in einen separaten Topf umfüllte und in das eigentliche Fondue zwei Gläser Kirschschnaps rührte.

Bevor die Kinder kamen und es wieder laut werden würde, sagte Fabiola: »Ich habe von den Kollegen der Forensik aus Bergerac gehört, dass die Frau tatsächlich mit einem billigen Seil in die Burgmauer geklettert ist. Sie haben Nylonfasern an ihren Händen gefunden, die so schlimm verletzt sind, dass keine Fingerabdrücke mehr abgenommen werden können. Außerdem war sie in der zehnten Woche schwanger.«

9

Als Bruno seinen Blick über die altvertrauten Stände des Wochenmarktes von Saint-Denis schweifen ließ und daran dachte, dass dieser bald sein siebenhundertstes Jubiläum feiern würde, fragte er sich, inwieweit sich die heute ausgestellten Waren von denen der früheren Märkte wohl unterscheiden mochten. Enten und Hühner, Eier und Gewürze, Fisch, Obst und Gemüse – all das hatte es damals vermutlich auch gegeben, wenn auch vor der Entdeckung der Neuen Welt durch Kolumbus gewiss keine Tomaten und Kartoffeln.

Es würden Messer und Pflüge, Schaufeln und andere Werkzeuge zu kaufen gewesen sein, Lederwaren von Mänteln bis zum Geschirr für Pferde und Ochsen. Und es hatte wohl auch einen separaten Viehmarkt gegeben, auf dem Rinder, Schweine und Schafe versteigert wurden. Reisende Händler hatten vermutlich Stoffe angeboten, und für den Adel bestimmt auch Samt und Seide. Nicht anders als heute würde man an Weinständen das eine oder andere Gläschen zum Probieren bekommen haben. Bezahlt worden war wohl mit Gold oder Silber, denn damals gab es kein Papiergeld, und Kredit würde es auch nicht gegeben haben. Bruno glaubte, dass auch auf den Märkten damals jemand wie er nach dem Rechten gesehen, Streit geschlichtet und darauf geachtet hatte, dass Zölle und Steuern abgerechnet wurden.

Damals war die Stadt von einer geschlossenen Stadtmauer umgeben und hatte Wachposten eingesetzt, die vor marodierenden Soldatenhaufen warnten. Denn immer drohte Gefahr, mal von Engländern, mal von Franzosen, je nachdem, welcher König gerade in Saint-Denis die Oberhand hatte. Flämische Söldner und Armbrustschützen aus Genua kämpften sowohl auf der einen als auch auf der anderen Seite. Im Falle eines Angriffs wurden die Tore geschlossen, und ein Veteran wie Bruno würde auf die Schnelle die Verteidigung organisiert haben, während ein Reiter auf schnellem Pferd zum Feudalherren geschickt wurde, etwa zum Seigneur de Limeuil, der in seiner Festung auf dem Hügel weiter unten am Fluss residierte.

Heute nahm eine Regierungsangestellte aus Paris den Markt in Augenschein. Damals war der Amtsvertreter gewiss keine junge Frau mit karibischen Wurzeln gewesen, die mit den Kleidern, die sie trug, dafür sorgte, dass die halbe Stadt ihr hinterhergaffte. Heute trug sie eine hellrote Caprihose, eine königsblaue Bluse und ein mehrfach um Kopf und Hals geschlungenes weißes Tuch und sah in diesem Outfit abermals wie eine wandelnde französische Trikolore aus.

»*Bonjour*, Bruno. *Bonjour*, Balzac«, grüßte sie, offenbar in bester Laune. »Ich glaube, ich weiß jetzt, wer Ihre mysteriöse Tote ist.«

Das amerikanische Außenministerium hatte dank seiner Gesichtserkennungssoftware aus allen registrierten Visafotos mehrere mögliche Kandidatinnen aussortiert und das französische Innenministerium kontaktiert. Bruno war beeindruckt. Aber das sei noch nicht alles, sagte Amélie. Eine Facebook-Freundin, die der britischen »Stop the War

Coalition« angehörte, hatte die Frau eindeutig als Aktivistin der israelischen Friedensbewegung »Schalom Achschaw« und Teilnehmerin einer Konferenz in Genf identifiziert.

»Sie war Israelin und hieß Leah Ben-Ari«, erklärte sie mit mühsam verhohlenem Triumph in der Stimme.

Bruno war für einen Augenblick sprachlos. Er schüttelte den Kopf. »Ich bin überwältigt«, murmelte er. »Vielen Dank. Sie haben mir sehr geholfen.«

»Sie brauchen jetzt nur noch das israelische Konsulat in Paris zu benachrichtigen, das dann alles Weitere in die Wege leitet und zum Beispiel die nächsten Angehörigen der Toten informiert.«

»Ja, natürlich. Haben Sie schon gefrühstückt?«

»Noch nicht, aber ich freue mich schon auf eins dieser leckeren Croissants.«

Fauquets Café war brechend voll, wie immer an Markttagen. Doch Amélie, der Bruno die Tür aufhielt, betrat so schwungvoll den Gastraum, als erwartete sie, dass ihr alle Platz machten, was auch der Fall war. Sie begrüßte Fauquet und sagte, sie sei wegen seiner Croissants gekommen; sie habe nie leckerere gegessen. Dieses Lob sicherte ihr prompte Bedienung, und auf wundersame Weise wurde auch gleich neben dem Fenster ein Tisch für sie frei.

»Ich bin gespannt, ob Sie meine *pains au chocolat* und Brioches genauso lecker finden«, sagte Fauquet und stellte zu den zwei großen Tassen Kaffee einen Korb auf den Tisch, der mit seinen Delikatessen gefüllt war.

Amélie probierte als Erstes die Brioche, kaute nachdenklich und spülte mit einem Schluck Kaffee nach. Dann nahm sie einen Bissen von dem Rosinenbrötchen, ließ sich auch eine Kostprobe vom *pain au chocolat* schmecken und verschlang schließlich ihr Croissant. Sie leerte ihre Tasse und klatschte Beifall, als Fauquet errötend hinter der Theke hervortrat, um ihr nachzuschenken.

»Sie sind ein Meister Ihrer Zunft«, sagte sie und verfütterte einen letzten Happen der Brioche an Balzac. Im Café war es still geworden. Alle Augen waren auf sie gerichtet, als sie sich auch noch über den Rest der Leckereien im Korb hermachte. Bruno unterdrückte ein Lächeln. Ihm war klar, dass sie eine Show veranstaltete, um in Saint-Denis nicht als steife Amtsperson aus Paris, sondern als diejenige in Erinnerung zu bleiben, die Fauquets gesamte Backwarenkollektion innerhalb weniger Minuten verputzt hatte.

»Was jetzt?«, fragte sie, zu Bruno gewandt, und leckte sich die Krümel von den Fingern. »Rufen Sie jetzt erst einmal das israelische Konsulat an?«

»Nein, ich werde Jean-Jacques anrufen. Die Benachrichtigung des Konsulats ist seine Sache. Könnte ich die anderen Fotos sehen, die die Amerikaner geschickt haben? Haben Sie sie auf Ihrem Handy?«

Sie öffnete ihr Fotoarchiv, scrollte die Bilder langsam ab und hielt bei einem inne, das eine Frau zeigte, die der Toten frappierend ähnlich sah. Sie war Französin, achtunddreißig Jahre alt, in Paris geboren und hieß Leah Wolinsky.

»Derselbe Vorname«, bemerkte Amélie. »Interessant.«

»Könnte ein Zufall sein. Nun, darum wird sich Jean-Jacques kümmern müssen. Schicken Sie mir bitte alle Fotos an meine E-Mail-Adresse, ich leite sie dann weiter. Dann wäre ich Ihnen dankbar, wenn Sie mich mit dieser Facebook-Nutzerin in Kontakt bringen würden, die unsere Tote identifiziert hat.«

Sie wollten gerade das Café verlassen, als Brunos Blick auf die Titelseite der aktuellen *Sud Ouest* fiel, die ein Gast auf den Tresen zurückgelegt hatte. Die Schlagzeile lautete: »*Mysteriöse Tote am Templer-Château*«. Darunter war auf einem Farbfoto die Schmiererei an der Burgmauer zu sehen. Die Bildunterschrift fragte: »*Wer kann dieses Graffito-Rätsel lösen?*« Auch Brunos Foto von der toten Frau war abgebildet worden. Dazu hieß es: »*War der Heilige Gral in Commarque versteckt?*«

In dem dazugehörigen Artikel wurde der Graf zu früheren Zwischenfällen mit Templerfreunden zitiert. Ein Kasten fasste die Geschichte des Châteaus zusammen, wobei auch auf eine regionale Gespensterlegende sowie auf den Templerorden angespielt wurde. Auch Bruno kam mittelbar zu Wort mit seiner Bitte an die Leserschaft, dass man sich mit sachdienlichen Hinweisen zur Identität der Toten bitte an ihn wenden möge. Bruno grinste und schüttelte den Kopf. Philippe hatte sich mit seiner Story in der Redaktion offenbar sehr wichtig gemacht. Und wahrscheinlich war die allgemeine Nachrichtenlage gerade besonders dünn gewesen.

In Brunos Büro setzte sich Amélie, immer noch sichtlich zufrieden mit ihrer erfolgreichen Recherche, auf den altmodischen Heizkörper unter dem Fenster, als Bruno zum Hörer griff, um Jean-Jacques anzurufen.

»Es kommt selten genug vor, dass ein hohes Tier aus Paris mit was Nützlichem kommt«, brummte der Commissaire. »Ich habe jemanden aus meinem Team auf diese Faserspuren angesetzt. Sie stammen von einem billigen Nylonseil, das man in jedem Supermarkt kaufen kann. Ein Sportkletterer würde sich damit nicht abgeben. Wir bräuchten einen Hinweis auf die Person, die in ihrer Begleitung war.

Übrigens, das Ganze ist doch mal eine nette Abwechslung zu dem Templergedöns, das man sonst in der Zeitung zu lesen bekommt«, fuhr Jean-Jacques fort. »Heute Morgen hat mich der Präfekt angerufen. Offenbar hat seine Frau einen Roman über den Ritterorden gelesen und hält sich jetzt für eine Expertin. Ob ich so freundlich wäre, sie auf dem Laufenden zu halten. Auch das noch. Sie liegt mir nämlich auch schon wegen dieser Kinderschändersache in den Ohren, und zwar vor allem im Zusammenhang mit der angeblichen Bergung beziehungsweise Wiederherstellung von korrumpierten Erinnerungen. Wahrscheinlich versucht sie, sich daran zu erinnern, warum sie diese Schlaftablette von Ehemann geheiratet hat. Wie dem auch sei, danke für Ihre Hilfe. Hat sich schon jemand wegen dieser Leah bei Ihnen gemeldet?«

»Noch nicht. Ich habe inzwischen zwei Namen in Umlauf gebracht, Ben-Ari und Wolinsky. Übrigens, wollen Sie mit Amélie sprechen? Sie ist hier bei mir im Büro.«

Sie nahm den Hörer entgegen. Bruno sah sie lächeln, dann sagte sie: »Sie sind zu freundlich, *Monsieur le Commissaire*. Ja, durchaus, Bruno kümmert sich ganz rührend um mich. Er wird mich heute Abend sogar bekochen.«

Sie reichte ihm den Hörer zurück, worauf Bruno Jean-Jacques fragte, ob die Archäologen mit ihrer Arbeit bei Commarque beginnen könnten oder ob das Gelände als Tatort gesperrt sei. Man habe alle Spuren aufgenommen, erhielt er als Antwort, die Grabungen könnten vorgenommen werden.

»Behalten Sie die Arbeiten im Auge, Bruno?«

»Ich werde wohl täglich kurz vorbeischauen. Könnte auch sein, dass wir Polizeiverstärkung brauchen, falls die Templerfreunde aufkreuzen.«

»Bitten Sie die Gendarmen. Wir können hier keinen Mann entbehren.«

Bruno legte auf. Amélie rief ihre Facebook-Freundin in London an, schaltete den Außenlautsprecher ihres Handys ein und sagte, die französische Polizei interessiere sich für die Person, die Leah begleitet habe.

»So gut kenne ich sie nicht«, kam die Antwort. »Ich weiß nur, dass sie mit einem Palästinenser zusammenlebte, einem Historiker, den sie Husayni nannte. Sie hat ein paar Fotos gepostet, auf denen sie mit ihm in Ramallah zu sehen ist. Ich hatte keine Ahnung, dass sie in Frankreich war, geschweige denn mit wem.«

Bruno stellte sich in holprigem Englisch vor und fragte: »Wissen Sie, ob sie Alpinistin war?«

»Er meint, ob sie in Felswänden geklettert ist«, erklärte Amélie.

»Nicht dass ich wüsste. Jedenfalls ist sie gern gewandert. Wir waren nach der Friedenskonferenz für einen Tag in den Schweizer Bergen.«

»Hat sie jemals von den Tempelrittern gesprochen?«

»Nicht in meiner Gegenwart. Wie wär's, wenn ich alle meine Facebook-Posts, die Leah betreffen, mit dir teile, Amélie? Dann wirst du so schlau sein wie ich und dich mit Leahs anderen Facebook-Freunden und WhatsApp-Kontakten in Verbindung setzen können. Über WhatsApp hat sie ständig Nachrichten verschickt. Soweit ich weiß, hat sie als

Archäologin und Historikerin gearbeitet, aber ihre Leidenschaft waren die Politik und die Friedensbewegung. Sie ist in Frankreich zur Welt gekommen und als junges Mädchen mit ihrer Familie nach Israel ausgewandert. Mehr weiß ich nicht.«

»Waren Sie, als Sie mit Leah in den Schweizer Bergen gewandert sind, in Begleitung weiterer Freunde?«, fragte Bruno.

»Ja, eine Amerikanerin, eine gewisse Jenny Shindler, war mit uns unterwegs. Sie gehört einem jüdischen Freundeskreis an, der Schalom Achschaw unterstützt, und hat sämtliche Posts von Leah kommentiert. Mehr weiß ich wirklich nicht. Ruf mich bitte heute Abend an, Amélie, und sag mir, wie du vorankommst. Es tut mir sehr leid, dass sie tot ist.«

Amélie steckte ihr Handy weg und sagte: »So, mal sehen, wie lange es dauert, bis sie ihre Leah-Posts mit mir geteilt hat.«

»Sie haben mir wieder sehr geholfen. Dafür werde ich mich erkenntlich zeigen. Aber lassen Sie mich schnell Jean-Jacques anrufen. Ich muss ihm von Leahs Freund berichten.«

Minuten später schlenderten die beiden über den Markt. Bruno stellte ihr seine Freunde unter den Standbesitzern vor und kaufte für das Abendessen ein: ein Kabeljaufilet von Armand, dem Fischhändler, sowie frische Milch und etwas *aillou*-Käse von Stéphane. Vor Marcels Obststand bestaunten sie das üppige Angebot an Obst und Gemüse. Besonders begeistert war Amélie von einem kleinen Korb voller Paprikaschoten in unterschiedlichsten Farben.

»Habaneros«, rief sie, und ihre Augen leuchteten. »Ich könnte Ihnen ein *épice* zubereiten.« Sie wählte dazu ein paar Frühlingszwiebeln und ein Stück Ingwer aus.

»Wenn ich mich richtig erinnere, brauchen Sie dazu noch Petersilie, Thymian und Knoblauch. Davon habe ich genug zu Hause«, sagte Bruno. »Ist die Ingwerzutat eine Geheimzutat Ihrer Mutter?«

»Kein Kommentar.«

Nachdem alles eingekauft war, was für das Abendessen gebraucht wurde, führte Bruno sie die Rue de Paris entlang zum Stand von Léopold, der Ledergürtel, Sandalen, Brieftaschen, T-Shirts und afrikanische Stoffe aus seiner Heimat, dem Senegal, verkaufte.

»Hallo, schöne Schwester«, grüßte er, als Brunos Handy zu vibrieren begann. »Lassen Sie mich raten, woher Sie kommen?«

Bruno wandte sich ab, um den Anruf entgegenzunehmen. Er hörte Horst mit vielen Stimmen im Hintergrund. Er solle so schnell wie möglich nach Commarque kommen und ihm die Leute vom Hals halten, drängte Horst.

»Dutzende von Schaulustigen sind von diesem albernen Zeitungsartikel hierhergelockt worden. Wenn sie sich nicht bald verziehen, können wir unsere Messgeräte wieder einpacken«, sagte er. »Bring bitte Absperrband mit, und trommle möglichst viele Gendarmen zusammen. Kannst du uns helfen, Bruno? Bitte. Sonst wird nichts aus dem, was wir hier vorhaben.«

Bruno rief seine Kollegen in Les Eyzies und Montignac an und bat sie, zum Château zu kommen. Dann alarmierte er Yveline. Nachdem er die Einkäufe im Kühlschrank der *mairie* untergebracht hatte, bewaffnete er sich mit mehreren Rollen Absperrband und einem Gitternetz von der Bauabteilung. Zehn Minuten später saßen er und Amélie im Auto auf dem Weg nach Commarque, gefolgt von Sergeant Jules und drei Kollegen im Transporter der Gendarmerie.

10

Die Lage in Commarque war chaotisch. Willkürlich abgestellte Autos versperrten die Zufahrt zum Parkplatz, und am Fuß der Felsklippe wimmelte eine Vielzahl von Gaffern umeinander, die den großen Vibro-Truck für seismische 3D-Messungen umringten und keine Notiz nahmen von Horst oder dem Grafen, die sie anflehten, Rücksicht zu nehmen. Bruno ließ die Sirene heulen und wartete, bis Sergeant Jules und seine Männer aufgeschlossen hatten. Er bat Amélie, im Wagen zu bleiben, holte ein Megaphon aus dem Heckraum, kletterte damit auf das Dach des Transporters und verkündete, dass er in spätestens fünf Minuten jedes falsch geparkte Fahrzeug kostenpflichtig abschleppen lassen werde.

Daraufhin löste sich die Menge schnell auf und verlegte das Chaos auf die Zufahrt und den Parkplatz dahinter, wo unter unablässigem Gehupe heftig hin und her rangiert wurde. Doch schließlich kehrte auch dort Ruhe ein. Die Gendarmen konnten das Absperrband spannen und das Gitternetz aufstellen. Die beiden Kollegen Brunos sicherten die Anfahrt zum Château von der weiter oben gelegenen Straße, während Amélie aus Brunos Transporter stieg und einen skeptischen Blick zuerst auf den aufgewühlten schlammigen Boden, dann auf ihre weißen Schuhe warf, worauf Bruno die Heckklappe öffnete, Balzac herausspringen ließ und Amélie seine Gummistiefel reichte.

Nun entstiegen der Fahrerkabine des Vibro-Trucks drei Männer, die verschiedene Sensoren in Position brachten. Wenig später wurde der Motor gestartet, und etwas, das wie ein riesiger Stampfer aussah, senkte sich unter dem Fahrzeug auf den Boden, worauf sich ein kleines Beben bemerkbar machte, das Balzac verängstigt in Brunos Arme springen ließ. Der Cheftechniker war in der Kabine geblieben und beobachtete am Bildschirm eines Laptops die Aufzeichnungen der Seismometer, die den Untergrund zu kartographieren anfingen.

»So wird das gemacht?«, fragte Bruno Horst, nachdem er ihm Amélie vorgestellt hatte. »Ein Rüttler sorgt für Erschütterungen, und schon zeigt sich, wie es unter der Oberfläche aussieht?«

»Ich bin kein Experte, aber es wird wohl noch ein bisschen mehr dahinterstecken. Immerhin wird hier die ganze Woche über gearbeitet werden«, antwortete Horst. »Jetzt macht man sich nur ein erstes Bild.«

Er erklärte, dass die Techniker und das Einsatzfahrzeug von der Ölindustrie ausgeliehen worden seien. Es würde später auch ein Bodenradar zum Einsatz kommen, das je nach Beschaffenheit des Untergrundes bis in eine Tiefe von fünfzehn Metern vordringen könne.

»Was hoffen Sie zu finden?«, fragte Amélie.

»Höhlen, Grabstätten vielleicht oder Geheimgänge. Wir sind auch an Wasserläufen interessiert.«

»Was lässt Sie vermuten, dass es weitere Höhlen gibt?«

»Berufserfahrung.« Er lächelte und zwinkerte ihr zu, was

in Anbetracht seines Alters und der weißen Kopf- und Barthaare etwas komisch wirkte. »Sie müssen bedenken, dass das Erdniveau heute um einiges höher ist und von Schwemmstoffen des Flusses aufgespült wurde. Im Mittelalter war es vier bis sieben Meter tiefer, und wahrscheinlich an die zwanzig Meter in prähistorischen Zeiten. Ich vermute also, dass es noch etliche verschüttete Höhlenöffnungen gibt. Und nach den bislang geborgenen Funden können wir davon ausgehen, dass dieser Ort hier ein wichtiges Zentrum einer prähistorischen Gesellschaft war, eine Art Knotenpunkt.«

»Was wurde denn schon gefunden?«, fragte Amélie. »Verzeihen Sie, ich weiß nicht viel über die hiesige Vorgeschichte.«

Horst berichtete ihr von der Venus von Laussel, dem Abri von Cap Blanc, dem lebensgroßen Pferdekopf und verschiedenen anderen Felsgravuren in den Höhlen unter der Festung. Steinzeitliche Menschen hätten über Tausende von Jahren hier gelebt, erklärte er, ja, diese Gegend sei fast ununterbrochen bewohnt gewesen.

»Hier war vermutlich nicht nur ein wichtiger Knotenpunkt für die Menschen, sondern auch für wandernde Tiere wie das Rentier«, fügte er hinzu. »Ich schätze, wir werden noch eine Menge Hinweise darauf finden.«

Auf dem Parkplatz war inzwischen wieder Ordnung eingekehrt, und die Schaulustigen hatten sich hinter die Gitternetze zurückdrängen lassen, die von Sergeant Jules so aufgestellt worden waren, dass das Château nur noch über seine reguläre Zufahrt erreicht werden konnte. Der Graf lächelte zufrieden, als er Jean-Philippe Eintrittskarten und Broschüren in Mengen verkaufen sah.

»Kannst du was mit dem Graffito an der Burgmauer anfangen?«, fragte Bruno seinen Freund Horst.

Der zuckte mit den Schultern. »Das Mittelalter ist nicht meine Epoche. Ich vermute, es hat was mit den Kreuzfahrern oder Tempelrittern zu tun. Helfen kann dir wahrscheinlich mein Freund Dumesnil, ein Mediävist, der ein Buch über die Templer geschrieben hat. Und du hast Glück, er müsste nämlich jeden Augenblick hier sein. Kaum jemand kennt Commarque besser als er, und er möchte sich ansehen, mit welchen Techniken wir hier arbeiten. Du hast doch die Ausgabe von *Archéologie* gelesen, in der mein Artikel über die Venusfigurinen erschienen ist, nicht wahr? Im Nachrichtenteil hinten ist das Foto einer Kreuzfahrerburg in Israel abgebildet, auf der ähnliche Schmierereien in leuchtend oranger Farbe zu sehen sind.«

»Danke für den Hinweis«, sagte Bruno. Falls die tote Frau tatsächlich Israelin gewesen war, könnte es da eine Spur geben. »Dieselben vier Buchstaben?«

»Das weiß ich nicht mehr. Ich habe aber noch ein paar Ausgaben im Museum und könnte nachschlagen, sobald ich zurück bin.«

»Machen Sie sich keine Umstände«, sagte Amélie und holte ihr Smartphone aus der Tasche. »*Archéologie*, habe ich richtig verstanden? Von welchem Monat? Ist bestimmt online.«

Bruno und Horst sahen einander an und wirkten etwas beschämt, zeigte sich doch wieder einmal, dass sie im Zeitalter der Sofortkommunikation und Blitzrecherche, in der Amélie offenbar ganz zu Hause war, noch längst nicht Fuß gefasst hatten.

»Oh Mann ...« Ihre Finger wischten auf dem Display hin und her, anscheinend ohne Erfolg. »Haben wir hier etwa kein Netz? Ich fass es nicht. In welchem Jahrhundert sind wir denn?«

Der Blick, den Bruno und Horst jetzt tauschten, hatte etwas Selbstgefälliges. Nicht ständig mit dem Internet verbunden zu sein war für sie durchaus normal.

»Im einundzwanzigsten, Mademoiselle«, entgegnete Horst. »Aber hier sind wir in *la France profonde*, im tiefsten Frankreich. Ich komme zwar aus Deutschland, fühle mich aber mit dieser Gegend hier sehr verbunden.«

»Insbesondere mit dem hiesigen Frauenvolk«, bemerkte Bruno. »Amélie hat gestern Clothilde im Museum kennengelernt.« Er wandte sich an Amélie. »Das ist der Mann, den sie heiratet – nach denkbar langer Brautzeit.«

»Ist nicht meine Schuld«, erwiderte Horst. »Wenn's nach mir gegangen wäre, hätte ich sie gleich nach der ersten Woche geheiratet.«

Ein blonder junger Mann kam den langen Fußweg vom Parkplatz herunter und winkte ihnen zu. Er war typisch englisch angezogen mit seinen festen Schuhen, der gebügelten burgunderroten Cordhose, einer dazu passenden Krawatte über kariertem Hemd und einem schön geschnittenen Jackett aus schwerem Tweed. Und er rauchte eine Pfeife, die er aus dem Mund nahm, um Horst zu begrüßen und ihm die Hand zu schütteln. Erst als Horst ihn mit dem Namen Dumesnil vorstellte, bemerkte Bruno die Falten im Gesicht des Mannes. Tatsächlich war er deutlich älter, als er auf den ersten Blick wirkte, womöglich schon über fünfzig.

»Entschuldigen Sie die Verspätung, Professor Vogelstern«, sagte Dumesnil, »ich wurde in dem Durcheinander oben auf dem Parkplatz aufgehalten.«

»Bis vor wenigen Minuten ging's auch hier unten noch drunter und drüber. Der Zeitungsartikel über die Templer hat Mengen an Schaulustigen angelockt«, erwiderte Horst.

»Zeitungsartikel?«, fragte Dumesnil verblüfft. Auf Horsts Erklärung reagierte er mit einem schelmischen Lächeln. »Vielleicht ist ja was dran. Ich glaube auch, dass Commarque noch ein paar Geheimnisse in petto hat, und offen gesagt, mein lieber Horst, finde ich, dass wir jetzt an der Reihe sind. Ihr Archäologen habt hier wunderschöne Dinge ausgegraben, aber nichts, was uns Mediävisten interessieren könnte.« Er zuckte vor Schreck zusammen, als das Echolot wieder in Betrieb gesetzt wurde. »Wäre doch zur Abwechslung ganz nett, wenn diesmal etwas aus meiner Epoche gefunden würde.«

Dumesnil wandte sich an den Grafen, der mit ausgestreckter Hand auf sie zukam. »Wie ich sehe, hast du Bruno, unseren Polizisten, schon kennengelernt. Er war Sergeant in der Armee. Erzähl ihm doch, was du mir erzählt hast, nämlich wie dieser Begriff in die Welt gekommen ist.«

»Sergeant war der Titel, den Richard Löwenherz seinen Leibgardisten gegeben hatte. Seit dem zwölften Jahrhundert verstand man darunter einen bewaffneten Diener«, erklärte Dumesnil. »Denn das Wort ist entlehnt vom lateinischen *serviens*.«

Bruno nickte höflich. »Das wusste ich nicht. Danke. Ich hätte da außerdem ein paar Fragen an Sie bezüglich der Templer. Eine Frau ist hier gestern, wahrscheinlich in den frühen Morgenstunden, in den Tod gestürzt. Laut Auskunft des Grafen hat es hier in letzter Zeit Zwischenfälle mit Templerfreunden gegeben, die nach einem verlorenen Schatz suchen. Was halten Sie davon?«

»Möglich ist alles, aber Genaues weiß niemand. Der Orden der Tempelritter war sehr vermögend geworden, nachdem sie sich vom Kriegshandwerk mehr auf Handel und Bankwesen verlegt hatten. Ob die Templer ihr Gold vergraben haben, wie viele glauben, bleibt fraglich. Ich glaube allerdings, dass sie als Bankiers ihr Geld haben arbeiten lassen, etwa als Darlehen für die französische Krone.«

»Und was bleibt von dem fabelhaften Schatz?«

»Manche sehen den Heiligen Gral darin, andere die Bundeslade oder das Originalwerkzeug der Freimaurer, die den Tempel Salomos bauten. Sie müssen wissen, dass der vollständige Name der Templer ›Arme Ritterschaft Christi und des salomonischen Tempels zu Jerusalem‹ lautete. Dass sie jede Menge Edelmetalle und Juwelen vor dem französischen König versteckt gehalten hätten, ist nur ein Gerücht, wenn auch ein hartnäckiges.«

»Sie glauben also nicht, dass es einen solchen Schatz gibt?«

»Ich glaube nicht daran, aber wie gesagt, möglich ist alles. Die Templer haben das moderne Bankenwesen erfunden und den Geldverkehr zwischen Europa und dem Heiligen Land organisiert. Wer sich einem Kreuzzug anschließen wollte, hat den Templern in Frankreich oder Deutschland jede Menge Geld anvertraut und Gutscheine dafür bekommen, die sich in Jerusalem einlösen ließen. Davon ging dann eine Gebühr für die Templer ab. Sie haben auch eine Art Transportversicherung eingeführt und Handelskarawanen finanziert, die die Seidenstraße entlang nach China und zum Indischen Ozean zogen. In zwei Jahrhunderten müssen riesige Geldmengen angehäuft worden sein, aber wo die geblieben sind, bleibt wohl für immer ein Rätsel. Ein Großteil wird für den Bau von Burgen ausgegeben worden sein, die dann an die Sarazenen verlorengingen.«

»Demnach bezweifeln Sie zwar die Existenz eines Schatzes, halten es aber für möglich, dass Templerfreunde hier in Commarque nach einem solchen Schatz suchen, verstehe ich Sie richtig?«

»Oh ja, sie suchen in der Tat danach, in ganz Frankreich, Spanien, in Schottland, sogar auf Zypern und im Nahen Osten. Und mit Sicherheit waren sie auch hier. Mit ihren Metalldetektoren werden sie jeden Quadratzentimeter gescannt haben. Aber damit gibt man sich offenbar nicht zufrieden. Jemand hat einmal gesagt, wenn Menschen ihren Gottesglauben verlieren, heißt das nicht, dass sie an nichts mehr glauben, sondern, im Gegenteil, an alles Mögliche.«

Der Untergrund schien wieder zu beben, als die große Metallplatte ein weiteres Mal zu rütteln anfing. Horst lachte und versuchte wankend, das Gleichgewicht zu halten.

»Wenn es etwas zu finden gibt, dann werden es die seismischen Untersuchungen und der Bodenradar aufdecken.«

»Und was glauben Sie, Monsieur Dumesnil?«, fragte Bruno.

»Ich hoffe, dass wir etwas finden. Interessant ist aber auch das, was nicht gefunden wurde, bisher jedenfalls nicht. Es gibt jede Menge prähistorischer Spuren, die auch den Menschen des Mittelalters aufgefallen sein dürften. Sie selbst aber haben hier kaum etwas dergleichen hinterlassen, abgesehen von dieser Befestigungsanlage – ansonsten nur Urkunden und ellenlange Klageschriften zu juristischen Streitigkeiten zwischen Familien. Wie ist das zu erklären? Wenn etwas gefunden wird, dann wahrscheinlich wieder irgendwelche Artefakte von Horsts Höhlenmenschen.«

11

Bruno schaute kurz im *maison de la presse* vorbei, um in der von Horst zitierten Ausgabe der *Archéologie* das Foto von dem Graffito auf der Ruine der Kreuzfahrerfestung einzuscannen und sich ein paar Notizen zu machen. Zurück in seinem Büro, suchte er im Internet nach dem Namen der Festung und fand in der englischsprachigen Version der israelischen Tageszeitung *Haaretz* eine Nachricht, die ihn aufmerken ließ. Vor einem Monat hatte jemand auf die Ruine in Bet Sche'an, einer Stadt im Norden Israels, eine Parole auf Hebräisch gesprüht. Die englische Transkription lautete: »The Testament of Iftikhar is a forgery« – Das Testament von Iftikhar ist eine Fälschung.

»Iftikhar – das passt zu den Buchstaben von Commarque«, sagte er zu Amélie, deren Finger schon wieder über das Display ihres Smartphones huschten.

»Iftikhar ad-Daula war der muslimische Statthalter von Jerusalem, als er sich im Jahre 1099 dem Heer des Ersten Kreuzzuges ergeben musste und im Austausch gegen freies Geleit für sich, seine Familie und Wachsoldaten die Zitadelle der Stadt an die Eroberer abtrat«, las sie aus einer Website vor, die sie gerade gefunden hatte. »So die offizielle Version, die allerdings schon immer in Zweifel gezogen wurde. Die Kreuzfahrer töteten ausnahmslos sämtliche Bewohner der

Stadt – Araber, Juden, selbst Christen. Warum hätten sie ihn davonkommen lassen sollen?«

»Interessante Frage«, erwiderte Bruno. »Und was hat es mit diesem Testament auf sich?«

»Angeblich hat Iftikhar als Bedingung für seine Freilassung eine Erklärung zu Protokoll gegeben und darin behauptet, Jerusalem habe für den Islam keine religiöse Bedeutung, weshalb er seine Truppen reinen Gewissens aus der Stadt abziehen lassen könne.«

»Ich dachte, der springende Punkt sei, dass Jerusalem allen drei Religionen, dem Judentum, dem Christentum und dem Islam, heilig ist«, sagte Bruno.

»Ja. Aber Islamgelehrte behaupten, die Juden hätten mit Jerusalem nichts am Hut, die Stadt sei immer von Arabern bewohnt gewesen, nämlich von Jebusitern und Kanaanitern, außerdem wäre Salomos Tempel ganz woanders gewesen. Jüdische Gelehrte halten dagegen, die Araber hätten frei erfunden, dass Mohammed im Traum Jerusalem besucht habe, und zwar genau da, wo jetzt die Al-Aqsa-Moschee steht. Das Testament Iftikhars sei der Beweis dafür.«

Bruno schwirrte der Kopf. »Was hat das alles mit Commarque zu tun?«

»Keine Ahnung. Die Tote war allem Anschein nach Israelin. Wir wissen, dass Commarque einen Bezug zu den Templern hatte. Und in deren Besitz soll sich das längst verschollene Testament Iftikhars befunden haben. Die Tempelritter hatten ihr erstes Hauptquartier auf dem Tempelberg, an der Stelle der heutigen Al-Aqsa-Moschee, gleich neben dem Felsendom mit seiner goldenen Kuppel, die man immer in Nachrichten aus Jerusalem im Fernsehen sieht.«

»Soll sich Jean-Jacques einen Reim darauf machen«, sagte Bruno und griff nach seinem Handy, das zu klingeln angefangen hatte. Eine vertraute Stimme fragte: »Haben Sie schon von den Muslimen gehört?«

»*Bonjour*, Yacov«, grüßte Bruno. »Nein, noch nicht. Was denn?«

Yacov Kaufman war ein Pariser Anwalt, der Enkel einer älteren Dame, die das neueingerichtete Pfadfinderlager gestiftet hatte wie auch ein Museum, das an den Widerstand im Périgord während des Zweiten Weltkriegs und an eine Zufluchtsstätte für jüdische Kinder erinnerte. Bruno hatte den Bauernhof ausfindig gemacht, auf dem Yacovs Großmutter Maya und ihr Bruder auf der Flucht vor den Nazis versteckt gehalten worden waren.

»Die muslimischen Pfadfinder springen ab und werden bei der Eröffnungsfeier nicht mitmachen«, empörte sich Yacov. »Ihre Vertreter bleiben zu Hause. Sie wollen gerade erst herausgefunden haben, dass die Begegnungsstätte mit israelischem Geld finanziert wird.«

»Aber die Protestanten und Katholiken kommen, oder?«

»Ja, aber es war doch Sinn und Zweck unserer Arbeit, eine Begegnungsstätte für alle Glaubensrichtungen einzurichten«, entgegnete Yacov.

Während sie miteinander sprachen, überflog Bruno auf seinem Desktop-Computer die an diesem Tag eingegangenen E-Mails. Es handelte sich fast ausschließlich um abschlägige Bescheide von Hotels, Campingplätzen und *gîtes*-Eigentümern in Antwort auf seine Frage, ob eine Leah Wolinsky oder Leah Ben-Ari bei ihnen untergekommen sei. Doch dann stieß er auf die E-Mail der jüdischen Pfadfinder, die ihn über die Entscheidung des muslimischen Verbandes informierte.

Enttäuscht schüttelte Bruno den Kopf. Die feierliche Einweihung sollte am übernächsten Wochenende stattfinden, zeitgleich mit dem Beginn der Osterferien an den Schulen.

»Wollen wir stattdessen deutsche Pfadfinder einladen? Zum Zeichen der Aussöhnung in Europa.«

»Keine schlechte Idee«, erwiderte Yacov. »Dann werde ich mal ein paar Anrufe tätigen. Was ich noch fragen wollte: Wäre es recht, wenn ich schon an diesem Wochenende käme? Ich würde Maya gern versichern können, dass alles glattläuft. Danach würde ich nach Paris zurückkehren, sie vom Flughafen abholen und pünktlich mit ihr zur Einweihung in Saint-Denis sein.«

»Sie sind immer willkommen, Yacov. Genau wie Ihre Großmutter. Ich bin allerdings am Samstag zur Hochzeit von Freunden eingeladen. Und weil sich einige Gäste bei mir einquartiert haben, kann ich Sie leider nicht auch bei mir übernachten lassen.«

»Kein Problem, ich finde schon noch eine Unterkunft. Wer heiratet denn?«

»Ich weiß nicht, ob Sie die beiden kennengelernt haben: Clothilde Daumier vom Museum in Les Eyzies und Horst Vogelstern, ein deutscher Archäologe. Sie sind schon seit Jahren ein Paar und wollen es jetzt auch amtlich sein.«

»Nein, wir sind uns wohl noch nicht begegnet. Keine Sorge, ich werde Ihnen keine Umstände machen. Vermietet Pamela noch ihre *gîtes*?«

»Ja, aber sie ist umgezogen. Sie hat eine Reitschule in der Nähe gekauft. Ich will sie fragen, ob sie noch Platz hat.

Auch bei ihr werden Hochzeitsgäste unterkommen. Wenn sie ausgebucht ist, besorge ich Ihnen ein Zimmer im Hotel. Für wie viele Nächte?«

Er werde am Freitag kommen wollen und Sonntagvormittag wieder abreisen, antwortete Yacov und lud Bruno und den Bürgermeister zum Mittagessen am Freitag ein.

»Wer war das?«, fragte Amélie. »Der Anrufer hatte eine nette Stimme, klang aber etwas förmlich.«

»Das war Yacov Kaufman, ein Anwalt und Freund aus Paris. Er wird Ihnen gefallen«, antwortete Bruno. Er hatte gerade begonnen, ihr von dem Pfadfinderprojekt zu erzählen, als das Telefon auf dem Schreibtisch zu klingeln anfing.

»*Bonjour*, Bruno. Ich bin's, Jack Crimson. Es ist wegen der aufgemalten Buchstaben, die du mir gestern Abend gezeigt hast. Einer meiner ehemaligen Kollegen hat zurückgerufen und mir gesagt, dass ein ähnliches Graffito vor kurzem an eine Ruinenmauer in Israel gesprüht worden ist.«

»Mit Bezug auf das Testament Iftikhars, nicht wahr?«, erwiderte Bruno.

»Du weißt schon Bescheid? Kompliment. Ich fürchte allerdings, es könnte in dieser Sache zu politischen und diplomatischen Verwicklungen kommen. Vielleicht sollte ich deinen alten Freund, den Brigadier, einweihen und ihm signalisieren, dass hinter dem Tod dieser jungen Frau womöglich mehr steckt, als es auf den ersten Blick scheint. Oder hast du schon mit ihm gesprochen?«

»Nein, wir sind gerade erst dahintergekommen, dass es diese Verbindung gibt«, antwortete Bruno. »Und das haben wir einer Kollegin aus dem Innenministerium zu verdanken, die wie eine Maestra auf ihrem Smartphone spielt. Sie hat sogar einen Namen für unsere Tote gefunden, genauer gesagt zwei. Es handelt sich um die Israelin Leah Ben-Ari, die eine zweite Identität als französische Staatsbürgerin Leah Wolinsky gehabt zu haben scheint. Sie hatte einen Freund namens Husayni. Jean-Jacques ist darauf angesetzt. Wenn du den Brigadier informieren willst, nur zu. Du machst den größeren Eindruck auf ihn.«

Der Brigadier war ein hoher Offizier im Innenministerium. Bruno hatte schon mehrmals seinem Befehl unterstanden, aber das Angebot, sich seinem Team in Paris anzuschließen, stets abgelehnt. Auch Jack Crimson und der Brigadier hatten in der Vergangenheit zusammengearbeitet, nannten einander beim Vornamen und pflegten freundschaftliche Beziehungen. Sooft die beiden miteinander zu tun hatten, wusste Bruno, dass es um Angelegenheiten ging, die jenseits seiner Gehaltsklasse lagen. Wenn der Brigadier seine, Brunos, Hilfe brauchte, hielt er sich stets an die Regeln der Höflichkeit und bat den Bürgermeister von Saint-Denis, seinen Polizeichef vorübergehend freizustellen und für das Ministerium arbeiten zu lassen, allerdings nie, ohne subtil drohend durchblicken zu lassen, dass er den Reservisten Bruno jederzeit zurück in den aktiven Militärdienst berufen könnte.

»Wer ist dieser Brigadier?«, wollte Amélie wissen. Bruno gab vorsichtig Auskunft.

»Klingt nach Geheimdienst«, sagte sie grinsend. »Der Fall verspricht, Spaß zu machen.«

»Für einen Stadtpolizisten wie mich dürfte er zu heiß werden. Ich werde wohl aussteigen und ihn höhergestellten Leuten überlassen.«

»Mir ist anderes zu Ohren gekommen.«

Bruno schaute sie fragend an. »Was soll das heißen?«

Amélie zuckte mit den Achseln. »Wie gesagt, ich möchte Ihren Arbeitsalltag begleiten. Im Ministerium erzählt man sich aufregende Geschichten über Fälle, an denen Sie mitgewirkt haben. Sie sollen da mal einen reichen Amerikaner aus dem Gefängnis herausgepaukt haben, oder da gab es diese Schießerei in einer Grotte, und wie war das noch mit dem jungen Dschihadisten, der in Afghanistan Bomben gebaut hat, dieser autistische Junge ...?« Sie stockte. »Stand er vielleicht in Beziehung zu Ihrem Freund, den wir gestern getroffen haben, Momu?«

Er ging auf ihre Frage nicht ein. »Tja, was im vorliegenden Fall zu tun ist, ist nicht besonders aufregend. Es muss eine Frau identifiziert werden, die zu Tode gestürzt ist, und darum werden sich Commissaire Jalipeau und die Police nationale kümmern. Ich hoffe, unsere Arbeit ist getan.«

»Ach, wirklich?« Amélie schlug einen spöttischen Tonfall an. »Übernächstes Wochenende soll eine Begegnungsstätte für Pfadfinder eingeweiht werden, die eine vermögende Jüdin sponsert. Die muslimischen Pfadfinder aber haben beschlossen, das Projekt zu boykottieren. Zeitgleich finden Sie eine Israelin, die kurz vor ihrem Tod etwas auf eine Mauer ihres Châteaus geschrieben hat, das in Zusammenhang steht mit dem Streit zwischen Arabern und Israelis um Jerusalem. Wollen Sie mir etwa weismachen, all dies hätte nichts miteinander zu tun?«

»Zumindest hoffe ich es. Und von *meinem* Château kann definitiv nicht die Rede sein.«

»Natürlich weiß ich, dass es nicht Ihr verflixtes Château

ist, Bruno, darum geht es auch nicht«, blaffte sie ihn an. Dann seufzte sie vernehmlich und blickte zur Zimmerdecke hoch, als versuchte sie, sich zu beruhigen. »Es muss da doch eine Verbindung geben. Wir müssen sie nur finden.«

»Vielleicht haben Sie recht. Aber ich sehe keine«, erwiderte er gleichmütig. Ihre Verwendung des Wörtchens »wir« war ihm nicht entgangen. Zugegeben, Amélie war eine talentierte Ermittlerin, die ihm stundenlange Recherchen erspart hatte. Aber sie war keine Polizistin, und es stand ihm nicht zu, sie in den Fall einzubinden.

»Dürfte ich Ihren Drucker kurz benutzen?«, fragte sie.

»Wenn es nicht für private Zwecke ist.«

»Es geht um Material über die Jerusalem-Kontroverse und das Testament, das ich mir näher ansehen will.«

Kopfschüttelnd musterte sie den Drucker und das Kabel, das ihn mit Brunos Desktop-Computer verband. »Ich werde in meinem Bericht dringend und an erster Stelle empfehlen, dass die technische Ausstattung von Gemeindepolizisten auf den neuesten Stand gebracht werden sollte. Ihr Printer ist mindestens zehn Jahre alt. Ich muss Ihnen meine Unterlagen jetzt zumailen und Sie bitten, sie mir auszudrucken.«

Um das Thema zu wechseln, fragte er, wie ihr Abendessen mit den hiesigen Sozialisten gewesen sei. Sie warf ihm einen strengen Blick zu, aber dann milderte sie ihren Ausdruck, und es schien, als versuchte sie, ihre Augen auf einen Gegenstand zu fokussieren, der gleichzeitig ganz nah und ganz fern zu sein schien.

»Sie waren alle recht freundlich, aber ziemlich verhalten und förmlich, nicht gerade so, wie ich mir meine politischen Genossen wünsche«, antwortete sie bedächtig, als suche sie nach den richtigen Worten. »Sie sprachen doch tatsächlich von ›den Arbeitern‹, und das hier, in einer Stadt ohne Fabriken. Als ich fragte, von wem die Rede sei, kam heraus, dass sie Pharmazeuten, Lehrer, Versicherungsvertreter und Angestellte der *mairie* meinten. Am Tisch war keiner unter vierzig, die meisten waren sehr viel älter.«

»Sie bekommen halt selten Besuch von der Parteispitze, noch seltener von Vertretern der jungen Fraktion. Wie haben sie auf Ihre Idee einer regionalen Jugendsektion reagiert?«

»Fanden sie gut, aber dann wollten sie wissen, was eine Jugendsektion für Aufgaben haben könnte. Ich glaube, sie haben von mir erwartet, dass ich ihnen einen detaillierten Plan vorlege und alles haarklein vorexerziere.«

Bruno nickte. Damit war zu rechnen gewesen. »Kommen Sie, werfen wir einen Blick auf eins unserer Jugendprojekte. Es verfolgt zwar keine explizit politischen Ziele, könnte Sie aber trotzdem interessieren. Ich möchte mir ansehen, wie weit die Vorbereitungen gediehen sind. Das Pfadfinderlager sollte Ende der Woche fertig eingerichtet sein. Aber Sie müssten sich wieder andere Schuhe anziehen.«

»Sie meinen die Einrichtung, die mit dem Streit zwischen Arabern und Israelis angeblich nichts zu tun hat?«, fragte sie wieder spöttisch.

»Sie müssen nicht mitkommen«, sagte er.

»Aber ja doch«, entgegnete sie und griff nach ihrer Tasche. »Das gehört schließlich zu meinem Job.«

12

Auf dem Dorfplatz des oben auf einem Hügel gelegenen Audrix hielt Bruno an, um Amélie die Aussicht über das Tal zu zeigen, und fuhr dann weiter über das Plateau, auf dem sich ein lichtes Frühlingsgrün breitgemacht hatte. Nach einer Spitzkehre ging es auf einer unbefestigten Landstraße weiter. Tiefe Spuren und Schäden am Pflanzenbewuchs der Böschung zeugten von der Durchfahrt schwerer Fahrzeuge. Bruno nahm sich vor, ein paar Fuhren Schotter anzufordern und die Straße ausbessern zu lassen, bevor Yacov zu Besuch kommen würde. Hinter einer kleinen Anhöhe hielt er an. Vor ihnen waren nun in einer Senke der alte Bauernhof und die wiederaufgebaute Scheune zu sehen, auf deren Dächern jetzt Solarpaneele glänzten. Ein langes Stück Weide reichte bis hinunter an den Bach, der sich unter einem kleinen Wasserfall staute und eine wunderschöne Stelle zum Baden bot. Auf dem ebenen Streifen neben dem Bach war ein Volleyballnetz gespannt worden, und an den Schmalseiten standen Fußballtore.

Zwei Männer luden Zelte aus ehemaligen Armeebeständen von einem Lastwagen. Im Wohnhaus war ein Bohrhammer zu hören, als Bruno vorfuhr und den Motor ausschaltete. Die Männer, die die Zelte ausluden, hielten in ihrer Arbeit inne und gafften, als Amélie, gefolgt von Balzac, aus dem Transporter ausstieg. Sie winkte ihnen zu. Bruno grüßte und ging ins Haus. Arnaud, der Schreiner von Saint-Denis, passte in dem Raum, der als Büro genutzt werden sollte, Regalbretter in die Wandnischen zu beiden Seiten der Feuerstelle ein. Der andere Raum im Parterre war eine große Küche, in der auch gegessen wurde. In einem kleinen Anbau dahinter befand sich das Badezimmer. Im Obergeschoss gab es zwei Schlafzimmer, eins für den Hausmeister und seine Frau, das andere für Gäste.

»Heute Abend bin ich hier fertig«, sagte Arnaud. Er legte den Bohrhammer ab und gab den Besuchern die Hand. »Alain und seine Frau sind schon eingezogen. Sie sind gerade unterwegs einkaufen, wollen aber früh genug wieder zurück sein. Carlos wird auch gleich aufkreuzen und nach dem Rechten sehen. Schauen Sie sich nur um, ich mache Ihnen inzwischen einen Kaffee.«

Bruno führte Amélie in die mit Tischen und Bänken vollgestellte alte Scheune. Vor der Rückwand standen eine Doppelspüle und hüfthohe Vitrinen mit einer dicken Arbeitsplatte auf der einen Seite und auf der anderen einem großen Holzofen, um den ein kleiner Kochbereich eingerichtet war. Eine Holztreppe führte nach oben in den Schlafraum mit Etagenbetten für insgesamt zwanzig Personen. In einem neuerrichteten Anbau waren ein Vorratsraum sowie Toiletten, Duschen und Waschbecken untergebracht. Draußen hatte man eine Bio-Kläranlage im Boden versenkt, wovon nur noch ein Streifen aufgebrochener Erde zu sehen war. Mit den großen Pyramidenzelten, in denen jeweils elf Personen Platz finden konnten, würden an die hundert Pfadfinder und ein Dutzend Betreuer und Betreuerinnen diese Begegnungsstätte nutzen können. Auf einer großen Terrasse, an deren Rand ein einzelner Basketballring hing, konnte draußen gegessen werden. Ganz in der Nähe gab es einen alten Brunnen, aus dem sich nach wie vor frisches Wasser schöpfen ließ, und für Lagerfeuer waren mit Steinen ausgelegte Gruben vorgesehen.

Amélie folgte Bruno hinunter zum Bach und seinem Staubecken. Prüfend hielt sie ihre Hand in den Wasserfall, zog sie aber mit einem »Puh, ist das kalt!« schnell wieder zurück. Auf dem Rückweg zeigte Bruno ihr eine Parzelle, die von der ersten Pfadfindergruppe, die sich angemeldet hatte, in einen Gemüsegarten verwandelt werden und den Nachfolgern im Sommer schon die ersten Früchte schenken sollte.

»Was für eine Idylle«, sagte Amélie. »Echt schade, dass die muslimischen Pfadfinder nicht kommen! Sie wissen nicht, was ihnen entgeht. Ist diese Begegnungsstätte nur für Pfadfinder gedacht? Ich könnte mir vorstellen, dass auch junge Parteigenossen hier ihren Spaß hätten.«

»Ich weiß nicht. Fragen wir Yacov, wenn er kommt. Jedenfalls sind auch reine Mädchengruppen hier herzlich willkommen. Die sanitären Einrichtungen sind entsprechend ausgelegt, wie Sie gesehen haben. Wenn ich mich richtig erinnere, heißt es in der Stiftungssatzung, dass der Ort hier ausschließlich für Pfadfinder bestimmt ist, weil Maya, die Stifterin, und ihr Bruder im Krieg von Pfadfindern gerettet wurden.«

»Sehr großzügig von ihr«, erwiderte Amélie. »Ein toller Ort ist das hier und eine tolle Idee, mit ihm ein Andenken zu verbinden. Ich wünschte, es könnten auch Kinder und

Jugendliche aus den Ghettos unserer Großstädte davon profitieren.«

»Die Möglichkeit wäre gegeben«, entgegnete Bruno. »Sie müssten sich nur den Pfadfindern anschließen.«

»Ich kann mich nicht erinnern, jemals Pfadfinder in den *banlieues* gesehen zu haben.«

»Tja, dass sich das ändert, wäre doch ein Projekt für Ihre Jungsozialisten. Denen täte es bestimmt auch gut, sich frische Landluft um die Nase wehen zu lassen, statt in irgendeinem Vereinsraum über Politik zu diskutieren.«

»Einverstanden, aber die Pfadfinder bestehen hauptsächlich aus Kindern der weißen Mittelschicht.«

»Stimmt nicht. Die Pfadfinderbewegung zählt weltweit dreißig Millionen Mitglieder, zwei Drittel davon in Entwicklungsländern. Und vergessen Sie nicht, was ich über die Pfadfinder erzählt habe, die sich im Krieg für jüdische Kinder starkgemacht haben.«

»Stimmt. Und wer ist das?« Sie deutete auf ein Auto, das die Schotterpiste heruntergeschaukelt kam.

»Das ist Alain, der Hausmeister. Er war früher Priester in Bergerac, hat sich dann aber freistellen lassen, um heiraten zu können. Als ehemaliger Gruppenführer bei den Pfadfindern ist er für den Job bestens geeignet. Er und seine Frau wohnen hier jetzt mietfrei.«

»*Bonjour*, Alain. Madame.« Bruno stellte Amélie vor. »Wie ich höre, sind Sie schon eingezogen.«

»Ja, und wie viel Platz wir jetzt haben, viel mehr als in unserem kleinen Appartement in Bergerac!«, erwiderte Alain. »Wir werden einen Garten anlegen, vielleicht sogar einen kleinen Weinberg dort am Südhang. Aber wer weiß, ob wir dafür noch Zeit haben, wenn der Betrieb hier losgeht. Die jungen Gäste werden uns bestimmt auf Trab halten.«

Alain war ein schlanker, drahtiger Mann um die fünfzig mit graumelierten Haaren und einem gewinnenden Lächeln. Auch Anne-Louise, seine ungefähr gleichaltrige Frau, hatte ein freundliches Gesicht und machte einen zwar stillen, aber kompetenten Eindruck. Jedes Mal, wenn Bruno sie sah, dachte er unwillkürlich daran, wie leidenschaftlich es zwischen den beiden gefunkt haben musste, dass Alain ihrer Liebe wegen sein Gelübde als Priester gebrochen hatte. Anne-Louise hatte, als sie sich begegnet waren, als Krankenschwester gearbeitet und nebenher ehrenamtlich in Alains Kirche geputzt.

»Haben Sie schon mit Frau Dr. Stern gesprochen?«, fragte Bruno Anne-Louise. Er hatte ihr den Rat gegeben, sich mit Fabiola in Verbindung zu setzen, weil er glaubte, dass diese vielleicht eine approbierte Krankenschwester und Anne-Louise einen Nebenverdienst würde gebrauchen können, wenn im Winter auf dem Hof nichts zu tun war. Außerdem machte es sich bestimmt gut für die Begegnungsstätte, mit qualifizierter medizinischer Versorgung aufwarten zu können.

»Ja, das habe ich«, antwortete sie und strahlte, was ihre schönen Augen aufleuchten ließ – kein Wunder hatte Alain sich in sie verliebt. »Ich werde im Winter ein paar Stunden in der Klinik arbeiten und Bereitschaftsdienste übernehmen.«

»Haben Sie Erfahrung im Umgang mit größeren Gruppen von Jungs im Teenageralter?«, fragte Amélie. »Ich stelle mir vor, dass das nicht immer einfach ist.«

»Daran bin ich gewöhnt. Ich bin selbst in einem Waisenhaus der Kirche aufgewachsen«, antwortete sie. »Wie Sie, Bruno.«

»Sie etwa auch im Heim von Bergerac?«

»Nein, in Mussidan, da, wo es zurzeit hoch hergeht.«

»Hat Commissaire Jalipeau Sie schon zur Sache befragt?«

»Nein, nicht er, aber einer seiner Kollegen. Ich habe ihm gesagt, dass mir über sexuellen Missbrauch nie etwas zu Ohren gekommen ist, eine der Nonnen aber sehr grausam war. Sie hat uns mit einem Bambusstock geschlagen.« Anne-Louise hob den rechten Arm und ließ ihn mit Schwung und einem lauten »Wusch!« wieder niederfahren.

»Sie hat deswegen immer noch Alpträume«, sagte ihr Mann und ergriff ihre Hand.

»Welche Nonne war das?«, fragte Bruno.

»Die Alkoholikerin, die die bösen Unterstellungen von sich gibt. Ich glaube, sie hing damals schon an der Flasche, als sie uns geschlagen hat. Pater Francis hat ihr schließlich Einhalt geboten und sie zur Entziehung in ein Nonnenstift geschickt. Er ist der Priester, den sie anzuschwärzen versucht. Das alles habe ich dem Ermittler gesagt. Mir war, als würde er diese schrecklichen Geschichten über Pater Francis selbst nicht glauben. Ich kann nicht verstehen, warum er immer noch in Verdacht steht.«

Bruno nickte. »Für andere Geistliche, die ihn kennen, sind die Anschuldigungen ebenfalls völlig unglaubwürdig. Commissaire Jalipeau ist jedenfalls ein guter Polizist, Sie können sich auf ihn verlassen. Er wird der Sache auf den Grund gehen.«

Eine Stunde später setzte Bruno Amélie vor ihrem Hotel ab und fuhr weiter zur Reitschule. Unterwegs hielt er kurz beim Bauernhof der Oudinots, um sich ein Kilo Kalbfleisch für das Abendessen einpacken zu lassen. In der Reitschule angekommen, sah er Jack Crimsons alten Jaguar vor dem Wohnhaus stehen. Er steckte den Kopf durch die Bürotür, um Pamela zu begrüßen, und suchte dann nach Crimson, den er im Wohnzimmer fand. Er hockte mit seinen Enkelkindern auf dem Boden und las ihnen aus einem englischen Buch vor.

»Damit sie ihre britische Herkunft nicht vergessen«, sagte er, als die Kinder über Balzac herfielen, um mit ihm zu spielen. »Kennst du Winnie the Pooh?«

»Na klar, er ist auch bei uns sehr populär. Hier heißt er allerdings *Winnie l'Ourson*. Hast du schon mit dem Brigadier gesprochen?«

Crimson nickte. »Er will der Sache nachgehen und lässt schön grüßen. Seine erste Frage war, ob du mit den Ermittlungen zu tun hast. Er wird sich bestimmt bald bei dir melden.«

»Er nimmt die Sache also ernst? Das ist gut.«

»Er hat sich bereits mit der französischen Botschaft in Israel in Verbindung gesetzt und sich erkundigt, wie man dort über Iftikhars Testament denkt. Ehrlich gesagt habe ich selbst vorher nie davon gehört, aber das Kamel, mit dem ich gesprochen habe, meint, die Geschichte sei politisch hochbrisant. Die Arabische Liga und die Palästinenser stellen die jüdischen Ursprünge der Stadt in Frage.«

»Aber was um alles in der Welt haben wir hier im Périgord damit zu tun?«, wunderte sich Bruno.

»Der Nahe Osten und das Heilige Land gehen uns irgendwie alle an, aber darüberhinaus waren ein französischer und ein britischer Diplomat für das sogenannte Sykes-Picot-Abkommen von 1916 verantwortlich, infolge dessen das alte Osmanische Reich aufgeteilt wurde. Ein Jahr später hatte sich Großbritannien in der Balfour-Deklaration mit der zionistischen Forderung einverstanden erklärt, Palästina zur ›nationalen Heimstätte des jüdischen Volkes‹ zu machen. Die heutige Landkarte des Nahen Ostens geht also auf diese beiden historischen Entscheidungen zurück, das Sykes-Picot-Abkommen und die Balfour-Deklaration. Die Konsequenzen daraus erleben wir heute.«

Seufzend warf Bruno einen Blick auf seine Armbanduhr und ging hinaus in den Stall. Da er seine Gäste erst gegen sieben erwartete, blieb ihm eine Dreiviertelstunde, um zu reiten. Miranda war mit ihrer Ponygruppe noch nicht zurückgekehrt, und Pamela sagte, sie habe noch Büroarbeit zu erledigen, er solle mit Hector allein ausreiten. Sei's drum, dachte Bruno. Er sattelte sein Pferd und führte es über die Koppel.

Bruno glaubte, dass ihm die besten Gedanken immer beim Reiten kamen. Einerseits war er dann ganz konzentriert auf das Gelände und die Bewegung des Pferdes, während er andererseits unterbewusst mit Dingen beschäftigt war, die ihm zu schaffen machten. Zurzeit war es diese schwierige Gemengelage von Themen – von Tempelrittern über Kreuzfahrer, der Geschichte Jerusalems und dem Verhältnis zwischen Arabern und Israelis –, die nun irgendwie in der Person einer toten Friedensaktivistin und in einer mittelalterlichen Burganlage konvergierten, die ihn umtrieben. Die Einzelteile passten nicht zusammen, jedenfalls nicht so, dass sie ein für ihn stimmiges Bild ergaben. Falls die Frau mit ihrem Graffito hatte Aufsehen erregen wollen, wären andere, bekanntere Burgen mit historischem Bezug zu den Templern oder Kreuzrittern für ihre Aktion sehr viel geeigneter gewesen: zum Beispiel das weithin sichtbare Festungsstädtchen Domme, in dessen Verlies gefangene Templer Kreuzzeichen in die Mauern geritzt hatten; eine Parole auf der Stadtmauer hätte gefahrlos aufgesprüht werden können und wäre viel wirksamer gewesen.

Die Frau war im dritten Monat schwanger gewesen; sie hätte es zumindest ahnen müssen und Rücksicht darauf nehmen sollen. Wer würde in diesem Zustand ein solches Risiko eingehen, noch dazu mitten in der Nacht? Außerdem war sie in Begleitung gewesen, von jemandem, der Seil und Spraydose mitgenommen und ihr das Horn neben die Hand gelegt hatte, um die Pose einer prähistorischen Venusfigur nachzustellen. Welches Motiv hatte die Frau gehabt? Plötzlich fragte Bruno sich irritiert, warum er sie nicht Leah nannte. Schließlich war sie vor zwei Tagen noch eine lebendige Frau gewesen, die ein Kind erwartete. Sie verdiente es, respektvoll beim Namen genannt zu werden.

Bruno wusste auch nicht mehr über die angespannte Lage im Nahen Osten als der durchschnittliche Zeitungsleser. Immerhin hatte er schon von der Friedensbewegung Schalom Achschaw gehört und wusste, dass sie nur wenig politisches Gewicht in Israel hatte und dass die sogenannte Zwei-Staaten-Lösung, für die sie warb, heute weiter entfernt war als zu jener Zeit, da sich Rabin und Arafat auf dem Rasen vor dem Weißen Hauses die Hand geschüttelt hatten. Er wusste auch, dass die Palästinenser untereinander zerstritten waren, aber den Unterschied zwischen Hamas und Hisbollah konnte er schon nicht benennen.

Plötzlich fiel ihm auf, dass Hector ungeduldig den Kopf schüttelte. In Gedanken versunken, hatte Bruno, ohne dass es ihm bewusst geworden wäre, von seinem Pferd ein gemächliches Schritttempo gefordert, doch Hector wollte mehr. Nun, da Bruno die Zügel schießen ließ und den Wallach mit einem Fersendruck in die Flanken ermunterte, ließ sich dieser nicht lange bitten und beschleunigte auf offenem Gelände in jenen herrlichen gleichmäßigen Galopp, an dem Pferd und Reiter gleichermaßen Vergnügen fanden. Leider verschmälerte sich der Hügelgrat sehr bald, was Bruno zwang, zuerst eng an einer Hecke entlang und dann durch dichtes Unterholz zu reiten. Auf dem letzten Abschnitt stieg er sogar ab und führte Hector am Zügel zur Reitschule zurück.

13

Bruno holte den Käse aus dem Kühlschrank und aus der Gefriertruhe einen Beutel Fischfond, den er aus den Schalen und Köpfen von Garnelen gekocht hatte, die er für ein Scampi-Gericht verwendet hatte. Als Erstes schälte er nun ein halbes Kilo Schalotten aus seinem Garten und schmorte sie mit einem Stich Butter in der Pfanne an, in die er dann ein halbes Kilo junge Champignons gab, die er auf dem Markt gekauft hatte. Das Kalbfleisch vom Hof der Oudinots schnitt er in kleine Würfel, bedeckte es in seinem größten Schmortopf mit Wasser und brachte es zum Kochen, bevor er eine mittelgroße Zwiebel mit vier Nelken spickte und dazulegte. Zwischendurch sprang er unter die Dusche und zog sich frische Jeans und einen Sweater an. Nachdem er Balzac sein Fressen gegeben hatte, ließ er den gefrorenen Fischfond in der Mikrowelle auftauen und hielt einen Moment inne, um nachzudenken. Er wollte erst die Fischsuppe servieren, dann das *blanquette de veau* mit Reis, danach Käse mit einem kleinen Salat und zum Nachtisch Birnen in Gewürzwein. Es würden insgesamt vier Personen am Tisch sitzen, da er auch Annette, die junge Staatsanwältin aus Sarlat, eingeladen hatte. Sie und Amélie hatten viel miteinander gemein, und wenn Annette dabei war, würde sich das Diner für Amélie weniger als Arbeitsessen anfühlen.

Nun stellte Bruno eine Flasche Bergerac Rosé vom Château Haut Garrigue und einen Weißen von Pierre Desmartis in den Kühlschrank und öffnete eine Flasche Clos Montalbanie, einen leichten Rotwein vom Château Tiregand, der, wie er glaubte, gut zum Kalbsragout passte. Als das Fleisch im Topf vernehmlich zu köcheln anfing, drehte er die Flamme herunter, schöpfte den Schaum von der Oberfläche und gab eine gewürfelte Möhre, einen kleingeschnittenen Stengel Staudensellerie, die mit Nelken gewürzte Zwiebel und eins der *bouquets garnis* hinzu, die er wenige Tage zuvor gebunden hatte. Die Hitze stellte er so ein, dass das Fleisch nur noch ganz leicht köchelte. Noch einmal schöpfte er Schaum vom Sud ab. Dann deckte er den Tisch, holte Champagnerflöten aus dem Schrank und machte Feuer im Holzofen. Neugierig darauf, wie der lokale Rundfunk über die Vorkommnisse in Commarque berichtete, schaltete er das Radio ein. Ein Reporter vor Ort fragte gerade Besucher, was sie über die Burganlage wussten, und fast jeder kam in seiner Antwort auf die Tempelritter und ihren sagenhaften Schatz zu sprechen.

Der Fischfond war aufgetaut. Bruno schnitt das Kabeljaufilet, das er am Morgen bei Armand auf dem Markt gekauft hatte, in kleine Stücke, gab zwei gutgefüllte Esslöffel Entenfett in seine Lieblingskasserolle und stellte sie aufs Feuer. Dann schälte er zwei Kartoffeln und ein halbes Dutzend Knoblauchzehen, die er mit dem Messer zerdrückte und zusammen mit den kleingewürfelten Kartoffeln in die Kasserolle gab. Das Ganze ließ er auf kleiner Hitze köcheln und ging hinaus in den Garten, wo er Salat erntete, den er, zurück in der Küche, unter fließendem Wasser abspülte und kleinschnitt, ehe er die Kabeljaustücke, den Fischfond und eine Dose Tomaten in die Kasserolle gab. Dazu kam noch ein großes Glas Weißwein aus der Fünfliterbox, die er in der Vorratskammer aufbewahrte. Schließlich rührte er um und schmeckte ab. Noch ein bisschen Salz war nötig, und er drehte nun die Hitze noch weiter herunter.

Er schaute auf die Uhr. Normalerweise ließ er Kalbsragout zwei Stunden lang köcheln, aber für das heutige Abendessen hatte er Fleisch von Oudinot verarbeitet, das beste im ganzen Tal, von Kälbern, die mit Milch aufgezogen worden und bei den Müttern geblieben waren. Es war ohnehin wunderbar zart, und die Gäste würden bald eintreffen. Er machte schnell sauber in der Küche, schaffte Ordnung im Wohnzimmer und kehrte die Asche von den Bodenfliesen am Ofen. Dann machte er im elektrischen Kessel Wasser für den Reis heiß und stellte ein Töpfchen *double-crème* aus dem Kühlschrank zur Seite.

Aus der Gefriertruhe holte er schließlich einen vakuumverpackten Beutel Basilikum, das er im vergangenen Herbst geerntet hatte. Als er sah, dass Balzac mit zuckenden Ohren zur Tür lief, wusste Bruno, dass die Damen nicht mehr weit waren. Balzac konnte Motorengeräusche auf der Zufahrt sehr viel eher hören als sein Herrchen, und Bruno öffnete die Haustür, damit der Basset hinauslaufen und die Ankömmlinge wie gewohnt lautstark willkommen heißen konnte. Bevor er ihm folgte, goss er ein weiteres Glas Weißwein ein, diesmal für das Ragout, probierte einen Löffel und lächelte dann zufrieden in sich hinein. Sie schmeckte gut.

Sergeant Jules kam in seinem Privatwagen, trug aber Uniform. Yveline und Amélie saßen auf der Rückbank,

Annette auf dem Beifahrersitz. Bruno schüttelte Jules die Hand, begrüßte Annette und Yveline und half Amélie, sich von Balzac zu lösen, der ihr offenbar besonders zugetan war. Sie hatte sich umgezogen und trug jetzt ein hellgelbes Kleid und um den Kopf einen hochgewickelten Turban aus festem blaugelbgestreiften Stoff. Yveline hatte eine schwarze Hose an, eine cremefarbene Seidenbluse und ein dazu passendes Tweedjackett. Annette kam in Jeans, einem weißen Baumwollpullover und einer knielangen Strickjacke aus schwarzer Kaschmirwolle. Die drei Frauen sahen großartig aus, jede auf ihre Art.

»Bleibst du noch auf einen *p'tit apéro*?«, fragte er Jules.

»Besser nicht«, antwortete Jules und warf einen Blick auf Yveline, seine *commandante*. »Ich bin im Dienst. Ruf mich auf der Station an, wenn die Damen abgeholt werden wollen.«

»Alle zusammen in einem Auto zu fahren, fanden wir vernünftiger«, erklärte Yveline. »Annette wird nicht nach Sarlat zurückmüssen, sondern bei mir übernachten.« Sie reichte Bruno eine gekühlte Flasche Champagner der Marke Monthuys. Annette winkte mit einer in Papier eingeschlagenen Flasche und rief: »Dein Lieblingswein von Château Tiregand.« Amélie hatte als Gastgeschenk ein kleines Glas mit Schraubverschluss und einer Füllung mitgebracht, die wie eine grünliche Sauce aussah.

»*Épice,* nach dem Rezept meiner Mutter«, erläuterte sie. »Ich durfte sie in Ivans Küche zubereiten. Er hat auch ein Glas bekommen, und das hier ist für Sie.«

Im Wohnzimmer schenkte Bruno seinen Gästen Champagner ein, entschuldigte sich für einen Augenblick und ging in die Küche, um nach dem Essen zu sehen. Er presste ein paar Tropfen Zitronensaft in die Fischsuppe und fragte sich, wie Amélies Mitbringsel serviert werden sollte. Gewiss hoffte sie, dass alle davon probieren konnten. Er öffnete eine Dose seiner selbsteingemachten Wildpastete, zu der Amélies *épice* wahrscheinlich gut passen würde.

»Ich finde, das sollten wir sofort probieren«, sagte er, als er beides auf ein Tablett gestellt und zu seinen Gästen hinübergetragen hatte.

»Aber nehmt nicht zu viel *épice,* auch wenn es das A und O der kreolischen Küche ist, es ist ziemlich scharf«, warnte sie. Sie schenkte Bruno einen dankbaren Blick, den er lächelnd erwiderte.

Die Sauce war tatsächlich angenehm scharf, eher würzig als brennend, ein sehr passender Begleiter zu Wild. Wohl auch zu Geflügel, wie Bruno glaubte, doch dann erinnerte er sich an Amélies Erklärung, wonach auf Haiti Reis und Bohnen als Grundnahrungsmittel galten, insbesondere für die ärmere Bevölkerung, und dass *épice* etwas Geschmack an die sonst eher fade, aber durchaus sättigende Kost brachte. Yveline fächelte sich allerdings Luft in den Mund, bat um ein Glas Wasser und gestand, eine solche Schärfe nicht gewöhnt zu sein. Anders Annette, die ihr nächstes Stück Pastete mit einer doppelten Portion *épice* würzte und erklärte, dass sie auf Madagaskar während eines Einsatzes von Médecins Sans Frontières scharfe Pfefferschoten zu lieben gelernt hatte.

»Kennen Sie jemanden, der für MSF in Palästina gearbeitet hat?«, fragte Bruno. »Haben Sie einen Freund oder eine Freundin, die Sie anrufen und nach der toten Frau vom Château fragen könnten? Amélie ist es gelungen, sie zu identifizieren. Sie war israelische Staatsbürgerin und hatte einen palästinensischen Lebensgefährten.«

»Ja, ich bin mit einer Psychologin befreundet, die in der Klinik von Hebron arbeitet«, antwortete Annette. »Vor allem mit traumatisierten Kindern. Und in Ostjerusalem wohnt noch eine Bekannte von mir. Warum?«

»Sie könnten sie morgen anrufen und fragen, ob sie irgendetwas über Leah Ben-Ari beziehungsweise Leah Wolinsky und einen Mann namens Husayni wissen.«

»Saïd al-Husayni ist Historiker an der Universität. Entschuldige, Bruno, ich hätte es gleich sagen sollen. Jenny, die Amerikanerin, hat mir seinen Namen genannt«, sagte Annette, holte ihr Handy hervor und tippte eine Textnachricht ein. »Warum bis morgen warten? Für eine direkte Antwort ist es da drüben jetzt vielleicht zu spät, aber morgen dürfte eine Rückmeldung vorliegen.«

Bruno verteilte den Rest aus der Champagnerflasche, bat seine Gäste zu Tisch und verschwand in der Küche, um die Suppe noch einmal abzuschmecken und mit gehackter frischer Petersilie zu bestreuen. Er öffnete den Weißwein und brachte ihn mit der Suppenterrine zum Tisch.

»Wer Lust hat, kann ja mit Amélies Épice nachwürzen«, schlug er vor, reichte den Brotkorb herum und schenkte Wein ein.

»Ich versuche die Suppe erst mal ohne«, meinte Annette. »Mmmh, wirklich sehr gut, Bruno, so herzhaft und gehaltvoll.«

»Großartig«, lobte auch Amélie und rührte einen Löffel ihrer Sauce in ihre Suppenschale. »Also … wir wollten uns ja eigentlich über Polizeiarbeit unterhalten, Yveline; was bedeutet ein Stadtpolizist wie Bruno für Sie?«

»Sehr viel mehr, als ich bei Dienstantritt erwartet hatte. Ein guter Stadtpolizist ist eine Art lebendes Archiv der Kommune, eine Informationsquelle par excellence. Ich wäre schön dumm, wenn ich davon nicht zu profitieren verstünde. Darum habe ich Bruno eingeladen, an meinen wöchentlichen Planungsrunden teilzunehmen. Wenn man mich an eine andere Stelle versetzt, werde ich das auch so machen – ich fürchte allerdings, dass anderenorts der Stadtpolizist längst nicht so gut kochen kann.«

»Für die Staatsanwaltschaft kann ich Ähnliches sagen«, schaltete sich Annette ein und führte aus, dass sooft der Procureur sie mit einem Fall betraute und wissen wollte, ob das Strafrecht zur Anwendung kommen sollte, sie als Erstes mit dem Stadtpolizisten sprechen würde, um etwas über die Hintergründe zu erfahren. In Jugendstrafsachen könne der Polizist vor Ort ihr die Eltern des oder der Angeklagten beschreiben, ehe sie diese selbst aufsuchte, und ihr ein Bild von den häuslichen Umständen und dem Grad der familiären Unterstützung vermitteln, die sie zu erwarten habe.

»Der Anfang war nicht gerade vielversprechend«, fügte Annette hinzu. »Als Jäger und Rugbyspieler war mir Bruno nicht ganz geheuer. Ich habe ihn für einen altmodischen Chauvinisten gehalten, für ein aktives Mitglied der fortschrittsfeindlichen Mafia, die mir das Leben schwermachen würde.«

»Wir hatten hart daran zu knabbern, dass man uns eine vegetarische Feministin als Staatsanwältin vor die Nase gesetzt hatte«, sagte Bruno lächelnd. »Und dann lernten wir sie als Rallyefahrerin kennen, die einen das Fürchten lehren kann. Wir konnten sie zu einigen Fleischspezialitäten des Périgord verführen. So, jetzt will ich mal probieren, wie die Suppe mit Épice schmeckt.« Er rührte etwas von der grünen Sauce in den Suppenrest in seiner Schale und kostete.

»Nicht schlecht«, sagte er. »Ohne ist's mir aber lieber, weil ich mir nicht vorstellen kann, dass die Sauce mit *chabrol* zusammengeht.«

»Was ist das?«, fragte Amélie.

»Ein alter regionaler Brauch. Schauen Sie«, antwortete er. Er verteilte den Rest aus der Suppenterrine in die Schalen, aß die letzten Fischstückchen aus seiner Portion, so dass nur noch die Flüssigkeit übrigblieb, unter die er nun ein halbes Glas Rotwein rührte. Dann legte er den Löffel ab, führte die Schale mit beiden Händen an den Mund und schlürfte sie leer, leckte sich anschließend die Lippen und sah zu, wie Annette und Yveline es ihm gleichtaten.

Zögernd und mit kritischer Miene folgte auch Amélie seinem Beispiel. »Interessant«, sagte sie und setzte ihre Schale ab. »Würde vielleicht noch besser schmecken, wenn der Wein vorher erwärmt wird. Hat dieser *chabrol* auch eine Geschichte?«

»Es gibt zwei Erklärungen«, antwortete Bruno. »Am besten gefällt mir diejenige, die auf englische Soldaten des Hundertjährigen Kriegs zurückgeht. Im Winter, wenn sie auf irgendwelchen Burgen festsaßen, gab es kaum Fleisch. Sie aßen vornehmlich in Salz eingelegte Heringe oder Alsen, die in Fässern von der Küste herbeigeschafft wurden. In England heißt die Alse ›shad‹ und Suppe ›broth‹. Wenn wir als Franzosen beide Wörter ein paarmal schnell hintereinander sagen, dann wird *chabrot* – die alte Form von *chabrol,* wie man heute sagt – daraus. Und wenn man bedenkt, wie der Wein geschmeckt haben muss, den sich die englischen Soldaten leisten konnten, versteht man, dass sowohl der Wein als auch die Fischsuppe nur gewonnen haben können.«

Bruno brachte die leeren Schalen in die Küche, stellte sie in die Spüle und drehte das heiße Wasser auf. Dann schmeckte er die Brühe ab, in der das Kalbsragout garte, und nickte zufrieden. Es war an der Zeit, die *blanquette* zuzubereiten. Dazu goss er die Brühe durch ein Sieb in einen Messbecher, stellte das Fleisch beiseite und entfernte das Bouquet garni sowie die Möhren- und Selleriestücke. In einem großen Topf ließ er die Brühe nun auf kleiner Flamme einkochen. Den Reis gab er mit einem Löffel Entenfett in einen anderen Topf und rührte um, bis alle Körner benetzt waren. Dann goss er aus dem Kessel kochendes Wasser dazu, legte einen Deckel auf den Topf und ließ den Reis garen. Im Schmortopf, in dem er das Kalbfleisch hatte garen lassen, bereitete er nun die *roux,* eine Mehlschwitze, zu, indem er drei großzügig bemessene Stiche Butter darin zum Schmelzen brachte, bei reduzierter Hitze mit dem Schneebesen vorsichtig Mehl einrührte und eine sämige Bindung herstellte, die er unter ständigem Rühren mit der Kalbfleischbrühe auffüllte. Dann drehte er die Hitze wieder auf, brachte die Sauce zum Kochen und ließ sie unter Rühren eindicken. Schließlich gab er das Fleisch dazu, die Schalotten, die Champignons und den Becher *double-crème* und ließ alles noch einmal aufkochen. Dann drehte er die Hitze wieder herunter, schaute nach dem Reis, goss eine halbe Tasse Wasser nach, stellte das gebrauchte Geschirr in die Spüle und öffnete die Rotweinflasche.

Schnell schälte er die dicken Birnen und bedeckte sie in einem Topf mit dem Rotwein, in den er noch zwei Nelken, etwas Zimt und geriebenen Muskat gab. Zum Schluss goss er ein halbes Glas seines selbstgemachten *vin de noix* hinzu und ließ das Ganze köcheln.

»Fünf Minuten noch«, sagte er, nachdem er mit dem Rotwein und einer Flasche Mineralwasser ins Wohnzimmer zurückgekehrt war. Er verteilte den restlichen Weißwein und versuchte, Anschluss an das Tischgespräch zu finden. Es ging offenbar um den Missbrauchsfall, in dem Jean-Jacques zu ermitteln hatte.

»Aber Gewicht können doch nur die Aussagen der Opfer haben«, sagte Amélie nachdrücklich. »Und missbrauchte Kinder vertrauen sich Erwachsenen, wenn überhaupt, erst dann an, wenn die Übergriffe schon lange zurückliegen und DNA-Beweise nicht mehr beizubringen sind. In diesem Fall sind das dreißig Jahre. Das ist typisch. Von einer klaren Beweislage kann erst dann die Rede sein, wenn mindestens drei mutmaßliche Opfer übereinstimmende Aussagen machen.«

»Ja, und genau da hakt es«, bestätigte Yveline. »Sobald man ins Detail geht, gehen die Zeugenaussagen auseinander.«

»Das eigentliche Problem sind diese Psychologin und ihre sogenannten *recovered memories*«, fand Annette. Die Fachwelt sei sehr skeptisch, was die Zuverlässigkeit dieser Methode angehe, führte sie aus; es werde sogar ausdrücklich davor gewarnt, sie als Mittel der Beweisführung anzuwenden.

»Es steht nämlich zu befürchten, dass der Therapeut oder die Therapeutin suggestiv auf das Opfer einwirkt, insbesondere dann, wenn Hypnose zum Einsatz kommt«, führte Annette weiter aus. »Und das ist hier geschehen, in allen drei mutmaßlichen Missbrauchsfällen. Ich würde damit nicht vor Gericht ziehen. Die Beweislage ist viel zu dünn.«

Bruno entschuldigte sich und verschwand in die Küche. Als er das Kalbsragout und den Reis auftischte, drehte sich die Diskussion immer noch um dasselbe Thema.

»Aber Sie können doch nicht ernsthaft behaupten, die Reputation der Erwachsenen sei ebenso wichtig wie die seelische Gesundheit der betroffenen Kinder?«, empörte sich Amélie. »Wie steht es um deren Rechte?«

»*Mon Dieu*, das ist aber mächtig. Morgen bringe ich wahrscheinlich ein ganzes Kilo mehr auf die Waage«, unterbrach Yveline. Bruno warf ihr einen dankbaren Blick zu.

»Das ist ein Pécharmant von einem meiner Lieblingsweinberge«, erklärte Bruno und schenkte den Rotwein aus. »Er ist nicht so kräftig und passt deshalb gut zum Kalbfleisch. Aber wer lieber beim Weißwein bleibt … Ich hab noch genug davon im Kühlschrank.«

»Ich muss Ihnen ein Kompliment machen, Bruno«, sagte Amélie. »An dieses Gericht würde ich kein Épice mehr geben. Es ist perfekt, wie es ist. Ich fürchte allerdings, Yveline hat recht, und wir nehmen alle gehörig zu.«

Als die Teller leer waren, fragte Bruno, ob jemand einen Nachschlag wünsche, und es war Yveline, die als Erste Interesse anmeldete. Auch die anderen wollten mehr.

»Uns erwartet heute Abend noch ein weiterer Genuss«, versprach Bruno, als er den Nachtisch auftrug und zu den pochierten Birnen Vanilleeis und einen Spritzer Cognac gab. »Wir haben nämlich einen Star unter uns, eine Sängerin, die schon mehrere Alben eingespielt hat, und als ich ihre Stimme gehört habe, war mir sofort klar, dass sie etwas Besonderes ist.« Lächelnd wandte er sich an Amélie. »Ich hoffe, Sie krönen unsere Mahlzeit mit einem Lied. Ich werde auch nicht mitsummen, versprochen.«

Annette klatschte in die Hände, und Yveline sagte: »Sie müssen für uns singen – egal, was.«

Amélie strahlte über das ganze Gesicht, blieb aber sitzen. »Seit ich mich von Bruno durch die Gegend kutschieren lasse, habe ich wieder die ganze Zeit Cole Porter im Ohr. Einen Song von ihm mag ich besonders, und ich kann ihn auswendig.«

Sie tippte mit den Fingern den Takt auf den Tisch und gab »Just One of Those Things« zum Besten, ein Lied über eine kurze, belanglose Liebesaffäre. Und fast übergangslos ließ sie »Every Time We Say Goodbye« folgen.

Dieser Song um den Abschied zweier Liebenden traf Bruno wie ein Schlag. Er hatte ihn nach der Trennung von Isabelle auf der CD, die sie ihm geschenkt hatte, immer und immer wieder abspielen lassen, den englischen Liedtext vor Augen, den sie ihm damals aufgeschrieben hatte, und sich dabei gefragt, ob sie ihn in Paris ebenfalls hörte und ebenso traurig war wie er. Doch irgendwann war er es leid gewesen, sich von solchen Stimmungen beherrschen zu lassen, und hatte die CD weggelegt.

14

Nach seinem frühmorgendlichen Ausritt auf Hector fuhr Bruno mit Balzac zurück in die Stadt. Er war mit Amélie verabredet, die sich in Fauquets Café schon ihr Croissant-Frühstück schmecken ließ. Sie runzelte die Stirn, als sie ihn statt in seiner Uniform in Trainingsanzug und Laufschuhen sah. Sie bedankte sich noch einmal für das Abendessen und lud ihn zu einer Tasse Kaffee ein. Balzac bettelte geduldig, bis sie ihm ein Stück von ihrem Croissant zuwarf.

»Heute nicht im Dienst?«, fragte sie.

»Kommt drauf an, was Sie unter Dienst verstehen. Jugendlichen Tennis beizubringen ist zwar nicht Teil meiner Jobbeschreibung, kommt aber letztlich meiner Arbeit zugute.«

»Inwiefern?«

»Die Jugendlichen lernen mich als umgänglichen Menschen kennen, aus dem sich schlecht ein Feindbild machen lässt. Und das kann unter Umständen präventiv wirken.«

Sie holte ihr Smartphone hervor und machte sich Notizen. »Mir scheint, Sie verstehen sich nicht nur als Polizist, sondern auch als Sozialarbeiter. Was haben Sie sonst noch im Angebot? Fußball oder Basketball?«

»Rugby im Herbst und Winter, Tennis im Frühjahr und Sommer, für Jungen und Mädchen. Treiben Sie auch Sport?«

Sie schüttelte den Kopf, um den sie heute ein gelbes Tuch gewickelt hatte. Sie trug Jeans, ein gelbes Poloshirt und um die Schultern wieder ihre Lederjacke.

»Früher habe ich oft Fußball gespielt, aber meine Brüder ließen mich immer nur im Tor stehen, darum bin ich lieber schwimmen gegangen. Übrigens, Saint-Denis hat weder eine Sporthalle noch ein Fitnessstudio, nicht wahr?«

»Im *collège* trifft sich ein Yoga- und Pilatesklub. Yveline ist Mitglied. Wenn Sie Interesse haben, können Sie sie fragen«, schlug Bruno vor. »Aber zurück zu unserem Fall. Ich habe heute schon ein bisschen gearbeitet. Annette hat eine Mail ihrer Freundin aus Hebron an mich weitergeleitet. Leah Wolinsky war für verschiedene Wohltätigkeitsorganisationen tätig, als gelernte Historikerin und Archäologin aber nur begrenzt einsatzfähig. Hervorgetan hat sie sich vor allem als Kritikerin der israelischen Siedlungspolitik im Westjordanland. Sie wurde mehrmals bei Demonstrationen vorübergehend in Gewahrsam genommen. Ihr Freund ist unpolitisch und stammt aus einer vornehmen Familie von Großgrundbesitzern und Politikern. Ich habe die Mail an Jean-Jacques weitergeleitet.«

Bruno warf einen Blick auf seine Uhr. »Das Training beginnt um neun. Wir müssen uns beeilen.«

Der städtische Tennisverein hatte drei Plätze und eine Halle, die von einem modernen Klubhaus flankiert wurden, in dem es eine Bar, Umkleidekabinen und eine guteingerichtete Küche gab, auch weil es in Saint-Denis keine kommunalen Aktivitäten gab, bei denen nicht auch gegessen und getrunken wurde. Im Versammlungsraum reihten sich lange Tische, an denen insgesamt um die vierzig Personen Platz fanden. Die Küche wurde nicht nur anlässlich des großen Turniers genutzt, das der Verein jedes Jahr ausrichtete, sondern auch von den vielen Stammspielern, die jede Gelegenheit nutzten, hier zu feiern.

Die erste Trainingsstunde an diesem Morgen war für Kinder im Alter zwischen sieben und acht Jahren. Sie zogen sich gerade um, während mehrere Mütter auf der kleinen Zuschauertribüne Platz nahmen, um ihren Kleinen zuzusehen.

Aus Erfahrung wusste Bruno, dass es in jedem seiner Lehrgänge drei oder vier Kinder gab, die ein natürliches Talent für das Tennisspiel mitbrachten, die Mehrzahl relativ rasch eine gute Koordination von Hand und Auge zu entwickeln vermochte und dass der Rest jede Menge Übung brauchte. Jeweils einen der von Natur aus talentierten Spieler stellte er auf einen der drei Plätze und ließ die anderen antreten, um mit diesem Bälle zu wechseln, bis einer ins Netz ging und das nächste Kind an die Reihe kam. Acht der besseren Spieler gingen dann in die Halle, wo sie vier Doppelpaare bildeten und gegeneinander antraten, kritisch beobachtet von Montsouris, einem ehemaligen Lokführer, der den großzügigen Rentenplan für seine Berufsgruppe in Anspruch genommen und sich schon mit fünfzig zur Ruhe gesetzt hatte.

Als einziger Kommunist im Stadtrat vertrieb sich Montsouris die Zeit bei der Jagd, beim Angeln und damit, dass er in verschiedenen Sportvereinen aushalf. Ständig war er irgendwo im Einsatz, allerdings in erster Linie, um seiner Frau aus dem Weg zu gehen, mit der er sich sonst nur in den Haaren lag, weil er für ihre radikalen Begriffe politisch viel zu zahm war. Er gab auch den Grillmeister, wenn der Tennisklub im Sommer seine *barbecues* veranstaltete. Bruno, der

Montsouris sehr mochte, machte ihn mit Amélie bekannt und gab den beiden Gelegenheit, sich politisch auf den Zahn zu fühlen, während er selbst schnell das Weite suchte.

»*Ça va*, Bruno?«, rief eine Mutter von der Tribüne, als er deren Blickfeld kreuzte. »Wer ist denn deine neue Freundin da?«

Er blieb stehen und begrüßte Giselle und ihre jüngere Schwester Amandine, die vor Jahren ebenfalls bei ihm Tennis spielen gelernt hatten. Giselle war mit einem Bauunternehmer verheiratet und hatte vier Kinder, eins, das hier und jetzt auf dem Platz stand, zwei kleinere im Kindergarten und das jüngste, das aus einem Buggy zahnlos zu Bruno hochlächelte. Amandine hatte eine halbe Stelle als Altenpflegerin im Seniorenstift, verdiente damit aber so wenig, dass sie nebenher als Putzfrau schwarzarbeitete. Immerhin konnte sie sich so ein kleines Auto leisten.

Nachdem Bruno die beiden über Amélie aufgeklärt hatte, fragte Amandine: »Die tote Frau, von der in der Zeitung berichtet wurde – wissen Sie inzwischen, wer sie war?«

»Haben Sie sie schon einmal gesehen?«, fragte er ausweichend.

»Ich bin mir nicht sicher, glaube aber, dass sie es war, die vorige Woche eine der *gîtes* beziehen wollte, die ich geputzt habe. Sie kam früher als erwartet. Wie gesagt, ich möchte es nicht beschwören. Aufgefallen sind mir ihre Haare und dass sie braun gebrannt war, als hätte sie vor kurzem in der Sonne gelegen.«

»Ja, sie hatte einen für die Jahreszeit ungewöhnlich dunklen Teint. In welcher *gîte* sind Sie ihr begegnet?«

»In der auf der Nebenstrecke nach Sarlat, gleich hinter

Meyrals. Sie heißt La Bergerie, obwohl ich da noch nie Schafe gesehen habe. Wenn Sie hinter der neuen Kunstgalerie die zweite Straße links abbiegen, sind Sie nach rund zwei Kilometern da. Die letzten fünfhundert Meter sind Schotterpiste. Die Wohnung liegt rechter Hand.«

»Wer ist der Eigentümer?«

»Jemand aus Sarlat, der Gewerkschaftstyp, von dem ebenfalls in der Zeitung zu lesen war. Ich habe seinen Namen vergessen.«

»Vaugier?«

»Ja, genau. Seltsam, dass er so vehement gegen verkaufsoffene Sonntage ist. Mich zahlt er immer in bar aus, ohne Quittung, versteht sich.«

Bruno nahm sich vor zu überprüfen, ob Vaugier seine Ferienwohnung ordnungsgemäß angemeldet hatte. »Diese Frau, war etwas Besonderes an ihr? Sprach sie vielleicht mit Akzent?«

»Ich habe sie nur ein paar Wörter sagen hören, ›hallo‹ und ›entschuldigen Sie bitte‹, und dann fragte sie noch, wann ich mit meiner Arbeit fertig wäre und sie wiederkommen könne. Für mich klang sie wie eine Pariserin. Haben Sie vielleicht bessere Fotos von ihr als das in der Zeitung?«

Bruno holte sein Handy hervor und zeigte Amandine die von ihm aufgenommenen Fotos wie auch das Passfoto, das Amélie ihm geschickt hatte.

»Ja, das könnte sie sein. Wie gesagt, beschwören würde ich's nicht, aber da ist definitiv eine große Ähnlichkeit.«

Bruno ließ sich von ihr Vaugiers Telefonnummer geben und widmete sich wieder seinen Schülern. Die nächste Trainingsstunde war den Neunjährigen vorbehalten. Die meisten von ihnen spielten schon mit der Vor- und Rückhand und konnten ins richtige Feld servieren. Auf der Zuschauertribüne verteilte sich jetzt eine andere Müttergruppe.

Um zwölf endete das Training. Bruno wärmte die Suppe auf, die er mitgebracht hatte, während Montsouris seinen Beitrag auftischte: ein großes Baguette, *pâté* und Käse. Er hatte Amélie gesagt, dass sie sich gerne aus der Zehnliterbox Cuvée Cyrano, die hinter dem Tresen stand, bedienen könne, ein Euro das Glas, die alte Keksdose daneben sei die Kasse.

»Kennst du Vaugier persönlich?«, fragte Bruno Montsouris, als sie sich ihr *casse-croûte* schmecken ließen.

»Kennen wäre zu viel gesagt, aber wir sind uns ein paarmal begegnet. Er zählt einfach nicht zu denen, die unsereins näher kennenlernen möchte, denn er interessiert sich weder für Rugby noch für die Jagd. Er kommt aus dem Norden, aus Lille, wenn ich mich recht erinnere. Er war erst Mitglied bei den Sozialisten, ist aber dann weiter nach links abgedriftet und in die Parti de Gauche eingetreten. Soviel ich weiß, ist er mit einer Frau aus Périgueux verheiratet, und angeblich sind sie hier runtergezogen, als sie nach deren Tod das Gut ihrer Eltern geerbt hat. Da wohnen sie jetzt auch. Er soll ziemlich ehrgeizig sein. Warum fragst du?«

Bruno erklärte ihm die Sache, die in Sarlat vor Gericht verhandelt wurde, worauf Montsouris erzählte, dass der Sohn seines Cousins in einer von Hugues' Bäckereien angestellt war, seine Arbeit gern tat und Hugues für einen guten Arbeitgeber hielt.

Die drei tranken noch einen Espresso miteinander und machten dann auch den Abwasch gemeinsam. Danach holte

Bruno seine Uniform aus dem Transporter, zog sich um und fuhr mit Amélie zu Vaugiers *gîte*. Diesmal sang sie nicht. Die Stimmung war nicht danach.

La Bergerie machte einen verlassenen Eindruck. Kein Auto parkte vor dem Haus, aber in der Tür steckte ein Schlüssel. Bruno streifte sich Latexhandschuhe über, reichte auch Amélie ein Paar und verschaffte sich Einlass. Die Wohnung schien in bester Ordnung zu sein; sie war aufgeräumt und geputzt. In der Küche war der Kühlschrank vom Netz genommen worden, und die Tür stand offen, um zu verhindern, dass sich Schimmel darin bildete. Eine Waschmaschine gab es nicht, aber auf dem Tisch im Wohnzimmer stapelte sich gefaltete Bettwäsche, die wahrscheinlich von einer Wäscherei gewaschen und gebügelt worden war. In einer Ecke stand ein Eimer mit Wischmopp, und es roch nach einem Desinfektionsmittel.

»Hier ist gründlich saubergemacht worden«, sagte Amélie. »So hinterlassen nur die wenigsten Touristen ihre Ferienwohnung.«

»Vielleicht war jemand darauf aus, Fingerabdrücke und DNA-Spuren zu beseitigen.« Bruno machte Fotos mit seinem Handy, unter anderem eine Nahaufnahme von dem Herd, der an eine Gasflasche angeschlossen war.

»Warum fotografieren Sie ausgerechnet den?«, wollte Amélie wissen.

»Solche Geräte werden gern benutzt, um *taxe d'habitation* zu sparen«, erklärte er. »Sie lassen sich leicht entfernen, und wer keinen Herd hat, kann behaupten, eine solche Unterkunft nicht für Wohnzwecke zu nutzen. Da muss man auch keine Wohnraumsteuer bezahlen. Jetzt aber haben wir ein Foto mit Datumseintrag und können damit beweisen, dass für diese Wohnung Steuern fällig werden. Ich bin gespannt, ob Vaugier sie als *gîte* angemeldet hat.«

Auch im Nebengebäude, offenbar eine ehemalige Scheune, steckte ein Schlüssel in der Tür. Auf den Betten in den Schlafzimmern lag Bettwäsche, ebenfalls frisch aus der Wäscherei. Das Badezimmer war gründlich geputzt worden, Armaturen und Keramik blitzten geradezu. Auch hier hatte man in der Küche die Abfalleimer geleert und mit einem scharfen Putzmittel ausgewischt. Das Gleiche galt für die Mülltonnen draußen. Bruno erinnerte sich, an der nahen Straßenkreuzung eine Sammelstelle für gelbe Müllsäcke gesehen zu haben. Vielleicht waren die noch nicht abgeholt worden.

Er rief Jean-Jacques an, erstattete ihm Bericht und wollte schon vorschlagen, die Kriminaltechniker kommen und nach Spuren ehemaliger Bewohner suchen zu lassen, als er von Jean-Jacques unterbrochen wurde.

»Bleiben Sie bitte, wo Sie sind, bis ich bei Ihnen bin«, sagte er. »Die Israelis schlagen Alarm. Offenbar stand diese Frau unter Beobachtung des Staatsschutzes, sie war Jüdin, aber militant propalästinensisch und lebte mit einem israelischen Araber zusammen, der ebenfalls observiert wird. Sie bitten um ihre DNA und wollen wissen, was sie in den vergangenen Tagen getrieben hat.«

»Wen meinen Sie mit ›sie‹? Die Botschaft?«, fragte Bruno.

»Die hat als Erste angefragt. Mittlerweile hat sich der Staatsschutz eingeschaltet. Ich werde den Brigadier über Ihren Fund informieren und mich dann zu Ihnen auf den Weg machen. Wenn Sie bitte herausfinden, wem die Wohnung gehört? Wir sollten den oder die Eigentümer möglichst schnell antanzen lassen.«

Bruno nannte Vaugiers Namen und Telefonnummer und schlug vor, ihm lediglich mitzuteilen, dass es einen anonymen Hinweis auf die gesuchte Frau gegeben habe. »Ihm geht es nämlich offenbar vor allem darum, seine Steuerpflicht zu umgehen«, fügte er hinzu. »Einen Internetanschluss scheint es hier nicht zu geben, der Mobilfunkempfang ist aber gut. Vielleicht sollten Sie eine Funkzellenabfrage beantragen.«

Als Jean-Jacques mit einem Team der Kriminaltechnik anrückte, hatte Bruno bereits mit der *mairie* von Meyrals Kontakt aufgenommen und erfahren, dass der Eigentümer weder *taxe d'habitation* abführte noch als Vermieter von Ferienwohnungen registriert war. Auch mit Amandine hatte er gesprochen, die bestätigte, dass sie für Vaugier im Sommer des vergangenen Jahres regelmäßig geputzt hatte. Neben dem Taubenturm hatte er zudem relativ frische Reifenspuren entdeckt und fotografiert.

Jean-Jacques kam im Konvoi. Seinem Wagen folgte der Transporter der Kriminaltechniker, dem sich ein Gendarmeriebus angeschlossen hatte. Aus ihm stieg Vaugier, sichtlich besorgt. Das Schlusslicht bildete ein Privatwagen, in dem der Bürgermeister von Meyrals und der Stadtkämmerer saßen.

Die Kriminaltechniker stiegen in ihre weißen Papieroveralls, während Jean-Jacques Bruno und Vaugier ein paar Schritte abseitsführte, um ungestört mit ihnen zu sprechen.

»Versuchen Sie erst gar nicht, mich zu beschwindeln, Sie stecken so schon in Schwierigkeiten«, sagte er zu Vaugier. »Wer hat zuletzt diese Wohnung gemietet?«

»Eine Frau, nicht mehr ganz jung, mit Pariser Akzent«, antwortete Vaugier sofort. »Sie hat sich auf eine Anzeige von mir auf der Website von *Leboncoin* gemeldet. Sie kam vor ungefähr einer Woche und hat für zwei Wochen im Voraus bezahlt, fünfhundert Euro in Fünfzigerscheinen. Sie fuhr einen silbernen Peugeot. Das Kennzeichen habe ich mir vorsorglich notiert.«

Er zog ein Notizbuch aus der Tasche, las die Nummer vor, die mit 60 endete, was bedeutete, dass das Auto in der Oise angemeldet war, dem Département mit den landesweit niedrigsten Nebenkosten, weshalb die meisten Autovermieter ihre Fahrzeuge dort anmeldeten. Bruno und Jean-Jacques zweifelten deshalb keinen Augenblick daran, dass der Peugeot ein Mietwagen war, und Jean-Jacques rief einen seiner Mitarbeiter zu sich und bat ihn, dem Kennzeichen nachzugehen.

»Nicht schlecht für den Anfang. Aber das mit dem Mietpreis nehme ich Ihnen nicht ab«, sagte Jean-Jacques, wieder an Vaugier gewandt. »Diese Wohnung hat vier Schlafzimmer. Selbst in der Nebensaison würden Sie dafür nicht bloß zweihundertfünfzig pro Woche nehmen, und wenn ich Sie richtig einschätze, verlangen Sie auch eine Kaution. Fangen wir also noch einmal von vorn an, was meinen Sie?«

»Sie hat mir fünfhundert für die Miete gegeben und weitere fünfhundert als Kaution, die ich ihr natürlich beim Auszug zurückgezahlt hätte.«

»Ist sie allein gekommen?«

»Ja, allein in ihrem silbernen Peugeot.«

»Sind Sie zwischendurch einmal hier gewesen, um nach dem Rechten zu sehen?«

Vaugier schüttelte den Kopf. »Nein.«

»Hat sie sich mit Namen vorgestellt?«

»Mit Marie Dubois. Damit hat sie auch den Mietvertrag unterschrieben.«

Jean-Jacques schnaubte. Bruno musste unwillkürlich grinsen. Ein Allerweltsname, in den französischen Sitcoms nannte sich jedes zweite Liebespaar beim Seitensprung so.

»Was ist daran so komisch?«, protestierte Vaugier. »Sie hat mir ihren Ausweis gezeigt, und darauf stand der Name schwarz auf weiß.«

Vaugier reichte Jean-Jacques einen Briefumschlag, der den Mietvertrag enthielt. Die Unterschrift war völlig unleserlich, doch der Name war darunter noch einmal in Großbuchstaben notiert, zusammen mit einer Adresse an der Avenue Leclerc im Pariser Stadtviertel Montparnasse. Bruno rief sofort den Sicherheitsservice von France Télécom an und war nicht überrascht zu erfahren, dass diese Adresse nicht existierte.

»*Chef*«, rief der Kollege, der sich nach dem Mietwagen erkundigen sollte. »Der Wagen ist von Europcar, ein Peugeot Traveller, gemietet am Pariser Gare de l'Est, von einer Frau namens Marie Dubois. Kopien ihres Personalausweises und Führerscheins liegen vor. Gezahlt hat sie mit einer Kreditkarte von BNP Paribas unter demselben Namen. Ich habe die Kontonummer und werde der Sache nachgehen. Der Ausweis wurde ebenfalls in Paris ausgestellt, auch den werde ich unter die Lupe nehmen.«

Jean-Jacques und Bruno tauschten Blicke. Sich Fälschungen von Ausweispapieren zu besorgen war nicht allzu schwer, setzte aber gewisse Beziehungen zur kriminellen Halbwelt voraus. Oder zu Geheimdiensten. Nicht ganz so leicht war es, Bankkonten unter falschem Namen einzurichten oder Kreditkarten zu beantragen, da Finanzdienstleister im Rahmen geltender Gesetze zur Eindämmung von Geldwäsche zu strenger Identitätsprüfung ihrer Kunden angehalten waren.

»Haben Sie die Frau später noch einmal gesehen?«, wollte Jean-Jacques von Vaugier wissen.

»Nein.«

»Haben Sie vielleicht von ihr gehört, mit ihr telefoniert oder E-Mails ausgetauscht?«

»Nein, auch das nicht. Ich hatte nur zweimal Kontakt mit ihr: einmal, als sie sich auf die Anzeige gemeldet, und das andere Mal, als sie eingecheckt hat.« Er holte sein Handy hervor, rief die Anrufliste auf und las eine Nummer vor, die mit 06 anfing, eine Mobilfunknummer.

Bruno meldete sich wieder bei der Servicestelle von France Télécom, gab die Nummer durch und erhielt prompt Antwort. Die Nummer gehörte zu einem Prepaid-Handy mit einer Guthabenkarte von vierzig Euro, erworben wiederum am Gare de l'Est in Paris. Neueste Vorschriften verlangten die Registrierung auch solcher Geräte, weshalb sich feststellen ließ, dass Marie Dubois nicht nur dieses, sondern auch ein zweites Handy gekauft hatte. Eine Kopie ihres Ausweises lag vor.

»Haben Sie hier sonst noch jemanden gesehen?«, fragte Jean-Jacques. »Ich könnte mir vorstellen, dass Sie ein- oder zweimal hier vorbeigekommen sind und ein Auge auf Ihre Wohnung geworfen haben.«

»Nein, ich war nicht noch einmal hier«, versicherte Vaugier.

»Sorgen Sie sich denn nicht um Ihr Eigentum?«

»Es ist nicht mein Eigentum. Das Haus gehört meiner Frau.«

»Dann ist sie vielleicht gekommen, um nach dem Rechten zu sehen?«

»Nicht, dass ich wüsste.«

»Sei's drum«, sagte Jean-Jacques. »Sie bleiben hier und werden sich jetzt mit dem Bürgermeister und dem Stadtkämmerer über Ihre Steuererklärung unterhalten, während meine Kollegen Ihr Haus nach verwertbaren Spuren durchsuchen. Danach machen wir einen kleinen Rundgang, und Sie können mir sagen, ob irgendetwas fehlt. Später fahren wir ins Präsidium nach Périgueux, wo ich Sie bitten werde, sich eine Reihe von Karteifotos mutmaßlicher Terroristen anzusehen.«

»Terroristen?« Vaugiers Stimme überschlug sich und wurde schrill.

»Hab ich's Ihnen noch nicht gesagt?«, erwiderte Jean-Jacques. »Muss ich wohl vergessen haben. Wir nehmen Sie vorläufig in Gewahrsam wegen des dringenden Verdachts der Unterstützung einer terroristischen Gruppe. Ihnen dürfte klar sein, dass Sie Ihre Mieter bei der *mairie* anzumelden haben. Bei der Gelegenheit werden Sie auch Angaben zu Ihrer Steuererklärung machen müssen, und da das Haus Ihrer Frau gehört, werden wir sie gleich mitnehmen. Wie ist ihr Name, und wo treffe ich sie an?«

»Marie-France. Jetzt wird sie in der Klinik in Périgueux sein. Sie ist Psychologin und hat ihren Mädchennamen beibehalten, Duteiller.«

Jean-Jacques runzelte die Stirn, und Brunos Kopf fuhr herum, als er den Namen hörte. Marie-France Duteiller war die Psychologin, die als Kronzeugin mutmaßlicher Missbrauchsfälle im kirchlichen Waisenheim von Mussidan auftrat und den Fall ins Rollen gebracht hatte, mit dem Jean-Jacques leider nicht sehr schnell vorankam.

»Das ist also Ihre Frau?«, fragte Jean-Jacques, auf dessen Gesicht sich ein Lächeln breitmachte. »Sehr interessant. Ich hatte bereits das Vergnügen, sie in einem anderen Zusammenhang kennenzulernen.«

15

Jean-Jacques war mit Vaugier weggefahren, und Bruno wollte sich gerade bei Amélie dafür entschuldigen, dass er sie hatte links liegen lassen, als sein Handy klingelte. Das grüne Blinklicht im Display verriet ihm, dass der Brigadier über eine geschützte Leitung anrief.

»Bruno«, meldete sich die vertraute Stimme. »Sie scheinen diese Art von Schwierigkeiten ja magnetisch anzuziehen.«

»*Oui, mon commandant*«, erwiderte er mit der unverbindlichen Floskel, die sich jeder Soldat schon in der ersten Woche nach seiner Einberufung zu eigen machte.

»Kennen Sie den Unterschied zwischen Mossad und Schin Bet?«

»Nein, *mon commandant*«, antwortete Bruno, was nicht ganz stimmte. Er wusste immerhin, dass Mossad der israelische Auslandsgeheimdienst und Schin Bet für die innere Sicherheit des Landes zuständig war. Aber an mehr konnte er sich spontan nicht erinnern, weshalb er es für zulässig hielt, sich unwissend zu geben.

»Dank Ihrem Klettermäuschen sitzen uns nun beide Dienste im Nacken, und sowohl unser Innenministerium als auch das Auswärtige Amt und der Élysée-Palast drängen auf Erkenntnisse. Gibt es Neues von Ihnen?«

Bruno berichtete, dass Leah Wolinsky in Paris einen Van

unter Vorlage gefälschter Ausweispapiere angemietet und sich in einer Ferienwohnung in der Nähe von Meyrals einquartiert hatte. Jean-Jacques' Kriminaltechniker, erklärte er, seien noch bei der Arbeit und versuchten herauszufinden, ob außer Leah noch andere Personen in der *gîte* gewohnt hatten.

»Ich habe Ihrem Bürgermeister das übliche Formular zugefaxt. Sie unterstehen ab sofort wieder meinem Befehl, Bruno. Was haben Sie als Nächstes vor?«

»Ich werde im Müllcontainer an der Straßenecke wühlen. Die Abfalleimer im Haus sind alle geleert worden. Dann werde ich die Wäschereien der Umgebung abklappern, um in Erfahrung zu bringen, wer für das Haus hier gearbeitet hat.«

»Gut. Melden Sie sich, wenn Sie Verstärkung brauchen. Ich würde dafür sorgen, dass man Ihnen ein paar Gendarmen an die Seite stellt.«

»Ja, die könnten den Müll sortieren, während ich die Wäschereien aufsuche. Übrigens, die Gendarmerie sollte sich vielleicht mit Jean-Jacques und seinen Leuten in Verbindung setzen.«

»Ich kümmere mich darum. Glauben Sie, der Begleiter dieser Frau ist noch in Ihrer Gegend?«

»Schwer zu sagen«, antwortete Bruno, dem gerade der Gedanke durch den Kopf ging, dass Ausweispapiere zu fälschen unverhältnismäßig riskant war, wenn es nur darum ging, Parolen an eine Burgmauer zu sprühen. »Wir können aber wohl davon ausgehen, dass die beiden mit dem, was sie vorgehabt haben, nicht zu Rande gekommen sind. Wenn ein Anschlag auf die öffentliche Sicherheit geplant war, könnten sie die Eröffnung von Lascaux IV im Visier gehabt haben, auch wenn die erst später im Jahr stattfinden soll.«

»Richtig. Möglich, dass sie auf einer Erkundungsmission waren. Aber warum hätten sie dann mit Graffiti auf sich aufmerksam machen sollen? Zeichnen Sie doch bitte, wenn es Ihnen möglich ist, ein Bewegungsprofil dieser Frau nach. Wann hat sie die *gîte* gebucht, wann den Wagen angemietet und so weiter und so fort. Ich werde die Kollegen in Israel um weitere Informationen über sie ersuchen. Bisher wissen wir noch nicht einmal, wann sie ihr Land verlassen hat und wer mit ihr gereist ist. Sie sagten, diese *gîte* habe vier Schlafzimmer?«

»*Oui, mon commandant.* Alles Zweibettzimmer. Drei Doppelbetten haben allerdings nur ein Kissen, was darauf schließen lässt, dass drei Singles und ein Paar dort übernachtet haben. Der Van, den sie gemietet hat, ist ein Fünfsitzer. Jean-Jacques lässt schon nach ihm suchen. Hoffentlich erfahren wir von den Kriminaltechnikern bald mehr. Bis jetzt kennen wir nur den Namen des palästinensischen Freundes oder Lebensgefährten: Husayni. Wissen Sie schon, dass sie schwanger war?«

»Ja, Jean-Jacques hat mich darauf aufmerksam gemacht. Für die Israelis war die Nachricht neu, wir konnten sie damit überraschen. Der Name Husayni müsste uns weiterhelfen. Geben Sie mir bitte sofort Bescheid, wenn Sie weitere Details über die Frau oder ihre Mitreisenden herausfinden.«

Der Brigadier beendete das Gespräch auf seine gewohnt brüske Art. Amélie blickte von ihrem Smartphone auf, zu dem sie eine geradezu innige Beziehung zu pflegen schien.

»Ich bräuchte wieder einmal Ihren Drucker«, sagte sie.

»Ich bin auf weitere Informationen über diese Wolinsky gestoßen, hauptsächlich Hinweise auf ihre Arbeit als Historikerin, aber auch Texte, in denen sie sich über die Palästinenserpolitik der Israelis auslässt. Sie hat in Nizza ihren Magister in Internationalen Beziehungen gemacht und an der Sorbonne über muslimische Ansiedlungen im Frankreich des achten Jahrhunderts promoviert. Ich habe mir eine Kopie der Arbeit heruntergeladen. Sie sprach offenbar fließend Arabisch.«

»Sie war also tatsächlich Geschichtswissenschaftlerin?«

»Als solche wollte sie auch arbeiten, hat jedoch in Israel keine Anstellung gefunden. Meine Freundin von der Genfer Friedenskonferenz sagt, sie sei sehr verbittert darüber gewesen und habe behauptet, dass man sie wegen ihrer politischen Einstellungen kaltstellen wolle und dass sie deswegen versuche, sich als Archäologin über Wasser zu halten. Und Jenny, die amerikanische Freundin von Leah, will mir einen Artikel zuschicken, den Leah geschrieben hat.«

Bruno brachte Amélie in die *mairie* hinüber und ließ die Sekretärin des Bürgermeisters wissen, dass sie seinen Drucker benutzen dürfe. Daraufhin erkundigte er sich telefonisch bei den Wäschereien der Umgebung, welche von ihnen am vergangenen Montag einen größeren Posten an Handtüchern und Bettwäsche entgegengenommen habe. Nachdem er alle im Telefonbuch gelisteten Adressen in Les Eyzies, Le Bugue und Sarlat angerufen hatte, hatte er schließlich einen Teilnehmer aus Saint-Cyprien in der Leitung, der sich daran erinnerte, dass ein Araber »so um die vierzig« mit einem »sehr gepflegten Französisch« am Montagmorgen vier große Waschmaschinen in Beschlag genommen habe. Ein zweiter Mann, allem Anschein nach ebenfalls arabischer Herkunft, habe ihm beim Tragen geholfen. Und ja, kam die Antwort auf Brunos Frage, weil der Waschsalon bis spät in der Nacht geöffnet sei, habe man eine Überwachungskamera installiert.

Bruno machte sich sofort auf den Weg, holte die Videobänder ab und fuhr gleich weiter nach Périgueux, nicht ohne sich vorher bei Jean-Jacques angemeldet zu haben. Eine Stunde später waren erkennbare Bilder beider Männer kopiert, digitalisiert und an den Brigadier geschickt, der sie seinerseits den Israelis weiterzuleiten versprach. Vorher aber gab er seinem Team den Auftrag, diese Bilder wie auch Leah Wolinskys Foto mit Hilfe des Gesichtserkennungsprogramms mit den Aufzeichnungen zu vergleichen, die am Gare de l'Est gemacht worden waren. Seit den ersten Terroranschlägen in Paris hatte man an fast allen öffentlichen Gebäuden und Verkehrsknotenpunkten in ganz Frankreich Überwachungskameras installieren lassen.

Bruno und Amélie waren gerade in die *mairie* von Saint-Denis zurückgekehrt, als ihnen mitgeteilt wurde, dass Leah auf den Aufzeichnungen am Pariser Bahnhof identifiziert worden sei; eine Überwachungskamera hatte sie eingefangen, als sie gerade die Rolltreppe von der Métro heraufgekommen war. Sie hatte dann ungefähr eine Stunde lang allein in einem Café am Bahnhof gesessen und gelesen, bis sich ein älterer Mann zu ihr gesellte, der mit dem Zug aus Köln gekommen war und auf den Bändern vom Waschsalon wiedererkannt werden konnte. Nach einer herzlichen Begrüßung waren er und Leah Hand in Hand in ein anderes Café an einem großen Platz vor dem Bahnhof gegangen, wo kurze Zeit später der andere Mann zu ihnen stieß, der mit dem ersten im Waschsalon aufgekreuzt war. Er war sehr viel jünger und von Frankfurt gekommen. Nach einer Weile schlossen sich den dreien noch zwei weitere jüngere Männer in Kapuzenshirts an.

Bruno wusste nicht, dass solche Bilder, wenn sie durch ein weltweit vernetztes System aus Datenbanken mit fast einer Million gespeicherter Namen geschickt wurden, einen mächtigen Fahndungsapparat in Bewegung setzten. All diese Namen standen irgendwie in Verbindung zum internationalen Terrorismus, und sei es nur über ein entferntes Familienmitglied, einen Schulkameraden oder Kommilitonen oder aufgrund bestimmter Reisewege, die ins Raster der Algorithmen fielen. In diesen Datenbanken tummelten sich Palästinenser, Syrer, Iraker, Kurden, Türken, Uiguren, Marokkaner, Algerier, Kolumbianer, Tschetschenen, Afghanen, Pakistani, Iren, Sikhs, Bangladeschi, Indonesier und auch ältere Japaner, Deutsche und Italiener aus verschiedenen Rote-Armee-Gruppierungen der siebziger Jahre. Aktuell nahm der Anteil an britischen, französischen, deutschen und amerikanischen Bürgern islamischer Herkunft überproportional zu.

Der Brigadier setzte sich als Erstes mit seinen deutschen Kollegen vom Bundesnachrichtendienst in Verbindung und bat sie um Auskünfte über die Männer, die Leah Wolinsky begleitet hatten. Das Team des Brigadiers gab die Fotos routinemäßig an verschiedene Einrichtungen wie das französische Terrorismusabwehrzentrum, Europol, das Intelligence Analysis Center der Europäischen Union und das Brüsseler Büro des EU-Koordinators für Terrorismusbekämpfung weiter. Kopien gingen auch an das britische National Counter-Terrorism Security Office, mit dem die Franzosen eng zusammenarbeiteten, sowie an das Global Counterterrorism Forum und das National Counterterrorism Center der Vereinigten Staaten und schließlich auch an den Verbindungsoffizier von Schin Bet in der israelischen Botschaft in Paris.

Ein einzelner Dienst konnte die Informationsflut und die Hunderttausende von Datensätzen, die die Computer Stunde für Stunde registrierten, unmöglich im Alleingang bewältigen. Das schafften nicht einmal die dreitausend Beschäftigten des britischen Geheimdienstes MI5 und die fünfunddreißigtausend des FBI, geschweige denn die eher unterbesetzten Koordinationsstellen der EU. Zu diesem Zweck waren Algorithmen entwickelt worden, die aus der unüberschaubaren Masse signifikante Einzeldaten herauszufiltern vermochten. Erst wenn klare Verdachtsmomente vorlagen, traten einige wenige Sonderbeauftragte in Aktion.

Eine von ihnen war eine Pariserin mit legendärem Ruf, die schon den *Renseignements Généraux* gedient hatte und ein außergewöhnliches Talent bewies, wenn es darum ging, Gesichter wiederzuerkennen, und sei es nur anhand der Gestalt einer Ohrmuschel oder der Linie eines Kiefers. In Tel Aviv lebte ein Jude fortgeschrittenen Alters, der in Polen geboren und noch als Säugling über ein Flüchtlingslager auf Zypern nach Israel gekommen war und ein fotografisches Gedächtnis für Araber mit terroristischen Verbindungen besaß. Eine in London wohnhafte Chinesin, die früher für die Kriminalpolizei in Hongkong gearbeitet hatte, konnte Personen anhand von Gesten und Gehbewegungen identifizieren. Zwei

Brüder aus dem oberbayerischen Pullach, ehemalige Mitglieder der ostdeutschen Stasi, verfügten über frappierende Fähigkeiten der Gesichts- und visuellen Mustererkennung, was sie befähigte, Verbindungen zwischen Verdachtspersonen aufzuspüren. Experten wie diese unterhielten ein eigenes informelles, in Jahren der Zusammenarbeit erprobtes und auf Konferenzen zum Thema Terrorismusabwehr stetig erweitertes Netzwerk.

Es war der Israeli, der den älteren Mann, mit dem sich Leah an der Gare de l'Est getroffen hatte, als Saïd al-Husayni identifizieren konnte und zu berichten wusste, dass dieser Mitglied einer einflussreichen alteingesessenen Jerusalemer Familie war, in Spanien studiert hatte und nun der Historischen Fakultät der Universität Bir Zait nördlich von Ramallah im Westjordanland angehörte. Die Universität, die die israelische Besatzungsbehörde vor dem Oslo-Abkommen jahrelang geschlossen gehalten hatte, stand unter strenger Aufsicht durch die Israelis. In den Unterlagen wies nichts darauf hin, dass Husayni Kontakte zu radikalen Kräften unterhielt; bekannt war allerdings, dass er im Vorjahr mit Leah in Ramallah zusammengewohnt hatte und dass Leah als Aktivistin der Friedensbewegung Schalom Achschaw unter Beobachtung stand.

Wie zum Hohn auf alle Computeralgorithmen und geheimdienstlichen Möglichkeiten moderner Staaten vollzog sich jedoch der eigentliche Durchbruch in Brunos Büro in der *mairie* von Saint-Denis. Amélie fand, so fleißig sie auch auf ihrem Smartphone herumwischte, in keinem der gängigen Kanäle irgendeinen Hinweis auf Marie Dubois.

»Haben Sie's auch schon in den Patientenakten der

Krankenhäuser oder der Kundenkartei von Apotheken versucht?«, fragte Bruno, als er das Videoband der Überwachungskamera an der Poststelle abgegeben hatte und zurück in sein Büro kam. »Wenn sie Französin ist, wird sie eine *carte vitale* haben.« Er trug seine kleine grüne Krankenversichertenkarte immer im Portemonnaie bei sich.

»Ich versuch's, aber wenn sie nicht mal einen Personalausweis hat ...« Amélie seufzte, machte sich aber wieder mit ihrem Smartphone an die Arbeit. Minuten später blickte sie auf und sagte: »Ich hab was. Eine Marie Dubois scheint sich in der Pariser Psychiatrie Pitié-Salpêtrière aufzuhalten.« Sie hatte die Datenbank des Gesundheitsministeriums angezapft, die zwar noch im Aufbau begriffen war, aber weil Marie Dubois offenbar als Fallbeispiel einer Untersuchung des Ministeriums über Kosten und Ursachen von Langzeitbehandlungen geführt wurde, hatten sich ihre Daten finden lassen. Seit nicht weniger als sechs Jahren war sie Patientin im Hôpital, der wohl größten psychiatrischen Anstalt Europas.

»Und unsere Leah Wolinsky wurde vor zwei Jahren im selben Krankenhaus behandelt, wenn auch nur für kurze Zeit, aber vom selben Facharzt, der ihr eine schwere Depression attestiert hat, als sie in der Endphase ihrer Promotion war«, fügte Amélie hinzu. »Sie könnte Maries Ausweis gestohlen haben, nicht wahr? Vielleicht hat sie behauptet, ihren Ausweis verloren zu haben, und einen neuen in Maries Namen beantragt.«

Unverzüglich setzte Bruno den Brigadier darüber in Kenntnis und nahm an seinem Schreibtisch Platz, um zu lesen, was Amélie an Leahs wissenschaftlichen Arbeiten zusammengestellt und ausgedruckt hatte. Ihre Doktorarbeit beschäftigte sich mit der arabischen Okkupation Südfrankreichs nach der muslimischen Invasion Spaniens im Jahr 711. Innerhalb von fünf Jahren hatten die Eroberer das Reich der Westgoten zerschlagen und waren über die Pyrenäen hinweg weiter bis in die südgallische römische Provinz Septimanien vorgedrungen. Bruno richtete sich auf, überrascht zu erfahren, dass sie von ihrem Hauptstützpunkt in der alten römischen Stadt Narbonne aus vierzig Jahre lang einen Großteil Südfrankreichs beherrscht hatten.

»Ich hatte keine Ahnung, dass sie so lange in Frankreich waren«, murmelte Bruno wie zu sich selbst.

»War mir auch neu«, sagte Amélie. »Sind Sie schon an der Stelle, wo von den arabischen Wörtern die Rede ist, die in die französische Sprache eingegangen sind? Ich wusste nicht, dass unser *chemise* auf das arabische *qamisa* zurückgeht. Oder dass die Stadt Le Bugue aus *al-buca* hervorgegangen ist, was so viel wie Station oder Militärposten bedeutet.«

Bruno blätterte durch die Seiten und stieß im Anhang auf einen Abschnitt, der mit »Danksagungen« überschrieben war. Darin hieß es: »Für ihre Unterstützung und sachdienlichen Kommentare zu einem frühen Entwurf dieser Arbeit bedanke ich mich bei Saïd al-Husayni, einem Kenner der Geschichte von Al-Andaluz, und bei dem französischen Mediävisten Auguste Dumesnil.«

Dumesnil war der Mann, der nach den Regeln der Benediktiner lebte und mit Horst bekannt war. Bruno erinnerte sich, dass er in der Nähe von Sarlat wohnte, fand seine Nummer im Telefonbuch, rief an und fragte, ob er bestätigen könne, dass Leah Wolinsky, die vor kurzem tot aufgefundene Frau, eine Studentin von ihm gewesen sei.

»Was, Leah ist tot?«, kam die erschrockene Antwort. »Aber ich habe sie doch erst letzte Woche gesehen, und da war sie bei bester Gesundheit. Meine Studentin war sie übrigens nicht, nicht im strengen Sinne.«

»Wann genau haben Sie sie gesehen?«, hakte Bruno nach.

»Lassen Sie mich nachdenken ... Freitagnachmittag, da habe ich keine Seminare. Sie kam und stellte mir Saïd Husayni vor. Es war mir eine Freude, ihn persönlich kennenzulernen. Seine Arbeit über die maurische Epoche Spaniens und seine Monographie über Avicenna schätze ich außerordentlich. Er spricht ein ausgezeichnetes Französisch. Aber was ist mit Leah passiert? Hatte sie einen Unfall?«

»Sie ist zu Tode gestürzt, von der Turmmauer von Commarque.«

»Was? Als sie kam, haben wir uns über Commarque unterhalten und über die anstehenden Grabungsarbeiten, von denen ich mir viel verspreche. Und natürlich war auch von Iftikhars Testament die Rede, um das seit neuestem so viel Wirbel gemacht wird. Ich halte das für baren Unsinn, aber Leah schien sehr angetan davon zu sein. Sind Sie sicher, dass es sich bei der Toten um Leah handelt? *Mon Dieu*, Commarque ... Wir sind uns doch da begegnet, nicht wahr?«

»Ja. Es war ein Fehler von mir, dass ich Ihnen nicht sofort das Foto gezeigt habe, das ich von der Toten gemacht hatte«, erwiderte Bruno. »Und ich hätte Sie auch gleich auf das aufmerksam machen sollen, was Leah auf die Turmmauer gesprüht hat – ehe sie abgestürzt ist. Vielleicht wäre Ihnen sofort aufgefallen, dass mit den Buchstaben I-F-T-I der Name

Iftikhar gemeint war. Aber da wusste ich ja noch nicht, dass Sie sich gekannt haben. Darauf hat mich erst die Erwähnung Ihres Namens in Leahs Doktorarbeit gebracht. Da Sie der Einzige in unserer Region sind, der sie persönlich kannte, würde ich Sie gern bitten, mich in die Rechtsmedizin von Bergerac zu begleiten und ihren Leichnam zu identifizieren. Ich würde Sie abholen.«

Dumesnil schien es vor Schreck die Sprache verschlagen zu haben, denn es blieb eine ganze Weile still in der Leitung. Schließlich erklärte er sich einverstanden, und sie verabredeten sich für sieben Uhr am Abend im Anschluss an seine Probe. Er übte mit dem Domchor gregorianische Choräle ein. Bruno beendete das Gespräch und meldete sich bei Jean-Jacques, um Bericht zu erstatten.

Dann wandte er sich wieder an Amélie und sagte: »Ich bin um sieben in Sarlat mit dem Wissenschaftler verabredet, der Leah gekannt hat. Wir hätten dann eigentlich Feierabend, aber wenn Sie mitkommen wollen, sind Sie herzlich eingeladen. Sie erinnern sich, wir sind ihm bereits auf der Anfahrt zum Château de Commarque begegnet. Es scheint, dass er sich nicht nur auf die Templer versteht. Er unterrichtet auch gregorianischen Gesang.«

Amélie verzog das Gesicht. Er wusste nicht zu unterscheiden, ob sie irritiert oder überrascht war.

»Gregorianischen Gesang? In Sarlat?« Sie stockte, setzte eine ernste Miene auf und sagte: »Ja, das lasse ich mir nicht entgehen. Ich habe übrigens die Telefonnummer von Leahs amerikanischer Freundin in Erfahrung gebracht. Sie ist ebenfalls Historikerin und hält sich zurzeit zu Forschungszwecken am *Musée des Archives nationales* in Paris auf, wo sie an einem Buch über Paris im Zweiten Weltkrieg arbeitet.«

Bruno wählte die genannte Nummer, worauf sich Jenny Shindler meldete, die gerade in dem kleinen Park vor dem Museum in der Rue des Francs-Bourgeois auf einer Bank saß und ein Sandwich verzehrte. Offenbar überraschte sie sein Anruf so sehr, dass ihr der Bissen im Hals stecken zu bleiben drohte. Er erklärte ihr auf Englisch, dass er im Todesfall ihrer Freundin Leah ermittelte.

»Davon habe ich in den sozialen Medien erfahren«, antwortete sie in fließendem Französisch. »Ein Kletterunfall in einer mittelalterlichen Burganlage, hieß es. Das passt gar nicht zu Leah. Warum rufen Sie mich an? So nah standen wir uns nicht, und nach der letzten Begegnung sind wir im Streit auseinandergegangen.«

»Die Todesumstände werfen Fragen auf. Sicher ist, dass jemand bei ihr war, als sie gestorben ist, sie tot zurückgelassen und das Kletterseil sowie eine Spraydose mitgenommen hat«, erklärte er. »Ich habe gehofft, durch Sie etwas über ihre Reisegefährten erfahren zu können.«

»Ich wusste nicht einmal, dass sie sich in Frankreich aufgehalten hat. Sie hat einige Zeit mit einem arabischen Professor namens Saïd Husayni zusammengelebt, und ich weiß, dass sie eine Familie gründen wollten. Keine Ahnung, wer sonst in ihrer Begleitung gewesen sein könnte. Vielleicht jemand aus seiner Familie. Wo genau ist sie ums Leben gekommen?«

Bruno beschrieb ihr die Lage von Commarque, erwähnte kurz die Kreuzfahrer- und Tempelritter-Vergangenheit der Burganlage und nannte die Buchstaben, die Leah an die Mauer gesprüht hatte.

»Oh nein!«, platzte es aus der Amerikanerin heraus. »War sie immer noch auf diesem albernen Trip? Darum ging's bei unserem Streit vor ein paar Wochen. Sie hatte einen Artikel über das sogenannte Testament von Iftikhar geschrieben und wollte, dass ich ihn ins Englische übersetze. Der sollte dann in der amerikanischen Presse oder zumindest in den sozialen Medien publik gemacht werden. Ich war dagegen und habe ihr gesagt, dass das nur eine Ablenkung von den eigentlichen Problemen unserer Tage sein würde. Sie hat sehr ungehalten darauf reagiert.«

»Haben Sie diesen Artikel noch?«, fragte Bruno und versuchte, seiner Stimme nicht anmerken zu lassen, wie sehr ihn die Nachricht erregte.

»Ich habe ihn nie bekommen, denn in meiner Antwort auf ihre Mail habe ich ihr klipp und klar gesagt, dass ich einen solchen Blödsinn nicht übersetze. Ich glaube auch nicht, dass irgendein anderer von Schalom Achschaw Interesse daran hatte. Wir konzentrieren uns auf das, was heute passiert, nicht auf tausend Jahre zurückliegende Ereignisse. Ihre Mail müsste ich noch haben.«

»Könnten Sie die bitte an mich weiterleiten?«, bat Bruno und nannte ihr seine E-Mail-Adresse.

»Kein Problem. Wenn Sie einen Moment Zeit hätten – ich muss mich nur eben in den Hotspot einwählen. Übrigens habe ich mich mit Leah bis zu unserem Krach wegen der Jerusalem-Geschichte gut verstanden … So, die Mail ist auf dem Weg zu Ihnen.«

»Haben Sie auch Fotos von Leah, die Sie mir schicken könnten? Oder von ihrem Freund Husayni?«

»Ja, eins von Leah und mir, aufgenommen, als sie mich

in den Staaten besucht hat. Das schicke ich Ihnen. Weitere Fotos finden Sie auf ihrer Facebook-Seite, von der sie viel Gebrauch gemacht hat. Halten Sie es für möglich, dass dieser Kletterunfall gar kein Unfall war?«

»Vielleicht können Sie uns helfen herauszufinden, was wirklich passiert ist«, antwortete er, als sein Computer den Eingang einer E-Mail meldete. Er vergewisserte sich, dass es die von Jenny Shindler war, druckte den Anhang aus und bestätigte ihr den Eingang mit dem Versprechen, sich bei Gelegenheit wieder zu melden, und wünschte ihr viel Erfolg bei Ihrem Buchprojekt.

Liebe Jenny, las er. Leah hatte auf Französisch geschrieben.

Es ist schrecklich, was hier passiert, und ich mache mir große Sorgen. Schalom Achschaw hängt in den Seilen. Viele unserer alten Mitkämpfer geben entmutigt auf, und es scheint, dass der akademische Streit um Jerusalem in eine neue Phase eingetreten ist. Ich wiederhole mich: Israelische und arabische Forscher geraten wie Schulkinder aneinander, wenn es um die Frage geht, wer Jerusalem gegründet hat und ob diese Gründung wirklich von signifikanter Bedeutung für den frühen Islam ist. Ich kann es nicht beweisen, bin mir aber ziemlich sicher, dass an dem verschollenen Dokument, von dem wir nur aus zweiter und dritter Hand Kenntnis haben, einiges getrickst worden ist. Darauf aufmerksam machen wollten Mitstreiter von uns, die dieses Graffito (s. u.) an die Mauer einer Burg hier bei uns in der Nähe gesprüht haben, die eine Zeit-

lang Kreuzfahrern und Tempelrittern gehörte. Fotos wurden an zahlreiche Presseagenturen auf der ganzen Welt geschickt, aber bislang scheint sich niemand dafür zu interessieren. Vielleicht könntest du ein Wort für uns in den Staaten einlegen? Ich versuche es in Frankreich.

Hier ein paar Informationen, die dir weiterhelfen könnten. Proisraelische Wissenschaftler (siehe auch meinen Link auf den Artikel im Middle East Quarterly*) legen die Vermutung nahe, dass Jerusalem erst in dem Moment für die Araber wichtig wurde, als die Stadt politische Bedeutung erhielt. Sie wird im Koran schließlich an keiner Stelle erwähnt. Im Tanach hingegen gibt es rund siebenhundert Hinweise auf Jerusalem. Der Felsendom auf dem Tempelberg wurde von einem Umayyaden-Kalifen um 690 errichtet, und zwar zu einer Zeit, da in Mekka, dem heiligsten Zentrum des Islam, die Feinde der Umayyaden, nämlich die Zubairiten, ihr Gegenkalifat ausgerufen hatten. Die Gründung Jerusalems war eine Antwort darauf, und damit es von gleichem Rang wie Mekka sein konnte, wurde enorm viel Geld für den Ausbau aufgewendet. In der Koransure 17 Vers 1 findest du die Stelle, in der von Mohammeds folgenreicher Nachtreise die Rede ist:*

›Gepriesen sei Der, Der bei Nacht Seinen Diener von der heiligen Moschee zu der fernen Moschee, deren Umgebung Wir gesegnet haben, hinführte.‹

Ob damit wirklich der Jerusalemer Felsendom beziehungsweise die kurze Zeit später errichtete al-Aqsa-Moschee gemeint ist, sei dahingestellt und ist eher fraglich, weil es zu Mohammeds Lebzeiten in

Jerusalem keine Moschee gegeben hat. Jedenfalls hat der Umayyaden-Kalif Dom und Moschee im Namen Mohammeds bauen lassen. Als seine Dynastie 750 die Macht verlor und das Zentrum des Kalifats unter der Abassiden-Dynastie nach Bagdad verlegt wurde, geriet Jerusalem wieder in Vergessenheit – bis 1099, als die ersten Kreuzfahrer die Stadt eroberten.

Iftikhar al-Daula war zu dieser Zeit Gouverneur Jerusalems. Er zog sich in die Zitadelle zurück und konnte in Verhandlungen mit den Eroberern für sich und seine Familie freies Geleit erwirken. Die Bewohner der Stadt aber, ob Juden, Muslime oder Christen, wurden samt und sonders getötet. Die Brutalität der Kreuzfahrer war extrem. Ein Mönch aus ihren Reihen berichtete, dass die Pferde bis zu den Fesselgelenken durch Blut wateten. Umso erstaunlicher ist, dass die Eroberer den besiegten Gouverneur und sein Gefolge abziehen ließen. Geldzahlungen können nicht der Grund gewesen sein, weil die Kreuzfahrer ohnehin alle Schätze an sich gerafft haben werden. Er muss ihnen also irgendetwas anderes, sehr Spezielles, als Tauschpfand angeboten haben.

Die Vereinbarungen zwischen Iftikhar und den Kreuzfahrern wurde in dem vielbeschworenen Testament Iftikhars schriftlich fixiert und von Balduin, dem ersten König Jerusalems, den Tempelrittern zur Aufbewahrung anvertraut. Iftikhar soll bestätigt haben, dass die Stadt für den Islam ohne Bedeutung und die gegenteilige Behauptung eine Erfindung der Umayyaden sei, die damit ihre religiöse und politische

Herrschaft zu legitimieren versuchten. Das Testament verschwand, und es war, als habe es nie existiert.

Du kannst dir vielleicht vorstellen, welche Wellen es schlagen würde, wenn es wieder auftauchte. Was, wie ich glaube, demnächst der Fall sein wird, aber nicht in Form des Originals, sondern als sehr sorgfältig und professionell hergestellte Fälschung. Darum die Warnung an der Ruinenmauer in Nordisrael, und ich finde, auch in Europa und den Vereinigten Staaten sollten aufrichtig gesinnte Historiker Alarm schlagen. Ich möchte dich bitten, diesen Brief unter den dir bekannten Mittelalterforschern herumzureichen.

Du kennst meine Ansichten. Ich bin entschieden für eine Zwei-Staaten-Lösung mit Jerusalem als gemeinsamer Hauptstadt. Die Altstadt sollte unter internationaler Kontrolle stehen und offen sein für Anhänger jeder Konfession, auch für Buddhisten oder Konfuzianer. Ich weiß von jüdischen Extremisten, die unsere Bewegung als Verrat an Israel bezeichnen. Sie irren. Ich liebe Israel und bin überzeugt, dass es nur dann eine Zukunft hat, wenn mit unseren palästinensischen Nachbarn Frieden geschlossen wird. Sonst, fürchte ich, werden wir alle verschwinden, so wie das alte Königreich der Kreuzfahrer. Ich werde alles tun, damit es dazu nicht kommt.

Schalom, Leah

Bruno scrollte auf seinem Bildschirm noch einmal zum letzten Absatz zurück und sah dann zu Amélie, die den Ausdruck in den Händen hielt. »Interessant. Leah könnte im Hinblick darauf recht haben, welche politischen Folgen ein Auftauchen des Testaments heraufbeschwören könnte.«

Amélie pflichtete ihm bei. »Aber was ist mit den Männern, die mit ihr in der *gîte* waren? Wollten sie ebenfalls davor warnen? Oder hatten sie etwas anderes vor?«

»Wir wissen, dass Leah nicht allein war, als sie stürzte«, antwortete Bruno. »Aber wer sollte ein Interesse daran gehabt haben, sie an ihrem Vorhaben zu hindern?« Er stockte. »Ich sollte das hier an Jean-Jacques und den Brigadier weiterleiten, bevor wir diesen Historiker in Sarlat aufsuchen.«

»Dumesnil?« Ihre Stimme klang schroff und ließ Bruno verwundert aufblicken.

»Kennen Sie ihn?«

»Nein, entschuldigen Sie.« Sie wandte sich ab und ordnete die Unterlagen. »Wann fahren wir los?«

Er wollte eine Antwort auf seine Frage. »Sind Sie ihm schon einmal begegnet, vielleicht in einem anderen Zusammenhang?«

»Es geht um etwas anderes. Diese E-Mail von Leah macht mir zu schaffen. Sie klingt wie eine Stimme aus dem Jenseits.« Sie steckte die Papiere in ihre Tasche, hob den Blick und schaute ihn herausfordernd an.

Bruno war sich sicher, dass Amélie ihm etwas vorenthielt. Was ihn daran erinnerte, dass er seine Kollegen in Sarlat höflichkeitshalber anrufen sollte, um ihnen mitzuteilen, dass er in ihrem Revier Nachforschungen anzustellen gedachte. Er schickte Leahs E-Mail an Jean-Jacques und den Brigadier und erklärte in seinem Anschreiben kurz, wie er dran gekommen war.

16

Bruno fühlte sich mit der alten Stadt Sarlat tief verbunden, die er zu jenen magischen Orten wie der Notre-Dame in Paris, dem Mont Saint-Michel oder dem Schlachtfeld von Verdun zählte, an denen die französische Geschichte unmittelbar und klar in Erscheinung trat. Was ihn für Sarlat einnahm, war nicht nur der Umstand, dass sich dessen Kern seit dem frühen 17. Jahrhundert kaum verändert hatte. Die engen Straßen, verwinkelten Gassen und uralten Steinfassaden mit ihren Renaissancefenstern ließen ihn immer an d'Artagnan und seine Musketiere mit ihren federbuschgeschmückten Hüten und Degen denken. Und wenn er am Haus der Familie de La Boëtie vorbeikam, sah er sich daran erinnert, dass einst Michel de Montaigne über dieselben Pflastersteine gegangen war, um seinen Freund Étienne zu besuchen, der seine unsterblichen Essays so nachhaltig inspiriert hatte.

Mindestens ebenso fasziniert war Bruno von der Abteikirche, die bis in die Zeit Karls des Großen zurückreichte, von den mittelalterlichen Grabsteinen in der Stadtmauer und der eigentümlich kegelförmigen Lanterne des Morts, die zu Ehren des Zisterziensermönchs Bernard de Clairvaux errichtet worden war, der zusammen mit Hugues de Payns die Ordensregeln für die Tempelritter niedergeschrieben und erfolgreich am Zustandekommen des Zweiten Kreuzzugs gewirkt hatte. An der Mauer der Totenlaterne waren, wie sich Bruno erinnerte, ein Pferd und zwei Kreuze abgebildet, die das traditionelle Zeichen der Templer darstellten. Seltsam, dachte Bruno, wie ihn dieses Thema nun immer wieder einholte.

»Ich kenne die Stadt«, sagte Amélie, als Bruno ihr anbot, sie vor ihrer Verabredung mit Dumesnil kurz durch das Zentrum zu führen. »Wie gesagt, ich war schon mal hier.«

Schade, dass Sie sich so wenig haben beeindrucken lassen, dachte Bruno und musterte sie neugierig. Er hatte sich an ihre heitere Seite gewöhnt und großen Respekt für ihren hochprofessionellen, erfindungsreichen Umgang mit Computern, sozialen Netzwerken und Internetrecherchen entwickelt. Wenn sie etwas störte, nannte sie es beim Namen, wenn nicht, war der Anflug von Gereiztheit schnell passé.

Er schlug einen kleinen Umweg über die Kathedrale ein in der Hoffnung, dass der Chor immer noch probte, und tatsächlich schallte ihnen, als sie die Stufen hinaufgingen, ein gregorianischer Choral entgegen, der so wunderbar in dieses geschichtsträchtige Ambiente passte, dass sie unwillkürlich hinten im Kirchenschiff stehen blieben, ganz ergriffen von der jahrhundertealten, wahrlich geistlichen Musik. Nach einer Weile reckte Amélie den Hals, warf einen Blick auf den Chor und trat dann einen Schritt zur Seite, um besser sehen zu können. Es schien, als suchte sie nach jemandem. Plötzlich biss sie sich auf die Unterlippe, holte ihr Smartphone aus der Tasche und verschwand nach draußen.

Bruno schlich zum Portal zurück, das einen Spaltbreit offen geblieben war, und hörte sie fragen: »Ist sie da?« Und nach einer längeren Pause sagte sie: »Du siehst ihr beim Basketballspiel zu? Sie gewinnt? Grüß sie herzlich von mir.«

Bruno kehrte schnell ins Kircheninnere zurück, als Amélie ihr Telefon in ihre Handtasche zurückgleiten ließ. Seite an Seite standen sie da und lauschten dem Gesang. Etwas überrascht stellte Bruno fest, dass eine Frau die Chorleitung hatte. Als die Probe beendet war, bedankte sie sich bei den Sängerinnen und Sängern, die noch eine Weile brauchten, um ihre Noten und Mäntel einzusammeln. Als Bruno auf sie zuging und fragte, ob Dumesnil noch da sei, zuckte sie nur mit den Schultern und sagte, dass er nicht gekommen sei.

Dumesnil wohnte in der Rue des Consuls in einem alten Gebäude, dessen Eingangstor offen stand. Bruno, der wusste, dass Dumesnils Appartement im ersten Obergeschoss lag, machte Licht und ging Amélie voran schnell die gewendelte Steintreppe hinauf. Er klopfte an die Wohnungstür, vergeblich. Eine Klingel gab es nicht. Als Amélie auf die Klinke drückte, ging die Tür sofort auf. Aus dem Inneren der Wohnung tönte leise ein gregorianischer Choral. Bruno rief Dumesnils Namen, erhielt aber keine Antwort. Als er den Kopf zur Tür hineinsteckte, sah er einen umgekippten Stuhl im Korridor und Bücher, die auf dem Boden lagen.

»Polizei!«, rief er laut, forderte Amélie auf, sich nicht vom Fleck zu rühren, und betrat die Wohnung. Er machte einen Lichtschalter ausfindig, der aber nicht zu funktionieren schien. Dem Geruch nach, den er wahrnahm, war in der Küche etwas angebrannt, nicht nur Essen, sondern auch Haare, wie es schien.

Er öffnete jede Tür, an der er vorbeikam, doch überall war es dunkel. Nur an einer Stelle drang durch den Spalt einer zweiflügeligen Tür ein schwacher Lichtschein. Bruno öffnete sie und sah auf einem Tischleuchter Kerzen flackern. Auch hier lagen Bücher verstreut auf dem Boden, Möbelstücke waren umgestoßen worden. Was aber Bruno nicht von dem plötzlichen Gefühl abbringen konnte, in ein vergangenes Jahrhundert hinübergewechselt zu sein. Da, wo keine Bücherregale die Wände verstellten, hingen alte Wandteppiche. Den Boden bedeckten Holzdielen, die sehr breit und von Generationen von Füßen durchgetreten und blank poliert waren.

Vor einem der Wandteppiche stand auf einem Sockel eine lebensgroße Madonna aus Holz, die eine Hand segnend erhoben hatte und auf einen von zwei Kerzenhaltern flankierten Betstuhl herabblickte. Bruno nahm die Kerzen, zündete sie an dem flackernden Kerzenstummel des Tischleuchters an, stellte die eine zurück und nahm die andere als Lichtquelle mit. Der Gesang kam durch einen gemauerten Bogengang, der zu einer eisenbeschlagenen Tür führte, die nur angelehnt war. Der Geruch von Verbranntem wurde stärker, als Bruno sie aufstieß und noch einmal laut »Polizei!« rief.

Was er sah, schien direkt der Hölle entsprungen. Eine nackte, geknebelte Gestalt saß, die Hände auf dem Rücken gefesselt, vornübergebeugt und den Kopf auf die Brust gesunken, auf einem Holzstuhl. Die Stirn berührte fast die hochgezogenen Knie, was sich Bruno erst erklären konnte, als er sah, dass die geflochtene Sitzfläche gerissen und das Gesäß hindurchgerutscht war. Darunter befand sich eine abgebrannte Kerze. Dumesnil musste schrecklich gelitten haben.

Bruno legte ihm die Fingerspitzen an die Halsschlagader,

spürte aber keinen Puls. Trotzdem zerschnitt er mit seinem Taschenmesser das Tuch, mit dem der Gefolterte geknebelt worden war. Im Mund steckte etwas. Bruno zog eine feuchte Socke daraus hervor. Dann hielt er seine Armbanduhr unter die Nase des Mannes und sah das Glas beschlagen. Der arme Kerl atmete noch.

»Rufen Sie einen Rettungswagen, schnell!«, rief er Amélie zu, die ihm, wie er erst jetzt bemerkte, trotz seiner Anweisung gefolgt war und im Türrahmen stand, die Hand vor dem Mund und die Augen voller Entsetzen geweitet.

Er eilte auf sie zu, drängte sie hinaus und rief per Handy die *urgences,* denen er seinen Namen sowie Dumesnils Adresse nannte und sagte, das Opfer habe schwere Verbrennungen, lebe aber noch. Fabiola, die er auf ihrem Mobiltelefon erreichte, schilderte er Dumesnils Verletzungen und fragte, was er tun solle, bis die Rettung einträfe.

»Es sind Verbrennungen dritten Grades, und es sieht so aus, als wären an gewissen Stellen Haut und Muskeln regelrecht verkohlt«, ergänzte er auf Fabiolas Nachfrage.

»Du solltest ihn möglichst von allem, was ihn beim Atmen behindern könnte, wie etwa zu enger Kleidung, befreien. Dann löst du vorsichtig alle Textilreste von der Brandwunde, deckst sie mit einem kühlen, feuchten Tuch ab und lagerst den Verletzten so, dass das Herz höher ist als die verbrannte Stelle«, antwortete sie. »Wenn nötig, versuchst du es mit Mund-zu-Mund-Beatmung. Wo genau sind die Verbrennungen?«

»Am Gesäß und im Genitalbereich. Er ist offenbar gefoltert worden.«

»*Mon Dieu.* Schau bloß, dass er nicht zu atmen aufhört.

Ich rufe bei der Notaufnahme an, damit sie wissen, was sie erwartet und damit sie einen Experten für Brandwunden dazurufen können.«

Bruno kehrte ins Zimmer zurück, zertrat die Quersprossen des Stuhls und entfernte die hölzernen Beine. Nur so konnte er den Mann befreien. Erst als er Hinterteil und Oberschenkel aus dem Sitzrahmen gezogen hatte, sah er das schreckliche Ausmaß der Verbrennungen.

»Suchen Sie in der Küche oder im Badezimmer nach einem sauberen Tuch und befeuchten Sie es«, rief er Amélie zu, die diesmal aufs Wort gehorchte. Bruno legte Dumesnils Oberkörper mit dem Gesicht nach unten auf eine Couch und platzierte die Knie auf dem Boden, so dass sich das Herz in höherer Lage befand als die Brandwunde.

»Danke«, sagte Bruno, als Amélie ihm ein feuchtes Tuch reichte, das er über die verbrannte Haut legte. »Wenn Sie jetzt so freundlich wären, seinen Kopf zur Seite zu drehen ...«

Während sie seiner Bitte nachkam, sagte sie: »Jemand hat sich über den Küchenboden erbrochen.« Bruno ignorierte sie und beatmete den Verletzten, den er zu diesem Zweck etwas umdrehte, von Mund zu Mund. Es dauerte lange, bis dieser ein schwaches Röcheln vernehmen ließ und schließlich zu husten anfing, während draußen auf der Treppe schwere Schritte laut wurden. »*Urgences*«, meldete eine Männerstimme.

»Sehen Sie bitte zu, dass der Kopf oben bleibt«, sagte Bruno und eilte zur Wohnungstür, wo er den Sanitätern erklärte, in welchem Zustand er den Verletzten vorgefunden und was er als Erste Hilfe unternommen hatte.

»Sie haben genau das Richtige getan«, erwiderte der eine.

Er warf einen Blick auf das Opfer, holte eine Sauerstoffflasche mit Atemmaske aus seinem Koffer und machte mit einer großen Taschenlampe Licht. Gemeinsam mit seinem Kollegen setzte er Dumesnil die Maske auf und maß seinen Blutdruck, bevor die beiden ihn bäuchlings auf die mitgebrachte Trage legten, festgurteten und hinaustrugen. Bruno folgte ihnen zum Krankenwagen, half beim Einladen und gab den Sanitätern seine Handynummer mit der Bitte, ihn über den Zustand des Verletzten auf dem Laufenden zu halten.

Er ging zurück nach oben in die Wohnung und fand im Korridor den Sicherungskasten, öffnete ihn und richtete den Strahl seiner Taschenlampe hinein. Die orangefarbene Hauptsicherung war ausgeschaltet. Wieso waren die gregorianischen Gesänge zu hören, und woher kamen sie? Er schaltete die Sicherung ein, worauf es in einem der Nebenzimmer hell wurde. Auch im Korridor ging das Licht an, als er den Schalter drückte.

»Amélie?«, rief er. »Woher kommt die Musik?«

»Von hier«, antwortete sie aus einem Raum, der wie eine Klosterzelle eingerichtet und bis auf die unverputzte und aus rohen Steinen gemauerte Außenwand ganz weiß getüncht war. In einer Ecke stand ein eisernes Gitterbett, auf dem die dünnste Matratze lag, die Bruno je gesehen hatte. Darüber hing eine allem Anschein nach antike Ikone mit einem stilisierten Frauenkopf, den ein goldener Heiligenschein umgab. Zuerst glaubte Bruno, auf einem weißen Teppich zu stehen, bis er feststellte, dass der Boden mit Manuskriptseiten übersät war. Sie schienen in einer Vitrine aufbewahrt worden zu sein, die jetzt leer war. Darauf stand ein kleiner

Kassettenrekorder der Art, wie ihn Philippe Delaron für seine Interviews benutzte. Daraus spielte die Musik.

»Batteriebetrieben«, sagte Amélie, die seinem Blick gefolgt war. Sie stand neben einem kleinen Tisch, der Dumesnil offenbar als Schreibtisch gedient hatte. Neben einem Füllfederhalter lag ein dünner Stoß Schreibpapier, offenbar handgeschöpft, denn es sah aus wie dasjenige, das in den restaurierten Papiermühlen von Couze-et-Saint-Front hergestellt wurde.

»Er hat einen Brief geschrieben an einen Professor der Sorbonne, in dem es um das Testament Iftikhars geht«, sagte sie und zeigte auf eine Seite, die zur Hälfte sauber und ordentlich beschrieben war. »Berührt habe ich natürlich nichts.«

Bruno nickte. Er warf einen Blick in die Küche und stellte einen Stuhl über das Erbrochene, um zu verhindern, dass jemand aus Versehen hineintrat. Dann zog er sein Handy aus der Tasche und informierte Jean-Jacques, der ihn anwies, bis zu seinem Eintreffen in der Wohnung zu bleiben.

»Wir müssen auf Jean-Jacques warten, der in frühestens einer halben Stunde hier ist«, erklärte er Amélie. »Unser Abendessen wird sich entsprechend nach hinten verschieben.«

»Mir ist sowieso der Appetit vergangen. Wie grausam, einem Menschen so etwas anzutun. Ich werde hier mit Ihnen warten.«

Bruno nickte und dachte, dass ihr auch nichts anderes übrigblieb. Er holte sein Handy wieder hervor, rief das Kommissariat in Sarlat an und erstattete Bericht, erleichtert darüber, dass er die Kollegen vorab von seinem Besuch in

Kenntnis gesetzt hatte. Der Leiter vom Dienst machte sich Notizen und versprach, einen Polizisten als Wachposten vor Dumesnils Haus abzustellen.

»Ich würde gern möglichst bald die Nachbarn befragen, wäre das möglich?«, fragte Bruno und erhielt zur Antwort, dass das der Chef de police genehmigen müsse, ein mürrischer Mann namens Messager, der in ein oder zwei Jahren in den Ruhestand gehen würde. Bruno hatte seine Mobilfunknummer und erreichte ihn auf einem Empfang des Bürgermeisters, wo es so laut zuging, dass Messager kaum verstehen konnte, was Bruno ihm zu sagen hatte. Er wartete, bis dieser einen ruhigeren Winkel aufgesucht hatte, und erklärte noch einmal, was geschehen war und dass Jean-Jacques in dem Fall ermitteln werde.

»Gefoltert? Dumesnil? *Merde,* meine Frau singt in seinem Chor. Sie wird entsetzt sein. In seiner Wohnung ist es passiert, sagen Sie? Ich werde sofort veranlassen, dass die Nachbarschaft befragt wird, und komme dann rüber.«

Bruno steckte sein Handy weg und schaute Amélie an. »Ich würde von Ihnen gern erfahren, was Sie an diesem Fall hier so nervös macht und warum Sie zum Telefonieren vor die Kirchentür gegangen sind, als Sie gesehen haben, dass Dumesnil nicht zugegen war.«

»Wieso?« Ihre Stimme klang eher irritiert als feindselig.

»Wissen Sie etwas über Dumesnil, das ich nicht weiß?«

Sie schüttelte den Kopf. »Ich habe mir um etwas Sorgen gemacht, unnötigerweise, wie ich jetzt glaube. Belassen wir's dabei.«

»Wir haben es hier mit einer Straftat zu tun, und ich will Jean-Jacques nicht sagen müssen, dass Sie, wie mir scheint,

Informationen zurückhalten, die möglicherweise tatrelevant sind.«

»Ach was. Der Anruf war persönlich. Es ging um die Tochter meiner Cousine. Sie ist fünfzehn und macht uns Sorgen, weil sie plötzlich ganz niedergeschlagen ist und mit niemandem mehr redet. Ihre Mutter befürchtet, dass sie jemand missbraucht haben könnte, und da sie in dem Chor mitsingt und dieser Dumesnil so ein komischer Kauz ist ...« Sie unterbrach sich und hob Hände und Schultern zu einer übertriebenen Geste der Entschuldigung.

»Haben Sie oder Ihre Cousine Gründe, ihn zu verdächtigen, abgesehen davon, dass er vom Mittelalter fasziniert ist und anscheinend wie ein Mönch aus dem vierzehnten Jahrhundert leben möchte?«, fragte Bruno ruhig und betont sachlich.

Sie schüttelte den Kopf. »Nicht wirklich.«

»Kann es nicht sein, dass die Tochter Ihrer Cousine eine schwierige, aber für ihr Alter typische Phase durchmacht?«

»Nein«, antwortete sie schroff. »Diese Veränderung an ihr ist alles andere als typisch. Jojo – sie heißt eigentlich Joséphine – steckt in einer tiefen Depression.«

»Was sagen ihre Lehrer? Ist sie in ihren Leistungen zurückgefallen?«

»Das weiß ich nicht. Möglich, dass wir, ihre Mutter und ich, falsche Schlüsse aus ihrem Verhalten gezogen haben. Jedenfalls bin ich nach dem, was ich hier gesehen habe, mit den Nerven am Ende. Entschuldigen Sie bitte.«

»Der Chef de police von Sarlat ist auf dem Weg hierher. Möchten Sie, dass ich ihn diskret frage, ob es in letzter Zeit Gerüchte um Dumesnil gegeben hat? Ich persönlich bezweifle, dass er je übergriffig geworden ist, denn wenn er sich auch nur im Geringsten verdächtig gemacht hätte, würde Messagers Frau doch bestimmt nicht in seinem Chor mitsingen.«

»Vergessen Sie, was ich gesagt habe, okay?«

Amélie wandte sich zur Tür. »Sie müssen hierbleiben, bis der Tatort abgesichert ist und Sie Ihre Aussagen zu Protokoll gegeben haben«, sagte Bruno. »Vergessen Sie nicht, Sie sind in offizieller Funktion hier, und wir sollten uns beide streng an die Vorschriften halten.«

Sie blieb stehen, drehte sich aber nicht um und seufzte geräuschvoll, als wollte sie Bruno kundtun, dass sie mit ihrer Geduld am Ende war.

»Denken Sie mal darüber nach, was hier soeben geschehen ist«, sagte Bruno. »Sie scheinen etwas übersehen zu haben, das Sie doch in Ihrem Argwohn gegen Dumesnil bestätigen könnte. Der Mann wurde nicht nur gefoltert, sondern auch geknebelt. Warum? Waren seine Folterer womöglich gar nicht interessiert an dem Wissen, das er hätte preisgeben können? In dem Fall wäre die Folter bloß eine Strafe gewesen, offenbar eine mit sexueller Konnotation. Gibt es vielleicht noch jemanden, der aufgrund falscher Vermutungen das Gesetz in die eigene Hand nehmen wollte?«

»Die Frage habe ich mir auch schon gestellt«, sagte sie leise und wandte sich zu ihm um.

»Andererseits könnten sich hier die Typen zu schaffen gemacht haben, die Leah in Paris getroffen hat. Vielleicht haben sie ihn verhört, erfahren, was sie erfahren wollten, und ihn erst dann geknebelt. Vielleicht haben sie den Kassettenrekorder laufen lassen, um seine Schreie zu übertönen, obwohl ich mir vorstellen kann, dass er lauter hätte schreien und Aufmerksamkeit auf sich lenken können. Und warum hat man die Hauptsicherung ausgeschaltet und sich mit Kerzenlicht begnügt? Alles deutet darauf hin, dass man die Wohnung durchsucht hat. Das wäre mit elektrischem Licht doch einfacher gewesen. Hier passt vieles nicht zusammen, wie so oft in solchen Fällen. Also muss ermittelt werden. Wir entwerfen Szenarien, die erklären, was wir vorfinden, und suchen nach weiteren Spuren und Beweismitteln, die unsere Szenarien entweder bestätigen oder entkräften. Eines wäre Ihre Vermutung, wonach Dumesnil ein Päderast ist, den jemand für seine Übergriffe bestrafen wollte.«

»Das andere: Leah steckte mit Terroristen aus dem Nahen Osten unter einer Decke, die Informationen aus ihm herauszupressen versucht haben«, spekulierte sie.

»Genau«, entgegnete Bruno, als Schritte im Treppenhaus Messagers Ankunft ankündigten.

Der wusste zu berichten: »Ein Kellner im Restaurant an der Ecke hat kurz vor sechs aufgemacht und gesehen, dass vier fremde Männer aus diesem Haus hier herausgekommen sind.« Das Treppensteigen hatte ihn kurzatmig gemacht. »Drei trugen Kapuzen, der vierte war angeblich eindeutig arabischer Herkunft. Können Sie damit was anfangen?«

»Es könnten die Männer sein, die wir suchen und die mit dem Fall der Frau zu tun haben, die in Commarque zu Tode gestürzt ist«, antwortete Bruno und erklärte, dass das Innenministerium ein Maßnahmenpaket zur Terrorismusbekämpfung auf den Weg gebracht hatte. Sein, Messagers, Büro werde Fotos erhalten haben, die dem Kellner an der Ecke so schnell wie möglich gezeigt werden sollten.

»Was könnte Dumesnil mit Terroristen am Hut haben?«, fragte Messager verblüfft.

»Das ist eine lange Geschichte«, antwortete Bruno, versuchte aber, sie dem Kollegen kurz und bündig zu erzählen, zumal er auf Jean-Jacques' Ankunft zu warten hatte. Zwischendurch wurde er vom Anruf des Sanitäters unterbrochen, der ihm sagte, dass Dumesnil auf der Intensivstation liege und nach Auskunft des behandelnden Arztes wohl überleben werde.

17

»Die Spuren verlieren sich in Deutschland, fürs Erste jedenfalls«, sagte der Brigadier, dessen Gesicht auf dem Bildschirm riesig erschien. »Wir können die Gesuchten nicht einmal auf den Bahnhöfen aufspüren, wo sie in die jeweiligen Züge gestiegen sein müssen, denn die Deutschen haben immer noch nicht die rechtlichen Mittel für eine flächendeckende Installation von Sicherheitskameras und die Speicherung von Vorratsdaten. Die gute Nachricht ist, dass wir einen der drei unbekannten Männer identifiziert haben. Es handelt sich um Mustaf al-Takriti, einen Iraker, sechsunddreißig Jahre alt und eine ernstzunehmende Gefahr. Die Amerikaner haben ihn auf der Fahndungsliste. Madame Perrault kann Ihnen weitere Auskünfte erteilen.«

Bruno war einer von vier Männern, die in Périgueux an der Videokonferenz mit dem Brigadier teilnahmen, der sich in Paris aufhielt. Jean-Jacques saß am Ende eines langen Tisches, flankiert von Prunier, dem Polizeipräsidenten des Départements, auf der einen Seite und vom General der *Gendarmerie départementale* auf der anderen. Bruno saß neben Prunier. Ihm war etwas schwindelig von der schlechten Videoqualität. Das Gesicht von Brigadier Lannes ruckte auf dem Bildschirm hin und her, und seine Stimme kam leicht zeitversetzt aus den Lautsprechern. Der Brigadier bediente nun eine Konsole, die vor ihm lag, und ließ die Kamera aus der Zoomeinstellung zurückfahren, worauf weitere Personen in dem Pariser Studio ins Bild kamen.

Der Brigadier war in Begleitung eines düster dreinblickenden älteren Mannes von der Terrorismusabwehr Frankreichs und einer attraktiven, elegant gekleideten jungen Frau, bei deren Anblick Bruno das Herz stockte. Es war Isabelle, die, wie er immer noch glaubte, die Liebe seines Lebens war, obwohl sie nach einem gemeinsam verlebten Sommer das Périgord und damit auch ihn verlassen hatte, um beruflich voranzukommen, zuerst im Pariser Innenministerium, dann bei Eurojust in Den Haag. Der Brigadier stellte sie als Eurojust-Vertreterin im Intelligence Analysis Center der Europäischen Union vor. Was nach einer weiteren Beförderung klang.

Bruno versuchte, seine Miene unter Kontrolle zu halten, aber sein Blick hing wie gebannt an Isabelle. Sie war immer noch dünn, vermutlich, weil sie infolge einer Schussverletzung am Oberschenkel, die sie sich bei einem Einsatz auf einem Schiff voller Flüchtlinge zugezogen hatte, noch nicht wieder Sport treiben konnte. Ihre Augen waren dunkel umschattet, und die Haare waren lang genug, dass sie sie zu einem Knoten im Nacken zusammenfassen konnte. Sie trug einen schlichten schwarzen Rollkragenpullover und hatte eine schwarze Lederjacke über die Lehne ihres Stuhls gehängt. Er fragte sich, ob er für sie auf dem Bildschirm in Paris zu sehen war.

»Mustaf al-Takriti kommt aus Tikrit, dem Geburtsort von Saddam Hussein, dessen Clan er auch angehört«, führte Isabelle aus. »Er war Rekrut des irakischen Nachrichtendienstes Muchabarat, als Saddam gestürzt wurde. Sein Vater, der 2003 im Zuge der US-Invasion getötet wurde, war ein General des Muchabarat und stand Saddam nahe. Offenbar suchte Mustaf später Anschluss an den sunnitischen Widerstand gegen die von Schiiten beherrschte Regierung in Bagdad. Heute gehört er der Terrororganisation ISIS an.«

Isabelle legte eine Pause ein und tippte sich mit zwei Fingern ihrer rechten Hand an die Lippen, als dächte sie nach. Bruno saß kerzengerade auf seinem Stuhl und spürte, wie sich sein Puls beschleunigte. Er kannte diese Geste. Damit hatte sie ihm früher, wenn sie nicht allein waren, immer zu verstehen gegeben, dass sie geküsst werden wollte. Aber galt dieses Zeichen auch jetzt noch ihm oder jemand anderem? Wusste sie, dass er der Videoschaltung beiwohnte?

Sie fuhr fort und erklärte, dass ISIS die Abkürzung für Islamischer Staat im Irak und in Syrien sei, die Dschihadisten sich aber selbst als Daesh bezeichneten, was dem arabischen Akronym entspreche. Sie beanspruchten die ganze Levante für sich, also den Libanon, Jordanien, Palästina, einschließlich Israel und Nordafrika, wie auch den Irak und Syrien. Daesh ziele auf die Wiederherstellung des historischen Kalifats und die Herrschaft über alle Muslime nach islamischem Recht ab.

»Mustaf wurde als führende Person der Daesh-Streitkräfte identifiziert, die Mossul besetzt halten, und wir wissen, dass er an Massenexekutionen teilgenommen hat. Verlässliche britische Quellen berichten, dass er vor drei Monaten im syrischen Rakka gesehen wurde. Die Amerikaner lassen ein Foto kursieren, auf dem zu sehen ist, dass er auch in der libyschen Stadt Darna war, als diese sich öffentlich zum ISIS bekannt hat«, erklärte Isabelle.

»Dass wir ein relativ gutes Foto von Mustaf haben«, ergänzte der düster dreinblickende Franzose, »ist der Tatsache geschuldet, dass ihn die Amerikaner 2004 im Irak festgenommen und erkennungsdienstlich behandelt haben. Er war in Camp Bucca inhaftiert, wo er andere Daesh-Anführer kennengelernt hat. Die Amerikaner haben dieses Lager fast wie ein Holiday-Resort geführt, mit erstklassiger medizinischer Versorgung und großen Freiheiten für die Insassen, die ihre eigenen Schul- und Religionsklassen organisieren und sogar Fußballspiele ausrichten konnten. Mustaf war einer der Stars.«

»Das Lager wurde aufgelöst, als Washington seine Taktik änderte und den sunnitischen Widerstand gegen die Schia unterstützte«, führte der Brigadier mit steinerner Miene aus. Bruno wusste, dass die Videokonferenz aufgezeichnet wurde. Entsprechend streng hielt sich der Brigadier an die diplomatische Etikette. Die Amerikaner reagierten empfindlich auf Kritik an ihrer Nahostpolitik seitens europäischer Kollegen.

Er forderte Isabelle mit einer Handbewegung auf, ihren Vortrag fortzusetzen. Sie nickte und ergriff wieder das Wort, ohne zunächst ihre Notizen zu Rate zu ziehen.

»Als Spross der Elite des Landes ging Mustaf in Bagdad auf eine englische Schule und spricht entsprechend fließend Englisch. Seine Familie hatte für ihn ein in Frankreich geborenes Kindermädchen mit marokkanischen Wurzeln angestellt, das, als Mustaf an die Universität wechselte, nach Frankreich zurückkehrte. Wir haben sie ausfindig gemacht und befragt. Sie gab zu Protokoll, dass es im Haushalt der al-Takritis ihre Aufgabe gewesen sei, mit den Kindern Französisch zu reden und sie mit unserer Sprache vertraut zu machen. Von ihr wissen wir auch, dass Mustaf in der

Schule Russisch gelernt hat. Sein Französisch, so erklärte sie, sei sehr gut. Er und seine Geschwister hätten sich im Fernsehen immer wieder französischsprachige Programme aus dem Libanon angeschaut. Außerdem sei er ein guter Fußballspieler.«

Isabelle blickte von ihren Notizen auf und zeigte jenes schiefe Lächeln, das Bruno an ihr so gefiel. Es hatte meist bedeutet, dass sie ihn hänseln wollte. Dann sagte sie: »Das Kindermädchen erinnert sich, dass Mustaf die Weltmeisterschaft von 1998 intensiv verfolgt habe und besonders von Zidane beeindruckt gewesen sei, vor allem im Finale, das ja bekanntlich Frankreich gewann.«

Die Männer auf beiden Seiten der Videoschaltung kicherten. Bruno freute sich über die leichte Art, mit der Isabelle sie alle bezauberte.

»Wir wissen, dass Mustaf zu al-Husayni, dem Partner der toten Israelin Leah Wolinsky oder Leah Ben-Ari, Kontakt hat. Noch ist es uns nicht gelungen, die beiden anderen Mitglieder des Teams zu identifizieren«, fuhr Isabelle fort. »Dass weder die Israelis noch die Amerikaner sie auf dem Schirm haben, mag ein Indiz dafür sein, dass sie Europäer sind. Wir überprüfen das, allerdings sind unsere Daten über europäische Sympathisanten der Szene bei weitem nicht vollständig, nicht einmal bezüglich französischer Staatsbürger, die für den IS kämpfen. Ich schlage vor, wir gehen davon aus, dass sie sich unauffällig in die europäische beziehungsweise französische Gesellschaft eingefügt haben. Bisher wissen wir von rund tausendfünfhundert französischen Staatsbürgern, die in den Irak oder nach Syrien gegangen sind, um sich der Daesh anzuschließen.«

Isabelle hielt inne und wandte sich an den Brigadier. Der nickte und sagte: »Mustaf steht also ganz oben auf unserer Liste. Er ist ein erfahrener Akteur, offenbar sehr gefährlich und spricht unsere Sprache fließend. Ich werde zu Ihrer Verstärkung drei Teams der Spezialkräfte in Marsch setzen und je eines in Périgueux, Bergerac und Sarlat stationieren. Es versteht sich wohl von selbst, dass wir Mustaf lebend ergreifen wollen. Wir werden uns von nun an täglich kurzschließen, morgens um acht, und wenn nötig auch abends um sechs. Irgendwelche Kommentare?«

Prunier hob die Hand und bat um personelle Unterstützung bei der Fahndung nach dem Fahrzeug, das Leah gemietet hatte. »Genehmigt«, antwortete der Brigadier.

»Wir haben es jetzt formell mit einem Fall der Terrorabwehr zu tun«, fuhr er fort. »Mein Kollege von der Sondereinheit erstellt gerade eine Liste mit möglichen Anschlagszielen in Ihrer Region – Kernkraftwerke, Chemiefabriken, Staudämme und dergleichen. Ich werde dafür sorgen, dass bei Bedarf zusätzliche Polizeikräfte aus Bordeaux, Limoges und Toulouse hinzugezogen werden können. General, wäre in Ihren Kasernen noch Platz für sie?«

»Durchaus. Und Commissaire Jalipeau hat mich daran erinnert, dass ich fragen wollte, wann wir mit der Aufschlüsselung der Mobilfunkdaten vom Sendemast nahe der *gîte* rechnen können, in der unsere Verdächtigen gewohnt haben.«

»Daran wird mit Hochdruck gearbeitet, erste Ergebnisse dürften heute Abend vorliegen«, antwortete Isabelle. »Ich werde mich bei Jean-Jacques, äh, Commissaire Jalipeau, melden. Außerdem gehen wir alle Eisenbahnstationen, Häfen, Flughäfen und Grenzübergänge durch, um herauszufinden, wann und wie die beiden Männer in den Kapuzenpullis nach Frankreich gekommen sind. Chef de police Courrèges, wenn ich richtig verstanden habe, koordinieren Sie die Suche nach Mustaf auf Ihrem Terrain. Brauchen Sie personelle Verstärkung?«

»Noch nicht, Commissaire«, antwortete Bruno, der sich komisch dabei vorkam, Isabelle mit ihrer Rangbezeichnung anzureden, wo sie doch einen ganzen herrlichen Sommer lang ein Liebespaar gewesen waren. »Wenn doch, lasse ich's Sie wissen. Aber vielleicht könnten wir Spürhunde einsetzen, um uns, ohne viel Staub aufzuwirbeln, vor etwaigen Sprengstoffanschlägen zu schützen. Ich hätte da noch einen Vorschlag, was das Testament Iftikhars betrifft. Wir sollten Forscher ausfindig machen, die uns mehr über die Bedeutung dieses Testaments sagen können. Vielleicht auch mit Hilfe der Israelis. In Nordisrael hat jemand ähnliche Zeichen wie die in Commarque an einer Ruinenmauer hinterlassen. An der Sorbonne lehrt ein Professor namens Philippeau. Es scheint, dass unser Dumesnil gerade damit beschäftigt war, ihm einen Brief zu schreiben, als Mustaf und seine Leute kamen, um ihn zu foltern. Ich könnte Philippeau anrufen, aber Sie, Brigadier, müssten sich mit den Israelis in Verbindung setzen.«

»Das will ich gern tun«, erwiderte dieser. »Was soll ich ihnen sagen?«

»Dass dieses sogenannte Testament für Leah offenbar sehr wichtig war, und ich bin mir sicher, dass es auch der Grund dafür war, dass Dumesnil gefoltert wurde. Mustaf macht nicht den Eindruck, historisch besonders interessiert zu sein. Warum also legt er Wert darauf, einen palästinensischen Geschichtsprofessor wie al-Husayni in seinem Team zu haben? Ich muss wohl nicht betonen, von welcher politischen Brisanz ein Wiederauffinden dieses Testaments wäre.«

»Also gut, dann reden Sie mit Professor Philippeau. Wir konferieren morgen früh wieder miteinander. Vielleicht haben wir dann schon Erkenntnisse darüber, was diese Männer vorhaben. Messieurs, ich danke Ihnen.«

Der Bildschirm wurde dunkel, und die vier Männer in Périgueux lehnten sich auf ihren Stühlen zurück. Jean-Jacques stand auf, reckte sich und bat die Sekretärin im Vorzimmer um Kaffee. Dann setzte er sich zurück ans Kopfende des Tisches.

»Wie soll man sich vernünftig unterhalten, wenn man aufgereiht dahockt wie die Schulkinder?«, meinte er. »Kommen Sie, setzen wir uns in die Runde, damit wir einander sehen.«

»Ich könnte verstärkt Straßenkontrollen durchführen und Tankstellen überwachen lassen«, sagte der General der Gendarmerie.

»Meine Jungs könnten sich die Bahnhöfe, Hotels, Restaurants und *gîtes* vornehmen, die jenseits von Brunos Revier liegen«, ließ Prunier von sich hören und warf Bruno einen verschmitzten Blick zu. Die beiden hatten vor über zehn Jahren Rugby gegeneinander gespielt – Prunier auf Seiten der Polizei, Bruno in der Militärmannschaft – und standen seither auf freundschaftlichem Fuß miteinander. »Wir alle wissen, dass Bruno in seinem Tal sein eigenes System pflegt. Ich schlage vor, wir überprüfen auch alle Internetcafés und öffentlichen Hotspots, und wir sollten im Auge behalten, was die Überwachungskameras in Supermärkten und vor den Moscheen aufzeichnen. Anrufe aus oder ins arabische

Ausland werden automatisch mitgehört. Außerdem werde ich die Medien einschalten und dafür sorgen, dass Mustafs Konterfei auf allen Titelseiten und im Fernsehen erscheint. Habe ich was ausgelassen?«

»Vielleicht sollten wir auch Halal-Läden ins Visier nehmen«, meinte Bruno. »Und den Verleih von Motor- und Fahrrädern. Ihren vw werden sie vermutlich nicht mehr nutzen. Könnte aber auch sein, dass sie schon einen neuen fahrbaren Untersatz haben. Dann wären da noch die kleinen Läden auf Campingplätzen. Womöglich leben sie jetzt auf der Straße. Also sollten wir uns auch in Läden umhören, in denen man Schlafsäcke und Reisekocher kaufen kann.«

»Gibt es Gründe für die Annahme, dass sie sich noch in unserer Region aufhalten?«, fragte Jean-Jacques. »Bis wir unsere Straßensperren einrichten konnten, hatten sie anderthalb Stunden Zeit, um aus Sarlat zu verschwinden. Sie könnten inzwischen überall in Frankreich sein oder auch in irgendeinem Nachbarland.«

Prunier schüttelte den Kopf. »Sie sind mit dieser Frau ganz gezielt ins Périgord gekommen. Vielleicht in dieser Iftikhar-Angelegenheit, vielleicht auch nicht. Jedenfalls können wir, wie ich glaube, davon ausgehen, dass sie Dumesnil aufgesucht und etwas durch ihn zu erfahren versucht haben. Was ich nicht verstehe, ist, warum alle vier zu ihm gegangen sind und warum sie ihn gefoltert haben. Hätte nur al-Husayni bei ihm vorbeigeschaut, wäre er von Dumesnil doch wahrscheinlich als Wissenschaftler und Historikerkollege willkommen geheißen worden.«

»Vielleicht traut Mustaf al-Husayni nicht und lässt ihn deshalb nicht aus den Augen«, erwiderte Bruno. »Al-Husayni sieht einem typischen Daesh-Terroristen ja auch gar nicht ähnlich.«

»Möglich«, sagte Jean-Jacques. »Aber was kann ein Daesh-Anführer im Périgord verloren haben? Hier bei uns dreht sich doch alles nur um gutes Essen, Wein, Tourismus, Landwirtschaft und historische Monumente. Bis zur feierlichen Eröffnung von Lascaux IV sind es noch Monate. Die könnte ein Ziel sein, aber zurzeit hat noch nicht einmal die Touristensaison begonnen.«

»Alle Kulturdenkmäler sind für diese Typen Ziele«, entgegnete Prunier. »Denken Sie nur an die Taliban, die diese Buddhastatuen in Afghanistan in die Luft gesprengt haben. Daesh-Kämpfer haben die römischen Tempel in Palmyra dem Erdboden gleichgemacht und sind in Ninive mit Spitzhacken über Standbilder hergefallen. Sie sind ganz verrückt darauf, Kulturdenkmäler zu zerstören, und wir haben eine Menge davon.«

»Vielleicht haben sie mehrere Gründe, hier zu sein«, gab Jean-Jacques zu bedenken. »Das Testament Iftikhars ist bestimmt einer, aber es könnte sein, dass sie, wo sie schon einmal hier sind, auch einen Anschlag planen, auf irgendetwas, das für die französische Kultur von Bedeutung ist. Zum Beispiel auf den Schatz von Lascaux. Vielleicht sind die beiden Männer, die wir noch nicht identifizieren konnten, genau darauf aus.«

»Es könnte noch ein anderes Angriffsziel geben: dieses Pfadfinderlager bei Audrix, das nächste Woche eröffnet werden soll«, sagte Bruno. »Maya Halévy hat sich angekündigt, die Stifterin aus Israel, die aus dem Ort eine Art Gedenkstätte machen will. Sie und ihr Bruder wurden während des Krieges dort vor den Nazis versteckt gehalten. An der Eröffnung werden Kontingente von Pfadfindergruppen unterschiedlicher Konfessionen teilnehmen – Katholiken, Protestanten, Juden und Muslime –, Letztere haben jedoch diese Woche angekündigt, dass sie wegen der israelischen Schirmherrschaft nicht kommen werden. Hundert französische Jugendliche und die Stifterin aus Israel könnten, wie gesagt, ein Ziel sein.«

»Wir haben bislang versäumt, besondere Sicherheitsmaßnahmen zu treffen«, sagte Prunier. »Die Gäste dürfen nicht ungeschützt bleiben. Vielleicht könnte eins dieser Spezialteams aushelfen, die uns der Brigadier in Aussicht gestellt hat.«

»Ich könnte auch Teile unserer *forces mobiles* anfordern, denen eigene Hubschrauber zur Verfügung stehen«, erklärte der General der Gendarmerie. »Und vielleicht ließe sich auch die GIGN mobilisieren.«

Bruno nickte. Die GIGN war eine Eliteeinheit der nationalen Gendarmerie. Aber mit derart viel Kampfkraft anzurücken war, wie er glaubte, der falsche Ansatz, und er fragte sich, wie er den General davon abbringen mochte.

»Ich bin mir nicht sicher, ob es richtig ist, das Lager einfach nur zu bewachen«, sagte Bruno. »Was werden die Eltern der Kinder sagen, wenn etwas schiefgeht und bekannt wird, dass wir von einer Bedrohung wussten? Man könnte uns vorwerfen, die Kinder als Köder missbraucht zu haben, um die Terroristen in eine Falle zu locken. Vielleicht sollten wir die Eröffnungsfeierlichkeiten lieber verschieben.« Er legte eine Pause ein und schaute Prunier und den General an. »Wenn Politik und Medien im Fall einer Katastrophe nach

Sündenböcken suchen, geraten Sie beide wahrscheinlich als Erste ins Visier.«

»Da ist was dran«, erwiderte Prunier.

Man vertagte sich, und Bruno überlegte, ob er Amélie anrufen sollte. Als er am frühen Morgen von Prunier telefonisch dazu aufgefordert wurde, an der Videokonferenz teilzunehmen, hatte er eine Nachricht für sie an der Hotelrezeption hinterlassen und ihr erklärt, dass er zu einer geheimen Sitzung geladen war, an der sie nicht teilnehmen dürfe, er sich aber später bei ihr melden werde. Während der Sitzung war sein Handy die ganze Zeit ausgeschaltet gewesen, doch als er es nun wieder in Betrieb nahm, sah er, dass ihm Horst eine SMS geschickt hatte: »Heureka!«, schrieb er. »Kommt so schnell wie möglich nach Commarque.«

Bruno verzog das Gesicht. Er musste dringend zurück in sein Büro und nachsehen, was an Mails aus dem Netzwerk eingetroffen war, das er mit verschiedenen Vertretern der Tourismusbranche geknüpft hatte, um möglichst viele an der Suche nach den Verdächtigen zu beteiligen. Und Commarque lag nicht gerade auf dem Weg. Horst aber war ein guter Freund, dessen Trauung er demnächst bezeugen sollte. Also schaute er sich die Nachrichteneingänge auf seinem Handy an, sah, dass nichts Besonderes dabei war, und machte sich auf den Weg zum Château.

Die Menge der Schaulustigen hatte sich aufgelöst. Zurückgeblieben waren der Graf, Horst, Clothilde und zwei Mitarbeiter aus dem Museum. Neben dem Vibro-Truck, den Bruno bei seinem ersten Besuch gesehen hatte, parkte jetzt ein zweites Fahrzeug.

»Das ist der Bodenradar«, erklärte Horst, der vor Aufregung mit den Füßen scharrte und Clothilde bei der Hand hielt. »Sie haben mindestens eine weitere Höhle gefunden. Den Radarbildern nach könnte es sich um eine Grabkammer handeln.«

»Glückwunsch.« Bruno gab Clothilde einen Kuss auf die Wange und schüttelte zuerst dem Grafen und dann den beiden Archäologen aus dem Museum die Hand. »Und wo ist sie?«

»Gleich hinter der Troglodytenkammer, wo Tierknochen, Flintsteine und Pflanzensporen im Boden gefunden wurden«, antwortete Clothilde mit strahlender Miene. »Sie liegt ziemlich tief, ungefähr fünf Meter unter der Oberfläche.«

»Ist sie verschüttet, oder gibt's einen Zugang?«, fragte Bruno.

»Die Techniker sind noch dabei, sie auszumessen, um nach weiteren Hohlräumen zu suchen«, fügte Horst hinzu. »Der ganze Hügel scheint voller Hohlräume und Wasserläufe zu sein. Wer weiß, vielleicht finden wir auch Verbindungsgänge zwischen den Höhlen. Wir sollten nicht vergessen, dass früher das Erdniveau sehr viel niedriger war.«

Vom Turm, aus einer Entfernung von fast hundert Metern, rief jemand herab. Bruno blickte hinauf und sah drei Männer, die ihnen zuwinkten.

»Die wirst du heute Abend kennenlernen. Es sind die Gäste, von denen ich dir erzählt habe«, sagte Horst. »Zwei Kollegen aus Deutschland und einer aus England, alte Freunde und ausgezeichnete Wissenschaftler. Einer der Deutschen kommt aus Düsseldorf, der Erzrivalin meiner Stadt Köln, was aber hier nichts zur Sache tut. Interessanter ist die Parallele zwischen unseren Regionen. Kannst du dir vorstellen, warum?«

»Keine Ahnung«, antwortete Bruno lächelnd.

»In Les Eyzies wurden die ersten Cro-Magnon-Skelette gefunden. Wenige Jahre vorher, nämlich 1856, waren in der Feldhofer Grotte bei Düsseldorf fossile Reste des Neandertalers entdeckt worden. Viele gehen irrtümlich davon aus, dass der Name Neandertal auf einen gleichnamigen Fluss zurückgeht, doch den gibt es nicht, denn durch Düsseldorf fließt, wie in Deutschland jedes Kind weiß, die Düssel. Wie auch immer, wir haben hier Archäologen aus zwei bedeutenden Fundorten vorgeschichtlicher Artefakte beisammen.«

Horst warf wie zu einem Tusch die Hände in die Höhe. »Was könnte zur Hochzeit von Archäologen passender sein? Und wie schön obendrein, dass unsere Trauung zeitlich mit der jüngsten Entdeckung hier in Commarque zusammenfällt! Ein schöneres Hochzeitsgeschenk gibt's wohl nicht.«

Bruno schlug Horst anerkennend auf die Schulter und erinnerte ihn dann an den Herrenabend, den er über dem aufregenden Fund nicht vergessen möge. Bruno war mit der Zubereitung des Essens an der Reihe, aber getafelt werden sollte in der Chartreuse des Barons, schließlich wollte man Horsts deutschen Freunden ein historisches Gebäude präsentieren und nicht Brunos bescheidenes Haus. Außerdem hatte der Baron auch den sehr viel größeren Herd, und den brauchte Bruno für das, was er sich vorgenommen hatte. Ivan hatte bei seinem Lieferanten einen drei Kilo schweren Wildlachs bestellt und ihn fangfrisch in sein Bistro bringen lassen. Bruno steuerte die Kräuter und neue Kartoffeln aus seinem Garten bei. Fauquet hatte versprochen, Horsts

Lieblingsdessert, eine Sachertorte, zu backen. Marcel, der den besten Gemüsestand auf den Märkten der Region hatte, wollte zwei Kilo jungen grünen Spargel für die Vorspeise mitbringen, und Stéphane stellte eine Käseplatte zusammen.

Jack Crimson und Gilles sorgten für den Wein und hatten sich viele Gedanken darum gemacht. Als Apéritif sollte Rosé von Château Feely ausgeschenkt werden, der auch als Begleiter zum Spargel passte. Für den Lachs hatten sie an eine Cuvée Mirabelle vom Château de la Jaubertie gedacht, doch Hubert von der örtlichen *Cave* hatte vorgeschlagen, zur Abwechslung einen Rotwein zum Fisch zu probieren, einen Château Laulerie, der ausschließlich aus Merlot bestand. Da Horst ohnehin lieber Rotwein trank und Bruno und der Baron sich nach einer Verkostung des vorgeschlagenen Tropfens einverstanden erklärt hatten, waren drei Flaschen davon gekauft worden, dazu zwei Flaschen honigsüßen Monbazillac vom Château La Robertie zum Dessert.

Bruno war sich im Klaren darüber, dass die Fahndung nach Mustaf seine Pläne für den heutigen Abend durchkreuzen könnte, hoffte aber, zumindest seinen kommenden Verpflichtungen gegenüber Horst und Clothilde nachkommen zu können. Die Zubereitung des Lachses würde eine Stunde beanspruchen, der Spargel bloß wenige Minuten, zumal er ihn nur mit Butter zu servieren gedachte. Der junge Édouard Lespinasse von der Kfz-Werkstatt hatte sich für zwanzig Euro bereit erklärt, die Herren der Tischrunde gegen Mitternacht abzuholen und nach Hause zu fahren. Der englische Archäologe würde bei Gilles übernachten, die beiden Deutschen bei Bruno, und auch von den anderen wohnte niemand weiter als vier Kilometer von der Chartreuse entfernt.

18

Als Bruno seinen Transporter vor der *mairie* abstellte, hörte er eine Frauenstimme seinen Namen rufen. Er drehte sich um und sah Amélie, die an einem Tisch auf der Straße vor Fauquets Café saß und ihm zuwinkte. Neben der Tasse Kaffee, die sie sich bestellt hatte, lagen eine Ausgabe von *Le Monde,* ein Notizbuch und ihr ständiger Begleiter: das Smartphone. Er ging zu ihr und entschuldigte sich, dass er sie im Stich gelassen hatte.

»Wo ist Balzac?«, wollte sie wissen.

»Zu Hause. Ich konnte ihn nicht mitnehmen. Wir hatten eine Videokonferenz, der Paris zugeschaltet war.« Allein die Erwähnung der Hauptstadt ließ ihn an Isabelle denken, und es schwebte ihm plötzlich vor Augen, wie er ihren Knoten löste und die langen Haare durch seine Finger gleiten ließ. Er musste sich zusammennehmen und in die Wirklichkeit zurückrufen.

»Haben Sie den ganzen Vormittag hier gewartet?«, fragte er.

»Ja. Fauquet hat einen schnellen Internetanschluss, perfekte Croissants und einen vorzüglichen Kaffee. Ich genieße die Sonne, lese Zeitung, bringe Ordnung in meine Notizen und wundere mich, dass in den einschlägigen Onlinekanälen noch nichts über den Anschlag auf Dumesnil zu lesen ist.«

Sie schien zu frösteln. »Ich konnte kaum schlafen, weil ich ständig an den armen Kerl denken musste.«

»Er liegt auf der Intensivstation. In den Medien ist noch nichts zu lesen, weil Jean-Jacques die Sache fürs Erste bedeckt halten will.«

»Bei dieser Videokonferenz ging es um ihn, hab ich recht?«

»Hier sollten wir nicht darüber reden. Haben Sie schon Appetit auf ein *déjeuner*?«

»Immer. Gehen wir wieder zu Ivan?«

»Nein, ich schlage vor, wir fahren zu mir. Balzac wird sich freuen, und Ihnen bereite ich ein Omelett zu, das Sie in Paris nicht bekommen. Es wird ein einfaches Essen sein, denn heute Abend wird groß getafelt. Wir treffen uns zu einer Art Junggesellenparty für Horst, der am Sonntag heiraten wird.«

Er kaufte bei Fauquet noch ein Baguette und fuhr mit Amélie zu sich nach Hause, wo Balzac am Ende der Zufahrt schon ungeduldig wartete und sie mit sonorem Geheul begrüßte. Als inzwischen voll ausgewachsener Basset hatte er Gefallen an der eigenen Stimme gefunden.

»*Mon Dieu*, er ist bestimmt bis ins Städtchen zu hören«, staunte Amélie und bückte sich, um den Hund zu tätscheln.

»Das gehört sich auch für einen guten Jagdhund. Er muss auf sich aufmerksam machen können, damit ich weiß, wo er sich aufhält, wenn er auf der Pirsch ist. Schnell ist er zwar nicht, aber ausdauernd. Deshalb werden Bassets zur Wildschweinjagd eingesetzt. Sie hetzen die Beute, bis sie vor Erschöpfung kollabiert. Übrigens, ich glaube, das Wetter ist schon warm genug, um draußen zu essen.«

Er ließ Amélie am Tisch auf der Terrasse Platz nehmen, ging zum Hühnerstall und sammelte sechs Eier ein, die gerade erst gelegt worden und noch warm waren. Aus dem Gemüsegarten holte er ein wenig Rucola und Petersilie und erntete mit dem Taschenmesser kleine, noch grüne *pissenlit*-Knospen, aus denen die gelben Löwenzahnblüten hervorgingen.

Als er rund zwanzig Knospen geschnitten hatte, ging er in die Küche, öffnete eine Flasche Weißwein und schenkte Amélie und sich je ein Glas davon ein. Sie lehnte an der Anrichte und sah zu, wie er den Salat und die Knospen abspülte, einen großen Stich Butter in die Bratpfanne strich und die Eier in einer kleinen Schüssel aufschlug. Die Butter war erst zur Hälfte geschmolzen, als er die Löwenzahnknospen dazugab und umrührte, bis sie alle vom Butterfett benetzt waren. Er verquirlte die Eier mit einer halben Eierschale voll kaltem Wasser, etwas Salz und Pfeffer und goss sie in die Pfanne, als die geschmolzene Butter zu schäumen begann. Den Salat machte er mit Walnussöl und ein wenig Cidre-Essig an. Inzwischen war die Eimasse gestockt. Er faltete das Omelett zusammen und bestreute es mit feingehackter Petersilie.

»Diese Knospen esse ich zum ersten Mal«, sagte sie. »Ein sehr eigener Geschmack, ein bisschen nussig. Wie schön, so frische Lebensmittel serviert zu bekommen.«

Bruno hielt seine Gabel in der einen Hand und ein Stück Baguette in der anderen und grinste übers ganze Gesicht. Amélie nahm die Weinflasche, um sich das Etikett anzusehen, und war überrascht zu lesen, dass der Erzeuger die Kommune von Saint-Denis war. Sie ließ sich einen weiteren

Schluck schmecken und machte sich dann wieder über ihr Omelett her. Sie aßen schweigend, fühlten sich wohl in der Gesellschaft des anderen und ließen es auch Balzac gutgehen, indem sie ihm hin und wieder einen Happen zuwarfen. Als sie ihre Teller geleert hatten, brachte Bruno sie in die Küche, kehrte mit einem Tomme d'Audrix seines Freundes Stéphane zurück und erklärte, dass dieser Käse ganz in der Nähe hergestellt werde.

»Regional angebaute Produkte, das ist also Ihr Ding«, sagte sie und nickte anerkennend, als sie eine erste Kostprobe genommen hatte. »So, und was können Sie mir über diese Videokonferenz sagen?«

»Nicht viel, nur dass einer der Männer, die Dumesnil überfallen haben, wahrscheinlich dem IS angehört und offenbar sehr gefährlich ist. Wir wissen weder, wie er ins Land gekommen ist, noch, was er vorhat. Jedenfalls ist man in Paris besorgt. Die *Police nationale* hat Verstärkung auf den Weg geschickt, und es kommen auch Spezialeinheiten der Gendarmerie. Morgen Vormittag konferieren wir wieder, was aber nicht lange dauern wird. Gleich muss ich ins Büro und die Maileingänge aus meinem Netzwerk durchsehen.«

»Die Mails von Kollegen aus anderen Kommunen?«

»Nicht nur die. Ich erwarte auch Mails von Hotels, Vermietern, Campingplätzen, Restaurants, Autoverleihern, Internetcafés, *mairies,* Fremdenverkehrsbüros und Supermärkten zwischen Lalinde und Montignac. Sie stehen alle auf meiner Verteilerliste. Ich habe ihnen Fotos der vier Männer und das Kennzeichen ihres Fahrzeugs zukommen lassen. Hoffen wir, dass es Rückmeldungen gibt, vielleicht sogar einen Hinweis, der uns weiterhilft.«

»Und das haben Sie selbst eingerichtet?«

»Nein, damit wäre ich technisch überfordert. Schüler aus dem *collège* haben das Netz im Rahmen einer Projektarbeit für mich eingerichtet. Haben Sie Lust, in der Schule vorbeizuschauen? Wir sind stolz auf unseren Computerklub.«

Während der Osterferien war die Schule eigentlich geschlossen, aber Florence hatte sich bereit erklärt, auch außerhalb ihrer Dienstzeit Aufsicht zu führen, und so war der Computerraum zur Hälfte gefüllt, als Bruno und Amélie anklopften. Ihr unangemeldeter Besuch sorgte natürlich für Aufregung, nicht zuletzt bei Florence, die es eilig hatte, ihre Frisur zu richten und das Kleid zu glätten, bevor sie Bruno die Wangen für *bisous* hinhielt. Er stellte seine Begleiterin als Kollegin aus dem Ministerium in Paris vor. Zwei kleine Kinder, die auf einer Couch in der Ecke still mit einem Tablet gespielt hatten, kamen herbeigelaufen, um sich Bruno an den Hals zu werfen.

»*Bonjour*, Dora. *Bonjour*, Daniel«, begrüßte er sie und gab beiden einen Kuss. »Das sind Florences Kinder. Sie können schon viel besser mit dem Computer umgehen als ich.«

Die Kleinen musterten die Fremde mit kritischem Blick, was Amélie nicht davon abhielt, ihnen lächelnd die Hand zu reichen. Sie gratulierte Florence zu ihren Kindern und machte dann große Augen, als sie sich im Raum umschaute und die teuren Geräte sah, vor denen die Jugendlichen saßen.

»Donnerwetter, was für ein Equipment! Gibt Ihr Budget so viel her?«

»Die Schüler können Ihnen darauf besser antworten als ich«, antwortete Florence. »Es ist ihr Klub.«

»Wir finanzieren die Geräte selbst«, sagte Maurice Cordet

stolz. Der Sohn eines Baumpflegers war in seinem letzten Jahr am *collège*. Er erklärte, dass die ersten Computer vom Recyclinghof gewesen seien und dass er und seine Freunde dann angefangen hätten, Websites für Unternehmen vor Ort zu entwerfen. Später hätten sie ein Computerspiel entwickelt, das sich aber nicht verkaufen ließ. Ein Computerspiele-Hersteller sei trotzdem auf sie aufmerksam geworden und habe dem *collège* seine alten Computer geschenkt, als er seine Ausstattung aufgerüstet habe.

»Wir testen die Produkte dieser Firma und sagen den Entwicklern, was wir davon halten. Aus unserem Klub haben sie zwei zu einem Praktikum an ihrem Firmensitz in Grenoble eingeladen«, fügte Maurice hinzu.

»Woran arbeitet ihr zurzeit?«, erkundigte sich Amélie bei zwei Mädchen, die Seite an Seite vor einem großen Bildschirm saßen. »Und wie heißt ihr?«

»Ich bin Eglantine, und das ist Sylvie«, antwortete die Größere der beiden. »Wir versuchen, ein interaktives Sprachprogramm zu schreiben, mit dem man Englisch lernen kann. Dafür verwenden wir Songs und Szenen aus Filmen, die wir kennen. Der Kurs beginnt mit Karaoke, dann fordert einen der Computer auf, aus bekannten Wörtern Sätze zu bilden. Unsere Stimmen kennt das Programm schon, aber es dauert noch viel zu lange, bis er sich an andere Stimmen gewöhnt.«

»Ich bin beeindruckt«, sagte Amélie. »Wer von euch hat Brunos Netzwerk erstellt?«

»Wir alle«, antwortete Sylvie. »War nur eine Fleißarbeit, ansonsten ganz einfach.« Sie schaute Bruno an. »In Bezug auf Computer«, sagte sie liebevoll, »ist er ein Dinosaurier, und von Social Media hat er auch keine Ahnung.«

»Noch bin ich nicht ausgestorben. Amélie zeigt mir gerade, wie die Computerei mir die Arbeit erleichtern kann. Wahrscheinlich werde ich demnächst euch um Nachhilfe bitten«, sagte Bruno. »Wir müssen wieder los. Danke, Florence, danke euch allen.«

Zurück im Büro, rief Bruno im Krankenhaus von Sarlat an, um sich nach Dumesnils Zustand zu erkundigen. Stabil, wurde ihm gesagt, aber immer noch auf der Intensivstation. Allerdings hatten die Ärzte Jean-Jacques bereits erlaubt, ihn zu befragen. Bruno schickte Amélie die Fotos der beiden unbekannten Männer an der Gare de l'Est auf ihr Smartphone und bat darum, sie in den einschlägigen Netzwerken zu veröffentlichen.

»Kein Problem«, sagte sie. »Würden Sie mir bitte die Telefonnummer von Florence geben? Ich hoffe, sie verrät mir, wie solche Computerklubs auch an anderen Schulen eingerichtet werden können.«

Er diktierte ihr Florence' Mobilfunknummer und E-Mail-Adresse. »Um ein Projekt dieser Art anzuschieben, braucht man ein Energiebündel wie Florence. Sie ist eine großartige Lehrerin und leistet auch als Mutter einen tollen Job.«

Amélie lächelte versonnen, nahm dann ihr Smartphone wieder zur Hand und murmelte: »Sie ist sehr attraktiv. Ausgeprägte Wangenknochen. Sitzt sie montagabends mit Ihnen am Tisch?«

»Ja, und auch eine andere junge Mutter mit Kindern. Sie kommen aus England und wachsen jetzt zweisprachig auf.«

»Sie entschädigen bestimmt dafür, selbst keine Kinder zu haben«, sagte sie und ließ die Finger über das Display tanzen.

Bruno stand auf und sagte, dass er zum Bürgermeister

müsse, um ihm von der Videokonferenz zu berichten. Was sie wohl damit meinte, fragte er sich auf dem Weg in dessen Büro. Ja, er mochte Dora und Daniel sehr, aber sie ersetzten ihm beileibe nicht eigene Kinder. Doch für die gab es halt noch keine Mutter in spe, jedenfalls keine Frau, die als solche ernsthaft für ihn in Betracht käme. Vielleicht allenfalls Martine Oudinot, eine Geschäftsfrau aus der Region, die in London lebte und arbeitete und alle paar Monate nach Saint-Denis kam, um ihre Eltern auf ihrem Hof zu besuchen und um an ihrem Projekt, Rallyes für Elektroautos zu veranstalten, weiterzuarbeiten. Es war immer schön, wenn sie sich während dieser Besuche wiedersahen, aber Martine machte kein Geheimnis aus ihren Affären in London.

»Wie macht sich Mademoiselle Plessis?«, fragte der Bürgermeister. Er schraubte die Kappe auf seinen Füllfederhalter und schob den Brief beiseite, den er gerade schrieb.

»Besser als erwartet. Sie ist vernünftig, höflich und kann so gut singen, dass sie hoffentlich einen unserer Konzertabende im Sommer bestreiten wird. Übrigens, ist Ihnen jemals ein Mediävist namens Dumesnil über den Weg gelaufen?«

»Ja, ich habe die eine oder andere Arbeit von ihm gelesen. An der Kaffeemaschine ist mir heute Morgen zu Ohren gekommen, was geschehen ist. Schrecklich. Robertes Schwester arbeitet als Krankenschwester im Krankenhaus von Sarlat, über sie hat's dann unser ganzes Personal erfahren. Immerhin scheint er auf dem Weg der Besserung zu sein. Haben Sie auch mit dem Fall zu tun?«

Bruno erklärte die Zusammenhänge und betonte Amélies entscheidende Hilfe bei Leahs Identifizierung. »Ich glaube zwar nicht, dass ein Anschlag auf Saint-Denis geplant ist, halte es aber für geboten, die Eröffnung des Pfadfinderlagers zu verschieben. Yacov Kaufman kommt morgen aus Paris. Wir essen mit ihm bei Ivan zu Mittag – so steht's in Ihrem Terminkalender. Ich finde, wir sollten offen und ehrlich sagen, warum wir die Feier lieber verschieben würden.«

»Recht so. Aber Horsts Junggesellenparty findet doch wie geplant statt, oder ist was dazwischengekommen?«

»Nein. Und nicht vergessen: Gefeiert wird beim Baron, und der junge Lespinasse macht später den Fahrdienst. Ich werde um sieben mit dem Kochen anfangen, gegen acht sollten wir anstoßen. Ich glaube, wir sind zu zehnt.«

»Ich freue mich schon darauf. Haben Sie eigentlich Horsts jüngsten Aufsatz in *Archéologie* gelesen?«

»Ja. Ich habe mir vorgenommen, in meiner Tischrede daraus zu zitieren.«

In diesem Moment steckte Amélie nach kurzem Anklopfen den Kopf zur Tür hinein, entschuldigte sich und sagte, dass Bruno gerade eine E-Mail erhalten habe, die sehr wichtig zu sein scheine. Der Bürgermeister ließ ihn gehen.

Die E-Mail kam aus Le Buisson, von einer Filiale der in ganz Frankreich bekannten Supermarktkette Casino, die auch die ländlichen und strukturschwächeren Gebiete mit Lebensmitteln versorgte.

In der Nachricht hieß es, dass einer der gesuchten Männer gerade Waren im Wert von über hundert Euro eingekauft habe. Bruno griff sofort zum Telefonhörer und rief den Filialleiter an.

»Ist er denn noch bei Ihnen?«, fragte er und leitete die

E-Mail an Jean-Jacques, Prunier, Yveline und den Brigadier weiter.

»Nein, er ist vor wenigen Minuten in einem weißen Renault-Transporter weggefahren, Richtung Sarlat. Einer hat vom Wageninnern aus geholfen, die Einkaufstüten einzuladen. Ich habe mir übrigens das Kennzeichen notiert.«

Bruno ließ sich die Nummer diktieren und gab sie in einer zweiten E-Mail über denselben Verteiler weiter. Dann ging er an seinen Safe, öffnete ihn und holte seine Dienstwaffe daraus hervor, eine neun Millimeter PAMAS, wie er sie auch schon als Soldat getragen hatte. Er stellte fest, dass sie ungeladen war, lud ein Magazin und schnallte das Holster mitsamt dem Etui für das Ersatzmagazin an seinen Gürtel.

»Amélie, Sie bleiben besser hier, bis ich wieder zurück bin. Wenn Sie bitte auf Balzac aufpassen würden ...« Er eilte durch das Treppenhaus der *mairie* und hinaus zu seinem Wagen. Als er am Steuer saß, klingelte sein Handy. Es war Yveline, die fragte, ob er Unterstützung brauche. Ja, gab er zur Antwort und bat sie, mit ihrem Team zur Filiale zu kommen, die Gendarmerie von Le Buisson zu verständigen und Straßensperren vor Siorac, Lalinde und Sarlat errichten zu lassen. Er hatte sein Handy noch nicht weggesteckt, als es wieder klingelte. Diesmal rief Jean-Jacques an.

»Sind die Spezialkräfte schon eingetroffen?«, fragte Bruno.

»Sie sind eben in Bordeaux gelandet, aber noch nicht eingewiesen worden.«

»Das können Sie ja machen, am besten unterwegs im Hubschrauber. Ich fahre jetzt nach Le Buisson. Zwei Einheiten der Gendarmerie haben sich auch schon auf den Weg gemacht. Yveline sorgt dafür, dass die Hauptdurchgangsstraßen gesperrt werden.«

»Darum möchte ich Sie bitten. Dass Sie zu diesem Supermarkt rausfahren, ist nicht nötig. Richten Sie stattdessen lieber eine Straßensperre vor Saint-Denis ein.«

»Womit? Ich bin nur mit meiner Dienstpistole bewaffnet.«

Es dauerte eine Weile, ehe Jean-Jacques antwortete: »Lassen Sie sich was einfallen. Ich werde ein paar Kradkollegen in Marsch setzen. Wo genau werden Sie die Straße sperren?«

»Am Abzweig nach Limeuil. Lotsen Sie Yvelines Gendarmen bitte dahin.«

»Ich werde den General bitten, sie anzurufen. Verlieren wir keine Zeit.«

Mit nur einer Hand am Steuer, weil er mit der anderen übers Handy den Baron zu erreichen versuchte, bog Bruno am Bahnübergang scharf ab und fuhr dann langsam weiter, im Gegenverkehr auf einen weißen Lieferwagen bedacht.

»Baron«, sagte er, als sich der Freund meldete. »Würdest du bitte mit deinen Jagdgewehren zum Abzweig nach Limeuil an der Straße nach Le Buisson kommen? Trommel auch die anderen Jäger aus unserem Verein zusammen und bitte sie um dasselbe. Wir haben hier einen Notfall – Verdächtige, die wahrscheinlich bewaffnet sind. Ich werde mit meinem Transporter die Straße sperren.«

»Ich bin so schnell wie möglich zur Stelle«, versprach der Baron, ein Veteran, der sich nicht lange mit Fragen aufhielt. Er hatte im Algerienkrieg mitgekämpft, spielte trotz seines fortgeschrittenen Alters noch Tennis, ging regelmäßig auf die Jagd und war ein treffsicherer Schütze.

Vor der Gabelung nach Limeuil angekommen, stellte

Bruno seinen Wagen quer zur Straße. Er schaltete das Blaulicht ein, holte ein halbes Dutzend Leitkegel aus dem Heckraum und verengte damit die Straße auf eine Spur. Fahrzeuge, die diese Stelle passieren wollten, waren gezwungen, langsam zu fahren, weil zur steil abfallenden Böschung am Rand nicht viel Platz blieb. Schließlich legte er seine schusssichere Weste an und zog die Uniformjacke darüber.

Das erste Fahrzeug, das sich näherte, war ein Trecker, am Lenker ein Bauer, den er kannte. Er hielt an und schaute Bruno fragend an.

»Wir haben einen Notfall, Pierre«, erklärte Bruno, den Blick auf die Straße hinter dem Traktor gerichtet. »Verzeihen Sie, aber ich muss Ihren Traktor beschlagnahmen und damit die Straße sperren. Sie nehmen am besten gleich Deckung in der Böschung und bleiben dort, bis Verstärkung eintrifft.«

Gehorsam stieg Pierre in den Straßengraben und fragte: »Haben Sie noch eine Schusswaffe? Ich habe in der Infanterie gedient.«

»Nein, ich habe nur meine eigene Pistole, aber danke der Nachfrage.«

Ein kleiner blauer Ford mit einer Frau mittleren Alters am Steuer kam näher. Bruno winkte sie durch. Ihr folgte ein alter Citroën, den er kannte. Er gehörte Dr. Gelletreau.

»Was ist los, Bruno? Ich muss rechtzeitig in der Klinik sein.«

Bruno erklärte ihm den Einsatz und bat ihn, seinen Wagen hinter den Trecker zu stellen und sich mit seinem Arztkoffer in Bereitschaft zu halten. Bald darauf traf auch der Baron mit seinem stattlichen Citroën DS ein und machte sich schon von weitem mit der Hupe bemerkbar. Er parkte unmittelbar hinter Gelletreaus Wagen, stieg aus und sammelte eine Jagdbüchse sowie zwei Repetiergewehre von Verney-Carron ein, die auf der Rückbank lagen. Eines davon reichte er Bruno zusammen mit einem bereits geladenen Magazin. Die Büchse legte er auf Brunos Wagendach ab, um sein eigenes Gewehr zu laden.

»Was bezweckst du mit der Sperrung?«, fragte er.

»Darf ich eigentlich nicht sagen. Behalt's also für dich. Wir fahnden nach mehreren Dschihadisten. Könnte Pierre sich die Büchse ausleihen?«

»Natürlich. Dschihadisten sagst du? Die Burschen schnappen wir uns.«

Plötzlich heulte eine Sirene auf. Bruno drehte sich um und sah den Bus der Gendarmerie von Saint-Denis kommen. Sergeant Jules saß am Steuer, Yveline auf dem Beifahrersitz. Jules parkte, ließ aber die Sirene weiterheulen und das Blaulicht blitzen. Aus der Hecktür stiegen vier weitere Gendarmen, jeder mit Schutzweste und Handfeuerwaffe gewappnet.

»Der General hat uns hierherbeordert«, sagte Yveline. Sie trug eine Maschinenpistole, die Einzige in der Gendarmerie von Saint-Denis. »Bis auf weiteres unterstehe ich seinem Befehl.« Sie musterte die Waffe, die Bruno trug, und zeigte hinter sich auf Sergeant Jules, der etwas aus dem Bus holte. »Jules hat sein eigenes Jagdgewehr mitgebracht.«

»Gut. Ich habe mich ziemlich verwundbar gefühlt, bis der Baron gekommen ist. Noch ein Gewehr kann nicht schaden. Und es haben sich weitere Jagdfreunde angekündigt, aber die brauchen wir gar nicht alle. Möglich ist auch, dass dieser weiße Lieferwagen eine andere Route eingeschlagen hat.«

Sein Handy klingelte. Es war Jean-Jacques, der ihm mitteilte, dass das Kennzeichen des weißen Lieferwagens eigentlich zu einem schwarzen Renault gehöre, der bei einem Gebrauchtwagenhändler auf einem Parkplatz in Bergerac stehe. Die Polizei vor Ort kümmere sich darum.

Fünf Minuten später rief Jean-Jacques ein weiteres Mal an. Die *urgences* von Saint-Cyprien hatten einen Vorfall gemeldet. Auf der Straße nach Siorac, fünf Kilometer hinter Le Buisson, war auf einen Gendarmen der Motorradstaffel geschossen worden.

»Diese Mistkerle können inzwischen wer weiß wo sein«, sagte er.

19

Bruno fuhr über die Brücke auf den Marktplatz von Saint-Denis. Amélie stand auf dem Balkon der *mairie* und hielt nach ihm Ausschau, und nachdem er ausgestiegen war, das Gewehr des Barons geschultert und die geliehene Flinte abgekippt und in die Armbeuge gelegt hatte, winkte er fröhlich zu ihr hoch. Doch kaum hatte er das Bürgermeisteramt betreten, hörte er sie auf ihren Stöckelschuhen die Treppe herunterklappern.

Beim Anblick der Waffen riss sie die Augen auf. »Haben Sie sie festgenommen? Gab es einen Kampf?«

»Sie haben eine andere Route eingeschlagen, auf einen Gendarm geschossen, der sie anhalten wollte, und sind entkommen.«

»Ist er tot?«

»Das weiß ich noch nicht. Er müsste jetzt im Krankenhaus angekommen sein.«

Sie begleitete ihn die Treppe hinauf in den ersten Stock, wo schon der Bürgermeister auf ihn wartete. Bei ihm waren Xavier, der *maire-adjoint,* ein langjähriges Mitglied des Stadtrats, und Fabiola von der Klinik. Der Bürgermeister führte sie in den Ratssaal und bat Bruno, sie alle über die potentielle Gefahr für die Stadt aufzuklären.

»Wir fahndeten nach vier bewaffneten Männern«, sagte

er, nachdem er die Waffen neben der Tür abgelegt hatte. »Zwei von ihnen waren im Supermarkt von Le Buisson, wo sie sich offenbar mit Vorräten eingedeckt haben. Wir haben so schnell wie möglich Straßensperren eingerichtet. Sie sind uns aber leider entwischt und haben bei Siorac einen Gendarmen niedergeschossen. Er wurde ins Krankenhaus gebracht; wie es ihm geht, weiß ich nicht. Weil wir es mit mutmaßlichen Terroristen zu tun haben, hat sich das Innenministerium eingeschaltet. Verstärkung wurde bereits mobilisiert: Drei Teams der Spezialkräfte und eine GIGN-Eliteeinheit der Gendarmerie sind per Hubschrauber auf dem Weg hierher.

Zwei Männer der Gruppe sind identifiziert, von den anderen beiden haben wir Fotos. Ihr Anführer scheint ein wichtiger Kopf im IS zu sein. Wir wissen, dass sie einen Mann aus Sarlat überfallen und gefoltert haben, nicht aber, in welcher Mission sie unterwegs sind. Möglich, dass sie einen Anschlag auf Lascaux planen. Im Visier könnte auch die Einweihung unseres neuen Pfadfinderlagers sein, die aber vorsorglich verschoben werden soll. Die Fahndung wird von der hiesigen Gendarmerie aus koordiniert, weil wir da über geschützte Kommunikationswege verfügen.«

Ein Schwall von Fragen zwang ihn, eine Pause einzulegen. Er hob die Hand, bis es wieder still geworden war.

»Das ist alles, was ich weiß, vielleicht mehr, als ich sagen sollte. Bewahren Sie bitte Stillschweigen, vor allem, was die Hinweise auf den IS betrifft. Wir wollen keine Panik auslösen. Ich weiß, dass der Bürgermeister und ich auf Sie zählen können. Und wenn Sie mich jetzt entschuldigen würden, ich muss zur Gendarmerie.«

Er ging in sein Büro, um Balzac zu begrüßen und seinen Maileingang zu sichten. Amélie war ihm gefolgt. Während er seinen Computer startete, bat er sie, im Büro zu bleiben, man werde ihr den Zutritt zum Kommandoposten in der Gendarmerie nicht gestatten.

»Verstehe. Dann bleibe ich hier bei Balzac«, sagte sie. »Ich hätte auch noch einiges zu tun. Erinnern Sie sich, dass ich mit meinem Smartphone den Brief auf Dumesnils Schreibtisch fotografiert habe? Hier ist die Nummer des Historikers an der Sorbonne, für den er bestimmt war.« Sie reichte ihm einen Zettel. »Und dann habe ich mir Leahs gefälschten Ausweis angesehen. Er ist vor über einem Jahr hergestellt worden. Das heißt, sie hatte das Ganze schon lange geplant. Hat sie auch damals schon dieses Bankkonto eingerichtet? Ich habe alle Details sowie den Namen und die Telefonnummer auf dem Zettel notiert. Und hier ist eine Kopie der Rechnung von Casino über die eingekauften Vorräte. Der Filialleiter hat sie geschickt.«

Er bedankte sich bei ihr, doch sie unterbrach ihn.

»Ich bleibe und gehe ans Telefon, wenn angerufen wird. Heute Abend treffe ich mich mit Ihrer Freundin Florence und spreche mit ihr über den Computerklub. Wenn Sie mich brauchen, bin ich über mein Mobiltelefon zu erreichen. Und jetzt beeilen Sie sich.« Sie umarmte ihn kurz. Er bedankte sich und ging.

Der Parkplatz auf dem alten Exerzierplatz vor der Gendarmerie war für den öffentlichen Verkehr gesperrt. Darauf standen jetzt drei Gendarmeriebusse, ein Funkwagen und das Auto von Jean-Jacques. Drei Gendarmen mit schusssicheren Westen und Maschinenpistolen hatten vor einem weiteren Transporter, der die Einfahrt blockierte, Stellung bezogen. Jean-Jacques und den *Gendarme Général* fand Bruno zusammen mit Yveline in deren Büro. Sie alle telefonierten, Yveline über einen Videolink an ihrem Laptop. Sie beendete ihr Gespräch als Erste.

»Wir leiten die Helikopter auf das Flugfeld von Belvès um, weil es das nächste ist«, sagte sie. »Der Brigadier ist mit einem Team von Spezialisten für Terrorismusabwehr auf dem Weg hierher. Wir bringen sie im Hotel Royal unter. Sie kommen wohl erst heute Abend spät an, und wir haben uns für morgen früh um acht verabredet.«

»Apropos Unterbringung, unsere Zielpersonen haben sich mit Proviant eingedeckt«, sagte Bruno und reichte ihr eine Kopie der Rechnung von Casino. »Reis, Eier, Brot, Milch, Nudeln, Olivenöl, Käse, Tomatenmark, Gemüse, Obst und Fruchtsäfte, jede Menge Kaffee, Zucker, Marmelade und Schokolade – nichts Tiefgefrorenes. Auch kein Fleisch. Sie konnten ja auch nicht sicher sein, ob es halal ist oder nicht.«

»Es scheint, ihnen steht eine Küche mit Töpfen und Geschirr zur Verfügung. Könnte also sein, dass sie in einem leerstehenden Haus Unterschlupf gefunden haben.«

»In der Umgebung gibt es Tausende leerstehender Ferienhäuser. Sie alle zu durchsuchen würde Monate dauern.«

Jean-Jacques beendete sein Telefonat. »Isabelle hat mir die Mobilfunkdaten vom Sendemast in der Nähe von Vaugiers Haus zukommen lassen. Es gibt da zwei Nummern, von denen wir glauben, dass sie unseren Verdächtigen gehören. Sie nutzen das Internet sehr häufig. France Télécom wird diese Nummern ab sofort überwachen und im ganzen Département nachverfolgen. Allerdings sieht es danach aus, dass sie sich zu schützen versuchen. Sie verwenden ein VPN, Proxy Server und Tor.«

»Soll heißen?«, fragte Bruno.

»Ein Virtuelles Privates Netzwerk, dem Proxy Server zwischengeschaltet sind, dient der Anonymisierung des Anwenders«, antwortete Yveline. »Tor steht für ›The Onion Router‹ und bezeichnet ein Verschlüsselungsverfahren, das auf mehreren Ebenen, ähnlich den Schichten einer Zwiebel, abläuft. Wir können den Client zwar lokalisieren, aber keine kommunizierten Inhalte lesen.«

»Wenn sie sich so gut auskennen und wissen, dass wir ihnen auf der Spur sind, werden sie ihre Handys wohl ausgeschaltet lassen«, bemerkte Jean-Jacques. »Wahrscheinlich legen sie sich neue zu. Wir sollten also alle einschlägigen Käufe und gemeldeten Diebstähle überprüfen. Es kann natürlich auch sein, dass sie Ersatzhandys mitgebracht haben.«

»Woher sollten sie wissen, dass wir sie im Visier haben?«, fragte Bruno. »Möglich, dass derjenige, den dieser *flic* kontrollieren wollte, einfach nur in Panik geraten ist und geschossen hat. Und inzwischen besteht für sie noch mehr Anlass zur Panik: Sie brauchen ein neues Fahrzeug, wenn sie es nicht schon haben. Oder sie lackieren den Lieferwagen um.«

»Schade, dass wir nicht alle Straßen sperren können.« Yveline wandte sich der großen Département-Karte zu, die neben der Tür an der Wand hing. »Begnügen wir uns also mit den üblichen Kontrollen vor Autobahnauffahrten und an allen wichtigen Straßenkreuzungen. Mehr werden wir selbst mit zusätzlichem Personal nicht leisten können.«

»Wir wissen, wann sie in Siorac waren, und können davon

ausgehen, dass sie von dort an ihren Stützpunkt zurückkehren wollen. Wir hatten zur selben Zeit Kradkollegen an den bekannten Engpässen postiert, nämlich auf der Hauptstraße unterhalb von Belvès, bei Beynac, vor Sarlat und in Les Eyzies. Und dann war da noch Ihre Straßensperre am Abzweig nach Limeuil. Ich glaube, wir können davon ausgehen, dass sie sich in unserer Gegend aufhalten. Wenn sie unserem Netz entwischen wollen, müssten sie Schlupfwege kennen.«

»Unsere Gegend ist an die vier- oder fünfhundert Quadratkilometer groß und voller leerer *gîtes*«, bemerkte Jean-Jacques.

»Ja, aber wenn wir alle wichtigen Straßen kontrollieren und mit Hubschraubern Patrouillen fliegen, stecken sie fest«, entgegnete Yveline.

Hinter ihr ließ der General den Hörer auf die Gabel fallen. »Sie schaffen's nicht, nicht mit ihren technischen Möglichkeiten. Trotzdem, Ihre Idee war gut.« Er nickte Yveline anerkennend zu und erklärte Bruno, dass sie vorgeschlagen hatte, beim Stromanbieter nachzufragen, in welchen Häusern nach längerem Leerstand plötzlich wieder Energie verbraucht wurde.

Bruno entschuldigte sich und verließ die Runde, um ungestört einige Telefonate führen zu können, doch der Aufenthaltsraum nebenan war voller Gendarmen, die von ihrem Teamleiter anhand von Straßenkarten der Umgebung eingewiesen wurden. Er meldete sich bei Sergeant Jules ab und ging in die Bar auf der anderen Straßenseite, wo er sich eine Tasse Kaffee bestellte und die Nummer von Professor Philippeau in Paris wählte. Er erklärte kurz, worum es ging, und sagte, dass Dumesnil ihm einen Brief habe schreiben wollen, diesen aber nicht habe zu Ende bringen können, weil er ins Krankenhaus eingeliefert werden musste. Weshalb, verriet er nicht, sagte jedoch, dass es in diesem Brief um das Testament Iftikhars gegangen sei.

»Sonderbar. Ich habe von diesem angeblichen Dokument seit zwanzig Jahren nichts gehört, aber in den letzten zwei Monaten bin ich nun schon an die fünf- oder sechsmal darauf angesprochen worden.«

Angefangen habe es, so berichtete er, im Januar beim Jahrestreffen der American Historical Association. Im Anschluss an seinen Vortrag über *Outremer*, mit dem im Mittelalter sowohl das Heilige Land im Allgemeinen als auch die Kreuzfahrerstaaten im Besonderen gemeint war, sei ein amerikanischer Fachkollege auf ihn zugekommen und habe gefragt, ob er das Testament Iftikhars für authentisch halte.

»Die meisten Historiker, mich eingeschlossen, hegen große Zweifel. Bei einer Konferenz in Israel behauptete wenig später ein anderer Kollege, dass Gerüchten zufolge dieses Testament aufgetaucht sei und gründlichen Tests unterzogen werde. Auf meine Frage, wie oder durch wen er davon erfahren habe, sagte er: Ein ihm unbekannter Mann habe nach einem Abendessen in einer Bar davon gesprochen, sich aber dann zurückgenommen, als habe er erst jetzt gemerkt, dass er lieber davon schweigen sollte. Politisch ist die Geschichte ziemlich heikel, wenn Sie verstehen, was ich meine. Vorausgesetzt, diese Urkunde gibt es wirklich.«

»Was könnte Dumesnil damit zu tun haben?«, fragte Bruno.

»Er war mein Schüler. Ich schätze ihn sehr, er ist ein überaus gescheiter Mann. Warum liegt er im Krankenhaus? Ich hoffe, es ist nichts Ernstes.«

»Es scheint ihm schon wieder etwas besserzugehen. Als ich mit ihm über dieses Thema gesprochen habe, klang er, was diese Urkunde angeht, ebenso skeptisch wie Sie.«

»Ja, wir haben miteinander telefoniert und uns über dieses Gerücht unterhalten, wovon er bis zu diesem Zeitpunkt nichts gehört hatte. Und wir waren uns einig, dass eine solche Möglichkeit durchaus besteht, bedenkt man, dass im Chaos der arabischen Welt unserer Tage etliche Museen und Archive geplündert und zerstört worden sind.«

»Sie meinen die Möglichkeit, dass eine solche Urkunde aufgetaucht ist?«

»Ja. Der Schwarzmarkt ist voll von Antiquitäten und Dokumenten aus dem Nahen Osten, darunter ungemein kostbare altarabische Schriften aus dem Museum von Bagdad. Jüngst sind aus Aleppo, Ninive, Mossul und Palmyra weitere Schätze hinzugekommen, die von Daesh-Kämpfern geraubt wurden und zu Geld gemacht werden sollen. Es ist eine Tragödie, dass diese Sammlungen auseinandergerissen werden. Ich bin im Vorstand des Institut du Monde Arabe hier in Paris, das unter anderem den staatlichen Erwerb von Kunstgegenständen beratend begleitet. Wir werden gegenwärtig regelrecht überflutet mit Angeboten von Artefakten, für die wir noch vor wenigen Jahren ein Vermögen hätten zahlen müssen und die jetzt zu Billigstpreisen verramscht werden.«

»Es wäre also durchaus möglich, dass das lange verschollene Testament wieder aufgetaucht ist. Müsste man aber in arabischen Museen nicht wissen, um was es sich da handelt?«

»Sie können sich kaum vorstellen, in welchem Zustand manche dieser nationalen Museen sind und auch schon vor dem Irakkrieg und dem arabischen Frühling waren. Sie sind chronisch unterfinanziert und unterbesetzt, und leitende Positionen werden an Günstlinge vergeben statt an Fachleute. Arabische Kuratoren leiden am allermeisten darunter, und selbst wenn die Region politisch stabil wäre, würde sich wenig daran ändern.«

»Sie halten es also für wahrscheinlich, dass man in diesen Museen nicht weiß, was man im eigenen Fundus hat beziehungsweise hatte.«

»Genau. Und wir können wohl davon ausgehen, dass die Archive von König Balduin den Templern zur Aufbewahrung anvertraut wurden. Als Jerusalem im Oktober 1187 an die Araber verlorenging, war Saladin gnädig. Er erlaubte den Christen, Jerusalem zu verlassen, vorausgesetzt, sie kauften sich frei. Die Templer und Johanniter erklärten sich bereit, das Lösegeld für diejenigen zu bezahlen, die selbst kein Geld aufbringen konnten, und verlangten im Gegenzug, dass sie Reliquien und andere Kunstgegenstände außer Landes brachten. Heraclius, der römisch-katholische Patriarch von Jerusalem, soll bei seiner Ausreise eine Vielzahl von Fuhrwerken voller Schätze aus der Grabeskirche mit sich geführt haben. Die Templer begleiteten einen Flüchtlingstreck nach Tyros, das immer noch in christlicher Hand war, und nahmen ihren eigenen Schatz mit sich.«

»Worunter sich das Testament befunden haben könnte?«

»Ja. Angeblich wurde es in Akkon Richard Löwenherz vorgelegt, als die Templer dort nach dem Dritten Kreuzzug einen Stützpunkt eingerichtet hatten. Im Jahr 1291 mussten sich die Christen endgültig aus dem Heiligen Land zurückziehen. Die Templer flohen nach Limassol auf Zypern. Ob ihr Schatz in Akkon, Limassol, auf der Insel Arwad oder sonst wo verlorenging, bleibt ein Rätsel. Wir wissen nur, dass zur fraglichen Zeit die Templer mit den Mongolen paktiert haben, die von Osten her die muslimischen Gebiete bedrohten. Der Schatz könnte durchaus auch in Konstantinopel verlorengegangen sein, als die Stadt 1453 in die Hände der Osmanen fiel.«

»Es wäre also denkbar, dass das Testament den Templern abgenommen wurde, in irgendeinem muslimischen oder mamelukischen Archiv verschwand und nun wieder aufgetaucht ist?«

»Ja, es könnte aber auch sein, dass es sich bei dem, was da angeblich aufgetaucht ist, um eine Fälschung handelt. Vor ein paar Jahren war ich in Bagdad Mitglied einer Gruppe, die den Auftrag hatte, kostbare Reliquien aufzukaufen und zur sicheren Verwahrung nach Frankreich zu bringen. Finanziert wurde das Ganze mit Spenden. Mir wurden zwei Grabtücher angeboten, etliche Kreuzsplitter, Nägel von der Kreuzigung Christi und mehrere Schwerter Saladins.«

»Und erst jetzt haben Sie wieder vom Testament Iftikhars gehört?«

»Ja, und ich höre immer wieder davon, zuletzt von einem britischen Kollegen, der mir sagte, vom British Museum sei jemand nach Israel eingeladen worden, um bei der Verifizierung des Dokuments zu assistieren. Vor zwei Tagen rief mich zum selben Thema ein Reporter der *New York Times* von Amerika aus an. Mit anderen Worten, die Sache spricht sich herum. Bevor ich aber das fragliche Dokument nicht mit eigenen Augen gesehen und geprüft habe, halte ich mich mit Urteilen zurück.«

»Können Sie mir den Namen des Reporters und den des britischen Kollegen nennen?«

»Der Kollege heißt Keenan, er ist Mediävist am Merton College in Oxford. Und der Reporter ... Augenblick, ich muss nachschauen ... Ja, Jackson, Bill Jackson.«

Bruno bedankte sich und versprach, ihn über Dumesnil auf dem Laufenden zu halten. Dann rief er Amélie an, berichtete, was er erfahren hatte, und sagte, dass er gern ihre Recherchekünste in Anspruch nehmen würde. Er nannte die Namen und Telefonnummern der beiden Kontakte des Professors und bat sie, sich mit ihnen in Verbindung zu setzen.

»Kein Problem. Ich glaube, mein Englisch ist besser als Ihres. Was soll ich aus ihnen herausbekommen? Ich nehme an, Sie wollen wissen, welchen Ursprung die Gerüchte um das Testament haben. Übrigens, Sie haben vergessen, Ihren Eingangsordner zu schließen. Wie ich sehe, sind keine neuen Mails eingegangen. Soll ich ihn schließen?«

»Nein, behalten Sie ihn im Auge. Wir versuchen in der Zwischenzeit, Straßensperren an strategisch wichtigen Stellen zu errichten. Danke, Amélie.«

Er lehnte sich zurück und dachte über die bemerkenswerte junge Frau nach, die unverhofft in sein Leben getreten war. Nein, so wollte er es nicht ausdrücken. Zugegeben, Amélie war sehr beeindruckend, aber nicht derart, dass sie ihn betörte. Er schätzte ihre Intelligenz, ihr Urteilsvermögen und ihre Hilfsbereitschaft und bewunderte ihren Ehrgeiz. Gut möglich, dass sie mit der Zeit Freunde wurden. Als er seinen Kaffee bezahlte, klingelte das Handy. Es war Philippe

Delaron, der sich nach dem angeschossenen Gendarmen und Brunos spontaner Straßensperrung erkundigte.

»Fragen Sie bei der Pressestelle der Polizei in Périgueux an, Philippe. Ich sage kein Wort.«

»Die von der Pressestelle auch nicht. Deshalb rufe ich Sie an. Ein *flic* wird angeschossen, ein Dozent liegt mit schweren Folterverletzungen im Krankenhaus von Sarlat, Hubschrauber der Gendarmerie kreisen am Himmel, Verstärkung ist auf dem Weg, und Sie sperren kurzerhand die Straße nach Le Buisson. Sie jagen die Männer, deren Fotos Sie uns gezeigt haben, nicht wahr? Wir können helfen, Bruno, aber dazu müssten Sie uns etwas mehr sagen. Ich könnte Radio und Presse einschalten.«

»Das kann ich auch, Philippe, und wenn ich mich zur Sache äußern darf, werde ich es tun.«

»Geht es um Terroristen? Araber? IS-Kämpfer?«

»Tut mir leid, Philippe.« Er klappte sein Handy zu, das im selben Moment wieder zu läuten anfing.

»Ich habe soeben die Nachrichtenredaktion der *New York Times* angerufen«, meldete Amélie. »Es gibt dort keinen Reporter namens Bill Jackson, auch keinen freien Journalisten dieses Namens, der für sie arbeitet. Man sagte mir allerdings, dass es nicht das erste Mal sei, dass sich jemand als Reporter ihrer Zeitung ausgebe. Es spricht einiges dafür, dass Ihr Professor getäuscht wurde und jemand versucht hat, über ihn das Gerücht schneller zu verbreiten. Ich werde mir jetzt diesen Burschen aus Oxford vornehmen.«

»Augenblick. Habe ich richtig verstanden: Da könnte jemand das Gerücht um das Testament absichtlich in Umlauf zu bringen versuchen?«

»So ist es. Verdächtig, nicht wahr? Hat doch alles mit dem tödlichen Absturz dieser Frau angefangen, die versucht hatte, etwas auf die Turmmauer von Commarque zu sprayen. Und dann diese E-Mail von ihr, mit der sie vor einer Fälschung gewarnt hat. Warum sollte man sich wegen einer Fälschung aufregen, die als solche im Handumdrehen aufgedeckt werden kann, wenn es nicht die Möglichkeit gäbe, durch Gerüchte ein virtuelles Dokument in Umlauf zu bringen?«

Bruno fürchtete, ihr nicht ganz folgen zu können, und runzelte die Stirn. »Warum sollte jemand so etwas tun?«

»Da hat sich jemand eine clevere Strategie zurechtgelegt: Er oder sie verweist auf irgendeinen anonymen Mittelsmann, der sich während einer Historikerkonferenz in einer Bar angeblich zu dem brisanten Thema äußert, und prompt stellt die Presse Fragen. Es wird wahrscheinlich auch bald über Twitter davon zu lesen sein, und dann geht's im Internet voll zur Sache. In Wirklichkeit braucht das Dokument gar nicht zu existieren, solange es Leute gibt, die es in Diskussionen zum Thema machen und auf diese Weise gewissermaßen real sein lassen.«

»Jetzt verstehe ich«, erwiderte Bruno. »Vorher war nie die Rede davon gewesen, dass Jerusalem für den Islam womöglich gar keine heilige Stätte sein könnte. Aber jetzt hören wir davon. Und je eifriger darüber diskutiert wird, desto fragwürdiger wird der arabische Anspruch, während Israels Recht auf Jerusalem umso begründeter erscheint. Und das alles, obwohl es dieses Dokument nie gegeben hat.«

»Exakt. Und deshalb frage ich mich, was diese Leah wirklich vorhatte.«

»Anscheinend wollte sie vor etwas warnen. Aber wenn ich richtig verstanden habe, vermuten Sie, dass sie versucht hat, ein Gerücht in die Welt zu setzen, diesen Mythos von der Existenz des Testaments.«

»Das passt doch, oder? Wie haben Sie mir noch Ihre Methode zur Lösung eines Kriminalfalls beschrieben? Sie formulieren eine Hypothese und versuchen dann, sie zu widerlegen. Versuchen Sie das jetzt auch mit meiner Hypothese. Nehmen wir an, es dreht sich hier alles um eine vom israelischen Geheimdienst raffiniert ausgedachte Finte, und Leah, obwohl sie als Friedensaktivistin bekannt ist, arbeitete in Wirklichkeit für ebendiesen Dienst. Wenn sie ermordet worden ist, liegt das Motiv auf der Hand. Womöglich sind ihr die arabischen Freunde auf die Schliche gekommen. Erklären würde sich so auch, warum sie schon vor über einem Jahr einen französischen Ausweis hat fälschen und sich unter einem falschen Namen ein Bankkonto hat einrichten lassen.«

»Sie lesen zu viele Spionagegeschichten.«

»Vielleicht haben Sie zu wenige gelesen. Ich werde als Nächstes überprüfen, ob das British Museum tatsächlich einen Experten nach Israel geschickt hat, um ein lange verschollenes Dokument von der Belagerung Jerusalems zu begutachten. Wetten, dass das nicht stimmt?«

20

Bruno hatte beim Militär gelernt, dass es kaum eine sinnlosere Übung gab, als im Hauptquartier herumzuhängen und anderen im Weg zu stehen, wenn es nichts zu tun gab. Damals hatte er solche Gelegenheiten genutzt, um Schlaf nachzuholen, denn wenn etwas Ernstes passierte, würde er ans Schlafen nicht mehr denken können.

Die Straßensperren waren eingerichtet, die Hubschrauber kreisten, und kompetente Gendarmen standen in Funkkontakt miteinander. Für Bruno gab es also nichts zu tun. Aber statt ins Bett zu gehen, wollte er lieber reiten, denn im Sattel konnte er sich wunderbar mental entspannen. Mit Balzac neben sich, der eigentlich lieber bei Amelie geblieben wäre und immer noch ein wenig nach deren Parfüm roch, fuhr er pfeifend zu Pamelas Reiterhof.

Außer Atem nach einer längeren Galoppstrecke auf Hector den Hügelgrat entlang, schaute Bruno auf seine malerisch ins Tal eingebettete Stadt hinunter. Die honigfarbenen Steine, aus denen die Häuser und die Bogenbrücke gemauert waren, leuchteten in der Nachmittagssonne. Die rotgeziegelten Dächer und das Frühlingsgrün der Bäume spiegelten sich im Fluss. Bruno ließ den Blick schweifen und erfreute sich an der Szenerie, bis er hinter sich Balzac keuchen hörte, der endlich zu seinem Herrchen und dem großen Pferd aufgeschlossen hatte.

Es war irgendwie schockierend, dass ausgerechnet dieser wunderschöne, friedliche Fleck Erde von Terroristen bedroht wurde, die auch in ihrem Teil der Welt schon jede Menge Verheerung angerichtet hatten. Er hatte Zeitungsfotos und Fernsehbilder von Aleppo und Homs gesehen. Wie war es möglich, dass jemand gezielt darauf aus war, Kulturdenkmäler und die Geschichte des eigenen Volkes zunichtezumachen? So etwas musste letztlich scheitern, dessen war sich Bruno sicher. Die Vergangenheit konnte nicht selbstgefällig mit brutaler Hand weggewischt werden. Sie hatte Bestand, weil Erinnerungen an ihr festhielten und Kinder nachwuchsen, denen man davon erzählte.

In Saint-Denis lebten noch Zeitzeugen des Krieges, und tagtäglich kam er an kleinen Schreinen und Gedenktafeln vorbei, die an gefallene Résistance-Kämpfer erinnerten – *morts pour la France*. Das Périgord war jahrhundertelang von den Engländern besetzt gewesen und hatte ein weiteres Jahrhundert unter den Religionskriegen in Frankreich gelitten. Und doch war das, was diesen Landstrich ausmachte, unbeschadet geblieben: seine begünstigte Lage, der fruchtbare Boden, das milde Klima und vieles mehr. Die Region konnte mehr Menschen ernähren, als in ihr lebten. Sie hatte allen feindlichen Angriffen von außen getrotzt, Zumutungen ertragen, sich angepasst und, wenn nicht anders möglich, umgestalten lassen. Insbesondere die Städte waren wie ihre Einwohner belastbar und standhaft.

Er lenkte Hector mit den Knien, lockerte die Zügel und machte sich im Schritttempo, dem Balzac folgen konnte, auf den Rückweg durch den Wald. Als er den Fuhrweg erreichte, ließ er Hector wieder freien Lauf, der einen leichten Galopp wählte, den er lange beibehalten konnte. Doch dann bog er unvermittelt, einer plötzlichen Eingebung folgend, in einen Pfad ab, der zur Hütte des Jagdvereins von Saint-Cyprien führte. Er kannte fast alle seine Mitglieder. Zwei von ihnen zogen gerade auf dem großen Baumstumpf vor der Hütte mehreren Kaninchen das Fell über die Ohren, als er ankam.

»Damit wollen Sie doch wohl nicht auf die Jagd gehen«, sagte einer der beiden und zeigte auf Brunos Dienstwaffe, die im Holster an seinem Gürtel hing. Bruno hatte den Namen des Mannes vergessen. Er schüttelte den Kopf und lachte.

»Sind Ihnen hier in letzter Zeit Fremde aufgefallen?«, fragte er. Er stieg vom Pferd, schüttelte beiden die Hand und nahm dankend ein Glas Wein aus einer nicht etikettierten Flasche entgegen. Er hätte lieber ein Glas Wasser getrunken, aber Wein war hier Brauch. »Vielleicht haben Sie davon gehört, in Siorac wurde ein Gendarm von zwei Männern in einem weißen Lieferwagen angeschossen. Wir fahnden nach ihnen – daher die Hubschrauber und die Straßensperren. Wenn Sie in eine geraten, werden sich die Kollegen ausnahmsweise nicht dafür interessieren, ob Sie getrunken haben. Wir glauben, dass sich die Männer hier irgendwo versteckt halten. Sie sind bewaffnet und gefährlich. Wenn Ihnen also etwas Verdächtiges auffällt, melden Sie sich bitte bei mir. Und nur ja keine Alleingänge.«

Beide Jäger schüttelten den Kopf und versprachen, seine Worte zu beherzigen. Bruno scheuchte Balzac von den Eingeweiden der Kaninchen weg, die sich neben dem Baumstumpf häuften, schwang sich wieder in den Sattel und ließ Hector den Rest des Wegs zum Reiterhof in leichtem Trab zurücklegen.

Wieder in seinem Büro, begrüßte er Amélie und machte sich dann daran, sämtliche Jagdvereine der Umgebung anzurufen. In den meisten Fällen musste er eine Nachricht hinterlassen. Er bat darum, ihn zu verständigen, wenn Fremde oder ein weißer Lieferwagen aufkreuzten oder eine entlegene Ferienwohnung bezogen wurde.

»Jagdvereine ins Networking einzubeziehen scheint mir für Polizisten auf dem Land eine gute Idee zu sein«, meinte Amélie und machte sich Notizen. »Das wird eine weitere Empfehlung sein, die ich in meinem Bericht aussprechen werde, wie auch Ihr E-Mail-Verteilersystem, das die Hotels und Campingplätze der Umgebung berücksichtigt.«

»Ich fürchte, Ihr Bericht wird von den aktuellen Ereignissen überholt werden«, entgegnete er lächelnd. »Sie haben sich mir als Recherchepartnerin anempfohlen, und am Tag Ihrer Ankunft wurde Leah Wolinsky tot aufgefunden.«

»Das wollte ich mir schließlich nicht entgehen lassen. Im Ernst, es war bisher alles sehr interessant. Ich habe einen Ausschnitt von Polizeiarbeit kennengelernt, der einem normalerweise verborgen bleibt.« Sie bückte sich, um Balzac zu streicheln, der ihr Knie beschnupperte. »Ich hoffe nur, dass ich selbst ein bisschen nützlich sein kann.«

»Sie machen sich mehr als nützlich, Sie sind ein Geschenk des Himmels«, erwiderte er. »Sie haben Talent, wenn nicht für Polizeiroutine, so doch für diese Art von Notfallmanagement. Ich weiß, Sie wollen hoch hinaus und in der Politik Karriere machen, könnte mir aber vorstellen, dass Ihnen Ermittlungsarbeit noch mehr liegen würde.«

»Wie meinen Sie das?«

»Eine englische Freundin hat mir einmal von einem

Staatsmann berichtet, der gesagt haben soll, dass alle politischen Karrieren in Enttäuschungen und Niederlagen enden. Wer in die Politik geht, ist anfangs voller Idealismus und hofft, gesellschaftlich gestalten zu können. Aber sie ist ein hartes Geschäft. Ich kann mir vorstellen, wie Sie darauf brennen, politisch tätig zu sein, fürchte aber, dass auch Sie am Ende maßlos frustriert sein würden. Darüber haben Sie sich doch selbst schon Gedanken gemacht, oder?«

»Natürlich. Aber wenn ich in der Politik scheitere, bleiben mir mit meiner juristischen Ausbildung immer noch andere Betätigungsfelder. Wie dem auch sei, ich glaube, in der Politik am richtigen Platz zu sein.«

»Keine Frage, aber Sie haben auch, wie gesagt, ein Talent für Polizeiarbeit, für Ermittlungen oder auch nachrichtendienstliche Tätigkeiten.«

»Das ist nichts für mich«, sagte sie entschieden.

»Mag sein, aber Ihnen wird wohl auch bewusst sein, dass uns in Europa ein langer Kampf bevorsteht. London, Madrid, Paris – sie alle waren schon Ziele von Terrorangriffen. Das wird nicht aufhören, und wir brauchen besseren Schutz, um uns zu verteidigen, neue Köpfe, ein neues Denken, Leute wie Sie. Dieses Land ist auch Ihr Land.«

»Sind Sie sich da so sicher, Bruno? Dass ich in die Politik will, hat nicht zuletzt auch damit zu tun, dass mir in diesem Betätigungsfeld meine Hautfarbe zugutekommt. Man braucht dort Leute wie mich, weil es viele Wähler meinesgleichen gibt. Wäre ich bei der Polizei ebenso willkommen? Beim Geheimdienst? In einem Trupp von Ermittlern, für die es schon ein Problem ist, weibliche Kollegen zu akzeptieren, geschweige denn schwarze?«

»Zugegeben, aber hat Ihnen gegenüber in Saint-Denis auch nur ein Mensch eine rassistische Bemerkung gemacht?«

»Nein, aber Saint-Denis ist auch nicht gerade typisch. Sie haben ja einen guten Bürgermeister, und es ist auch eine kleine Stadt. Glauben Sie mir, in Paris oder Marseille herrschen ganz andere Verhältnisse.«

»Und Sie halten es für möglich, dass sich diese Verhältnisse durch unser Zutun verändern lassen, oder?«

»Ja, und ich glaube, als Politikerin in dieser Hinsicht mehr erreichen zu können denn als Geheimdienstlerin oder Polizistin.«

»Vielleicht haben Sie recht. Schade nur für letztere Institutionen.«

»Danke für das Kompliment. Aber vergessen Sie nicht, ich werde Ihnen noch eine Woche lang auf die Finger schauen.« Sie grinste. »Vielleicht sind Sie am Ende froh, dass Sie mich wieder los sind.«

Er grinste zurück. »Warten wir's ab. So, jetzt muss ich aber los. Ich muss für Horsts Junggesellenabend kochen und morgen um acht wieder in der Gendarmerie sein. Wir treffen uns dann anschließend wieder hier.« Er gab ihr einen Satz Ersatzschlüssel für die *mairie* und sein Büro. »Ich wünsche Ihnen ein schönes Abendessen mit Florence. Grüßen Sie sie und die Kinder von mir.«

Er holte bei Ivan den vorbestellten Lachs ab, der dankenswerterweise schon ausgenommen und entschuppt war, kaufte Spargel und Zitronen bei Marcel und eine Sachertorte bei Fauquet. Dann fuhr er nach Hause, um die Hühner zu füttern, packte seine guten Küchenmesser ein und erntete junge Kartoffeln und Kräuter aus seinem Gewächshaus sowie etwas Feldsalat aus dem Garten. Mit Balzac fuhr er anschließend zum Haus des Barons, der schon die Rotweine dekantiert und den Tisch für zehn gedeckt hatte. Während Bruno in der Küche den Lachs auspackte, stießen Jack Crimson und der Baron bereits mit einem Glas Champagner an.

»Vielleicht willst du darin den Lachs zubereiten«, sagte der Baron und zeigte auf einen einen Meter langen Pochiertopf aus Kupfer, der auf dem Küchenschrank stand. Nach jahrelangem Nichtgebrauch hatte sich eine dicke Staubschicht darauf abgesetzt.

»Nein danke, ich will ihn in den Backofen stecken«, gab Bruno zurück, der den Fisch gerade mit einem Küchentuch innen und außen trockentupfte.

»Ich habe kein Blech, das groß genug wäre.«

»Ich werde den Fisch in Alufolie einpacken und auf den Rost legen. Ein Stück Folie auf dem Ofenboden müsste reichen, um die Tropfen aufzufangen.«

Er hackte Estragon und Petersilie, mischte die Kräuter mit den Zesten von drei Zitronen, einer Knolle feingehacktem Knoblauch, einem großen Esslöffel Olivenöl sowie Salz und Pfeffer. Mit seinem Lieblingsmesser ritzte er den Fisch auf beiden Seiten achtmal tief ein und füllte die Einschnitte mit einem Teil der Kräuterpaste. Dann schnitt er zwei Zitronen in feine Scheiben und verteilte diese mit der Hälfte der Paste in der Bauchhöhle des Fisches. Von außen bestrich er ihn schließlich mit einer dünnen Schicht Dijon-Senf und dem Rest der Paste und drückte den Saft zweier Zitronen darüber aus.

»Das wär's«, sagte er und wickelte den Lachs in Folie.

»Wenn die Gäste eintrudeln, kommt er in den vorgeheizten Ofen, wo er bei 250°C eine Viertelstunde lang gart, dann lasse ich ihn bei heruntergedrehter Hitze noch etwas weiter schmoren, während wir den Spargel und die jungen Kartoffeln essen, die ich jetzt zubereite. Dann muss ich nur noch eine Vinaigrette für den Salat anrühren.«

»Der Koch verdient einen Drink. Champagner, Scotch oder Wein?«, fragte Crimson.

»Ein Glas Champagner, bitte«, antwortete Bruno. »Kennst du eigentlich alle, die kommen werden?«

»Alle hiesigen, klar, und Horst, und einem der anderen Gäste, dem englischen Freund namens Manners, bin ich auch schon begegnet. Er ist wie du ein ehemaliger Soldat, als Oberst in den Ruhestand getreten und arbeitet jetzt als Schatzmeister für eins der Colleges von Oxford.« Crimson schenkte Bruno ein Glas Monthuys ein und füllte seines und das des Barons wieder auf.

»Ich kannte seinen Vater gut. Auch er war Soldat. Während des Krieges gehörte er einer der Jedburgh-Mannschaften an, die der Résistance hier bei uns zu Hilfe gekommen sind«, fuhr Crimson fort. »Sie sind kurz vor dem D-Day über Frankreich abgesprungen, um den Nachschub von Waffen zu organisieren und um Résistance-Kämpfer auszubilden.«

»Das müsste um die Zeit gewesen sein, als die zweite wichtige Höhle gefunden wurde, nicht wahr?«

»Ich glaube, ja. Sie gerieten damals auch in Scharmützel zwischen Kommunisten und Gaullisten innerhalb der Résistance. Es war eine schwierige Zeit. Der junge Manners und seine amerikanische Frau Lydia werden dir gefallen, sie war mit dabei, als Horst und die anderen die neue Höhle entdeckt haben. Sie ist eine Wucht. Heute arbeitet sie als Kuratorin für das Ashmolean Museum in Oxford.«

»Also, wer sitzt alles mit am Tisch? Horst und der Baron, Gilles, der Bürgermeister, Manners und wir beide, macht zusammen sieben. Wer sind die anderen drei?«

»Ein britischer und zwei deutsche Archäologen«, antwortete der Baron. »Soweit ich weiß, treffen die beiden Deutschen heute ein und werden bei dir übernachten. Der Brite, ein Professor Barrymore, kommt bei Crimson unter. Er ist vor einer Stunde eingetroffen und ist jetzt oben und zieht sich um; er kann es kaum erwarten, Commarque aufzusuchen. Er sagt, Horst sei so begeistert von der Entdeckung, dass er darüber womöglich unser Abendessen vergisst.«

»Wehe«, drohte jemand, der gerade zur Küche hereinkam. Es war Gilles, der eine große Käseplatte vor sich hertrug. Er begrüßte seine Freunde und ließ sich zu einem Glas Scotch überreden.

»Das sieht gut aus«, sagte er, hob eine Ecke der Alufolie an und bewunderte den Lachs. Bruno setzte einen Kessel Wasser auf und fing an, den Spargel zu putzen. Der Baron schälte die Enden und bog die einzelnen Stangen, bis sie auf natürliche Weise brachen. In der Zwischenzeit wusch Gilles den Feldsalat. Alle machten sich nützlich, wie sie es seit langem gewohnt waren.

Als der Bürgermeister eintraf und der englische Archäologe von oben herunterkam, war auch schon die Vinaigrette für den Salat gemacht. Eine Schale mit Eiswasser stand bereit, in der Bruno den Spargel nach dreiminütiger Kochzeit abzuschrecken gedachte. Crimson öffnete gerade eine

Flasche Roséwein, als der junge Lespinasse Horst, Manners und die beiden Deutschen absetzte. Bruno heizte den Ofen auf 250° C vor, warf einen Blick auf die Armbanduhr und gab den Spargel ins siedende Wasser.

Auch ohne Vorwarnung hätte Bruno Manners sofort als ehemaligen Berufssoldaten erkannt. Er hielt sich aufrecht, war aber entspannt dabei und versuchte, mit einigen aus der Gruppe, die für ihn im Wesentlichen aus fremden Personen bestand, ins Gespräch zu kommen. Er beobachtete genau und hörte aufmerksam zu, bevor er selbst etwas sagte. Und was er sagte, war kurz gehalten, pointiert und in gutem Französisch. Und sein Deutsch, das er mit Horsts Freunden sprach, wirkte genauso fließend. In Bosnien hatte Bruno britische Offiziere kennengelernt, die aus ähnlichem Holz geschnitzt oder zumindest durch eine ähnliche Schule gegangen waren. Sie waren ausnahmslos höflich mit ihren Männern umgegangen, aufmerksam ihren Unteroffizieren gegenüber und stets bereit, Verantwortung zu übernehmen. Noch vor seiner Geburt, ging es Bruno jetzt durch den Kopf, hatte sich Großbritannien von der allgemeinen Wehrpflicht verabschiedet und eine kleine Armee aus Berufssoldaten eingeführt. Im Unterschied dazu hielt Frankreich nach wie vor an der *levée en masse* fest, eine Tradition, die bis in die Zeit vor der großen Revolution zurückging.

Während gegessen wurde – frischer Spargel mit brauner Butter, Lachs mit jungen Kartoffeln –, plätscherte das Tischgespräch angenehm dahin. Dazu wurde Jauberties Weißwein getrunken. Nur der Bürgermeister, Horst und der Baron zogen den Merlot von Château Laulerie vor. Horst hatte entschieden, dass an diesem Abend Französisch gesprochen wurde, und unterhielt die Freunde aus Saint-Denis mit Erinnerungen an archäologische Grabungen in Schottland, Deutschland, Frankreich und Palästina, bis Bruno die Teller wegräumte und den Salat brachte. Die Käseplatte machte die Runde, als sich der Bürgermeister danach erkundigte, inwieweit sich die jüngere Genforschung auf die Wissenschaft der Archäologie auswirkte.

»Ich erinnere mich an einen Vortrag im Museum von Les Eyzies, in dem davon die Rede war, dass sich Neandertaler und Cro-Magnon-Menschen gekreuzt haben müssen«, sagte er an Horst gewandt. »Gibt es dazu neue Erkenntnisse?«

»Erzähl unseren Freunden von Professor Sykes, deinem Oxforder Kollegen«, bat Horst den Engländer Barrymore, einen kleinen, gepflegten Mann mit einem roten Lockenschopf, den er mit Gel in Fasson gebracht hatte. Die Krawatte hatte er in der Jackentasche verschwinden lassen, als ihm aufgefallen war, dass alle anderen leger gekleidet waren.

Bryan Sykes war Professor der Genetik in Oxford, wie Barrymore erklärte, einer der renommiertesten Experten auf seinem Gebiet. Er hatte das Genom von »Ötzi«, der über fünftausend Jahre alten, im Eis der Alpen entdeckten Mumie, sequenziert und den Nachweis einer direkten Verwandtschaftslinie zu einer im heutigen Großbritannien lebenden Frau erbringen können. Anhand von DNA-Proben hatte er auch beweisen können, dass es sich bei den 1991 in Jekaterinburg exhumierten Leichen tatsächlich um den ehemaligen russischen Zaren und seine Familie handelte, die von den Bolschewiken getötet worden waren. Vor kurzem erst war es ihm gelungen, die mitochondriale DNA über die mütterliche Linie bis zu Eva zurückzuverfolgen.

»Nicht zu verwechseln mit Adams Gefährtin aus der Bibel«, fügte Barrymore erklärend hinzu. »Gemeint ist die sogenannte mitochondriale Eva, die vor hundert- bis zweihunderttausend Jahren in Afrika gelebt haben muss und unser aller Urmutter ist. Den Stammbaum der Europäer führt Sykes auf sieben Untergruppen, die er als ›Die sieben Töchter Evas‹ bezeichnet, zurück. Diejenige, die er Helena nennt, soll im Südwesten Frankreichs gelebt haben und in direkter Linie die Urmutter von etwa fünfundvierzig Prozent aller modernen Europäer gewesen sein.

Die für uns Europäer nächstwichtige Urahnin ist Jasmine, deren Ursprungsort wahrscheinlich der Mittlere Osten war. Von ihr stammen ungefähr siebzehn Prozent der modernen Europäer ab«, führte Barrymore weiter aus. Er kniff die Augenbrauen zusammen und schaute mit schelmischer Miene in die Runde. »Vielleicht sollte ich einen Brief an die *Times* schreiben und erklären, dass viele der armen syrischen Flüchtlinge, die zu uns kommen, womöglich nach Familienangehörigen suchen, die sich seit Jahrtausenden hier bei uns versteckt halten.«

Bruno gefiel die Vorstellung, dass die Hälfte der europäischen Bevölkerung von einer einzigen Frau abstammte, die in seinem Teil Frankreichs gelebt hatte. Aber warum war sie Helena genannt worden?, fragte er sich. Für ihn klang dieser Name griechisch. Warum nicht Francette oder Marianne? Oder Europa?

»Gibt es Landkarten oder Graphiken, auf denen man nachverfolgen kann, über welche Gebiete sich die Nachkommen von Helena und Jasmine ausgebreitet haben?«, fragte Bruno, der sich die Kriege des Zwanzigsten Jahrhunderts und früherer Zeiten unter anderem als Bürgerkriege zwischen europäischen Stämmen erklärte – oder sogar gewissermaßen als Familienstreitigkeiten.

»Davon finden Sie einige im Internet«, antwortete Barrymore. »Einer meiner Promovenden arbeitet an einem detaillierten Modell. Und ich weiß, dass sich unser Freund Horst seit seiner jüngsten Arbeit über Venusfigurinen die Frage stellt, ob es zwischen unserer Urmutter Helena und ihren Schwestern eine Verbindung gibt.«

»Ich interessiere mich insbesondere für zwei seltene Beispiele von Venusdarstellungen, die hier bei uns in der Nähe gefunden wurden«, sagte Horst. »Die eine im Abri von Laugerie-Basse. Ihr Entdecker gab ihr den Namen *La Vénus impudique*, die schamlose Venus, weil sie im Unterschied zu den meisten Venusfigurinen des klassischen Altertums weder Brüste noch Scham mit den Händen bedeckt. Auch ist sie schlank und geradezu athletisch, also ganz und gar nicht matronenhaft wie andere vergleichbare Darstellungen derselben Epoche. Im zweiten Fall haben wir es ebenfalls mit einer schlanken jungen Frau zu tun, die es Bruno angetan hat, wie ich weiß. Sie ist bekannt als die Venus von Abri Pataud, die 1958 gleich hinter Les Eyzies gefunden und nach ihrem Entdecker, einem Bauern, benannt wurde, dem das Land ringsum gehörte.«

»In Deutschland ist ein jüngst erschienenes Buch sehr populär, das den Titel *Warum französische Frauen nicht dick werden* trägt. In diesem Zusammenhang frage ich mich, ob Ihre Urmutter Helena womöglich in diesen schlanken Venusfigurinen dargestellt worden sein mag«, sagte Horsts Freund aus dem Neandertal bei Düsseldorf mit breitem

Lächeln. »Vielleicht war sie schon genetisch entsprechend angelegt, wovon heutige Französinnen noch immer profitieren.«

»Was für ein schönes Hochzeitsgeschenk von Klio«, meinte Manners. »Dass ausgerechnet jetzt in Commarque eine weitere Höhle entdeckt wurde.«

Bruno fragte sich, wer wohl diese Klio sein mochte, als Barrymore sein Glas erhob und sagte: »Auf Klio, Musentochter des Zeus und Schutzpatronin der Historiker.«

»Grausame Göttin, die mit ihrem Streitwagen Berge von Toten überrollt«, fügte Manners hinzu und hob ebenfalls sein Glas.

»Auf Klio, die die Macht hat, Männer berühmt zu machen«, ergänzte einer der Deutschen. Auch Bruno hob sein Glas und lächelte, amüsiert darüber, dass selbst derart gelehrte Akademiker, wenn sie nur genug Wein getrunken hatten, zur Albernheit neigten. Ein Signalton seines Handys zeigte ihm eine eingegangene Nachricht an. Diskret schaute er nach. Isabelle schrieb, dass der bei Siorac angeschossene Gendarm außer Lebensgefahr war.

21

Dankbar dafür, dass ihm die Qualität des Weins und sein Verzicht auf Crimsons Whisky einen Kater erspart hatten, betrat Bruno am nächsten Morgen kurz vor acht die Gendarmerie. Vorher hatte er eine halbe Stunde in seinem Büro gesessen und die Nachrichten aus seinen Netzwerken gelesen. Eine hatte ihn vom Schreibtisch aufspringen lassen und veranlasst, die Landkarte an der Wand zu studieren. Auf dem Weg zur Gendarmerie hatte er im *maison de la presse* haltgemacht, um mehrere Wanderkarten der Umgebung zu kaufen, in die er seine jüngsten Erkenntnisse eintrug. Froh darüber, dass er in der anstehenden Sitzung einen wesentlichen Beitrag würde leisten können, begrüßte er Prunier und Jean-Jacques, als sie mit dem Wagen vorfuhren. Beide hatten einen Pappbecher Kaffee in der Hand, sahen aber trotzdem müde und niedergeschlagen aus. Brunos gute Laune hielt auch nicht lange vor, denn Jean-Jacques fragte: »Haben Sie schon gehört?«

»Was denn?«

»Diese ehemalige Nonne aus meinem Missbrauchsfall, die Alkoholikerin – sie hat sich gestern umgebracht, mit Tabletten und einer Flasche Gin. Vorher hatte sie Madame Duteiller angerufen, die Psychologin, die zu dieser Zeit zufällig auf dem Kommissariat war, um sich zu den Vorwürfen der Steuerhinterziehung ihres Mannes zu äußern. Duteiller meint jetzt, dass es ein Hilferuf war und die Frau noch leben würde, wenn sie ihren Anruf hätte entgegennehmen können. Die Ex-Nonne soll ihr auf die Mobilbox gesprochen haben, sie würde der Sache ein Ende machen, weil es ohnehin keine Gerechtigkeit für die unschuldigen Opfer von Mussidan geben könne.«

»Hat sie einen Abschiedsbrief hinterlassen?«

»Ja, und darin steht genau dasselbe, und außerdem gibt sie mir im Besonderen und der Polizei im Allgemeinen die Schuld an ihrem verzweifelten Entschluss, weil wir keine Beweise beigebracht hätten, die ihre Geschichte bestätigen würden. Im Radio macht diese Duteiller die Polizei jetzt verantwortlich für ihren Tod. Unter anderen Umständen – ohne unseren Fall, der mich so auf Trab hält – wäre ich längst zum Präfekten zitiert worden.«

»Berichtet das Radio auch darüber, dass gegen die Duteillers wegen Steuerhinterziehung ermittelt wird?«

»Ich bin gespannt, ob die Kommune nach den bisherigen Meldungen tatsächlich Anklage erhebt. Mal sehen. Momentan wird die Nonne als Opfer polizeilicher Nachlässigkeit betrauert, und Madame Duteiller ist der gnadenreiche Engel, der dafür sorgt, dass misshandelten Kindern Gerechtigkeit widerfährt.«

Prunier schüttelte den Kopf. »Keine Sorge, Jean-Jacques. Ich werde gleich im Anschluss an unsere Sitzung eine Erklärung für das Radio abgeben und die Sache geraderücken. Und ich werde sicherstellen, dass die Kommune den Steuerbetrug zur Anklage bringt.«

Sergeant Jules führte die drei – Bruno, Prunier und

Jean-Jacques – in Yvelines Büro. Bruno zuckte vor Schreck zusammen, als er den Brigadier und Isabelle hinter dem Schreibtisch sitzen und in ihre Laptops starren sah. Isabelle war die letzte Person, mit der er hier in Saint-Denis gerechnet hatte. Nur gut, dass sie seine Überraschung nicht bemerkt hatte und wohl auch nicht spürte, wie sehr ihr Anblick seinen Puls beschleunigt hatte.

»*Bonjour, messieurs*«, grüßte der Brigadier und fügte hastig hinzu: »… *et mademoiselle*«, als Yveline als Letzte den Raum betrat. »Commissaire Perrault muss ich wohl nicht mehr vorstellen. Ich glaube, ihre europäischen Verbindungen und die Tatsache, dass sie sich hier vor Ort bestens auskennt, könnten nützlich sein.«

Isabelle lächelte höflich und stand auf, als Jean-Jacques, ihr Vorgesetzter aus der Zeit ihrer Stationierung im Périgord, überschwenglich auf sie zukam, um ihr *bisous* auf die Wangen zu drücken. Prunier wurde mit einem kühlen »*Bonjour, monsieur*« begrüßt, während Bruno mit einem förmlichen Händedruck bedacht wurde, der eine Winzigkeit länger dauerte als üblich. Er hatte mit nichts anderem gerechnet und schenkte ihr ein strahlendes Lächeln, auf das sie mit einer ironisch hochgezogenen Augenbraue reagierte, mit jener Miene also, an die er sich so gern erinnerte. Ihre allererste Frage an ihn bezog sich auf Balzac. Sie sah gut aus, ein bisschen müde vielleicht, aber ihre Augen waren hell und klar. Verbrecherjagden hatten sie immer schon beflügelt.

»Bis spätestens neun muss ich den Minister informiert haben, denn dann geht er in den Élysée-Palast, um dem Präsidenten Bericht zu erstatten«, meldete sich der Brigadier wieder zu Wort. »Und bis jetzt gibt es nichts, was ich ihm sagen könnte, außer dass Spesen und jede Menge Überstunden anfallen. Ich hoffe, Sie, meine Herrschaften, helfen mir auf die Sprünge.«

Jean-Jacques hob die Schultern und richtete seinen Blick auf Prunier, der das Gesicht verzog und sagte: »Leider gibt es nichts Neues zu berichten, Monsieur, es sei denn, den Minister interessiert, dass wir großräumig Straßenkontrollen durchführen und Hubschrauber auch nachts mit Suchscheinwerfern die kleineren Landstraßen patrouillieren. Es scheint, die Terroristen haben sich eingeigelt und zehren von ihren Vorräten. Irgendwann aber werden sie aus der Deckung kommen müssen, und dann greifen wir zu.«

»Wir überprüfen alle französischen Kontakte von Leah Wolinsky und al-Husayni, haben aber noch niemanden ausfindig gemacht, mit dem Mustaf in Beziehung steht. Die anderen beiden Männer konnten wir und unsere europäischen Nachbarn bislang nicht identifizieren«, sagte Jean-Jacques. »Wir haben ihre Fotos mit verschiedenen Datenbanken abgeglichen, aber keinen Treffer erzielt. Monsieur, hat das Team der Terrorismusabwehr die Liste möglicher Angriffsziele komplettiert?«

»Daran wird noch gearbeitet«, schaltete sich Isabelle ein. Sie erwähnte zwei mögliche Personenziele: einen ehemaligen französischen Präsidenten und Premierminister, der in der Region lebte, und einen ehemaligen Außenminister aus Sarlat. Letzterer war während der irakischen Invasion in Kuwait im Amt gewesen, als Truppen einer Allianz aus Franzosen, Amerikanern und Briten dem ölreichen Scheichtum zu Hilfe gekommen waren.

»Da wäre auch noch Ihr Nachbar Monsieur Crimson zu

nennen, der zur Zeit des Irakkriegs, an dem wir uns nicht beteiligt haben, das Joint Intelligence Committee Großbritanniens geleitet hat«, fügte der Brigadier hinzu. »Ich habe vorsorglich Personenschutz für ihn beantragt. Bruno, hätten Sie noch was für uns?«

»Möglicherweise schon. Wie Sie wissen, ist mir über mein lokales Netzwerk gestern eine erste Sichtung der Verdächtigen im Supermarkt Casino gemeldet worden. Ein weiteres Netzwerk, bestehend aus hiesigen Jagdvereinen, hat mich jetzt auf drei verschiedene allein stehende Häuser aufmerksam gemacht, die vorige Woche noch definitiv leer standen, jetzt aber anscheinend bewohnt sind. Glücklicherweise ist die Jagdsaison noch nicht zu Ende. Jäger haben frische Reifenspuren bemerkt, einen rauchenden Schornstein und Licht hinter den Jalousien eines der Häuser. Wir versuchen gerade, die Eigentümer zu ermitteln, und werden sie anrufen, sobald wir hier fertig sind. Vielleicht möchten Sie auch die Helikopterteams darauf aufmerksam machen. Zu diesem Zweck habe ich die Lage der Häuser auf dieser Karte hier markiert.«

»Dem Himmel sei Dank, dass wenigstens einer von uns einen Plan hat. Lassen Sie sich nicht aufhalten«, sagte der Brigadier und reichte Bruno ein daumennagelgroßes quadratisches Emailleabzeichen, auf dem ein blaues und ein weißes Rechteck in roter Umrandung zu sehen waren. Er selbst und Isabelle trugen, wie Bruno bemerkte, die gleichen Abzeichen. »Stecken Sie sich das Ding ans Revers. Es weist Sie als Mitglied meines Stabes aus. Und jetzt ab mit Ihnen. Machen Sie die Eigentümer ausfindig, und halten Sie mich beziehungsweise Isabelle auf dem Laufenden.«

»*Oui, brigadier*«, erwiderte Bruno und salutierte. Den Namen eines der Eigentümer kannte er bereits. Ihm gehörte eine alte *fermette*, ein kleines Bauernhaus in der weitläufigen Kommune von Urval. Den Eigentümer des zweiten Hauses, das in einem Waldgebiet bei Saint-Cyprien gelegen war, wollte der zuständige Polizeikollege überprüfen. Das dritte Haus gehörte zu einer Kommune, die zu klein für eine eigene Polizeidienststelle war, weshalb sich der Bürgermeister von Saint-Denis mit seinem dortigen Amtskollegen in Verbindung gesetzt und ihn gebeten hatte, in seiner *mairie* heute früh als Erstes die entsprechenden Grundbuch- und Steuerunterlagen einzusehen. Als Bruno sich dem Marktplatz näherte, sah er Amélie an einem Tisch vor Fauquets Kaffee sitzen. Als sie winkte und seinen Namen rief, tippte er bedauernd auf seine Armbanduhr, um ihr zu sagen, dass er keine Zeit zum Plaudern hatte. Doch sie ließ sich nicht abwimmeln.

»Augenblick, es ist wichtig!«, rief sie und stöckelte ihm in halsbrecherischem Tempo nach. »Es geht um die Fotos, die an der Gare de l'Est aufgenommen wurden. Ist Ihnen aufgefallen, dass alle geraucht haben, als sie vor dem Café am Platz saßen? Raucher brauchen Nachschub. Ich habe deshalb gestern eine Liste aller lizenzierten *tabacs* der Region zusammengestellt und sie mitsamt E-Mail-Adressen und Telefonnummern in Ihren Computer eingegeben.«

»Vielen Dank – und *bonjour*!« Bruno empfahl sich mit zwei schnellen Wangenküssen und lief dann ins Büro hinauf, wo er sich sofort daranmachte, den *tabacs* eine Mail zu schreiben, der er Fotos der vier Verdächtigen beifügte.

Sein Kollege aus Saint-Cyprien und der Bürgermeister

der kleinen Kommune Castels hatten ihm inzwischen die Namen der Hauseigentümer zukommen lassen. Im *annuaire* suchte er die dazugehörigen Telefonnummern heraus. Sein erster Anruf wurde von einer verschlafenen Stimme beantwortet, die dem Akzent nach einem Holländer gehörte. Nachdem Bruno seine Frage wiederholt hatte, erklärte der Mann in stockendem Französisch, dass er und seine Familie vor kurzem aus Rotterdam eingetroffen seien, um Urlaub zu machen. Im Haus bei Urval meldete sich niemand, und eine Telefonnummer für das Haus in der kleinen Kommune von Castels konnte er auf Anhieb nicht finden. Er informierte Isabelle und den Brigadier von diesem Zwischenergebnis, verließ sein Büro und setzte sich zu Amélie auf eine Tasse Kaffee samt Croissant.

»Sie haben tatsächlich detektivisches Geschick«, sagte er. »Sie sollten über meinen Vorschlag noch einmal nachdenken.«

»Vergessen Sie's«, entgegnete sie scharf. »Sind Ihnen weitere mögliche Ziele eingefallen? Ich bin das Lokalblatt nach angekündigten Großveranstaltungen durchgegangen, die für Dschihadisten interessant sein könnten. Auf Rugbyspiele werden sie es wohl kaum abgesehen haben, auch nicht auf die neue Höhle von Commarque. Der junge Reporter hat sie zum Anlass genommen, wieder einmal über die Tempelritter zu schreiben.«

»Das wundert mich nicht. Er muss an die Auflage denken. Wie war Ihr Abend mit Florence?«

»Toll. Ich mag sie sehr – wenn sie denn mal aufhört, Sie über den grünen Klee zu loben. Es war fast peinlich. Aber dann erzählte sie mir von ihrer Mitgliedschaft im hiesigen

Chor, und wir haben ein paar hübsche Duette gesungen. Sie hat eine wunderschöne Stimme. Wenn ich richtig verstanden habe, verdankt sie Ihnen ihren Lehrerjob am *collège*.«

Er schüttelte den Kopf. »Ich wusste nur, dass der alte Naturkundelehrer in Pension gehen würde und sie studierte Chemikerin ist, also wahrscheinlich besser qualifiziert als die meisten Lehrer, die sich bei uns bewerben. Ihr Pädagogikum hat sie inzwischen nachgeholt.«

»Ja, davon hat sie gesprochen. Und wie sie den Computerklub ins Leben gerufen hat. Ihre Schüler sind große Klasse.«

»Ich find's schön, dass Sie Florence kennengelernt haben. Sie ist eine wundervolle Frau und ein Gewinn für unsere Stadt. Ich schätze, dass sie bald in den Stadtrat gewählt und mir mit ihr eine weitere Vorgesetzte vor die Nase gesetzt wird.« Er warf einen Blick auf seine Uhr. »Ich gehe jetzt wohl besser in die Gendarmerie und sehe, ob etwas für mich zu tun ist. Sie könnten mir einen großen Gefallen tun, die beiden Eigentümer ausfindig machen und sich erklären lassen, warum die Häuser seit kurzem bewohnt zu sein scheinen.« Er reichte ihr einen Zettel mit den Namen und Telefonnummern und sagte, dass er den einen bereits erreicht habe, einen Holländer, der offenbar gerade erst aus dem Bett gekommen sei.

»Wenn er Holländer ist, warum heißt er dann de Villiers?«

»In Holland ist das kein unüblicher Name, er geht, wenn ich mich nicht irre, auf Hugenotten zurück, die während der Religionskriege aus Frankreich geflohen sind.« Und nach kurzem Zögern: »Vielleicht sollten wir da noch einmal nachhaken.«

Balzac blieb bei Amélie, als Bruno Fauquet hinterm Tresen aufsuchte und ihn fragte, ob er an diesem Tag Holländer zu Gast gehabt habe, was dieser verneinte. Dann ging er die Adressliste auf seinem Handy durch und rief die Nummer von Willem auf, einem holländischen Freund vom Tennisklub. Als er aber an den Tisch nach draußen zurückkehrte, sah er, dass Amélie ihm anscheinend schon zuvorgekommen war, denn sie telefonierte mit jemandem, den sie bat, die Nummer anzurufen und einzuschätzen, ob der Angerufene tatsächlich aus Holland komme. Sie lachte in Reaktion auf die Antwort, die ihr gegeben wurde, und beendete dann das Gespräch.

»Darf ich mitlachen?«

»Eine Freundin aus Amsterdam wird einen Kontrollanruf machen. Sie sagte, wenn Zweifel bestünden, würde sie ihren Gesprächspartner darum bitten, das Wort Scheveningen auszusprechen.« Amélies eigener Versuch klang, als räusperte sie sich. »Es ist der Name einer Stadt am Meer, den nur Holländer richtig hinbekommen. So hat man dort im Krieg Deutsche überführen können.«

»Die erste Regel für erfolgreiche Polizeiarbeit«, sagte Bruno. »Mach dir überall Freunde.«

Amélie betrachtete ihr Smartphone, als wollte sie es durch Willenskraft zum Klingeln bringen. Aber was sich schließlich meldete, war Brunos Handy, und zwar dasjenige, das der Brigadier ihm in einem vorangegangenen Fall zur Verfügung gestellt hatte. Zusätzlich zu dem besonderen Klingelton blinkte ein grünes Licht, mit dem angezeigt wurde, dass der Anrufer ein speziell gesichertes Netz verwendete. Es war Isabelle.

»Wo bist du?«, fragte sie kurz angebunden, als wollte sie klarmachen, dass sie dienstlich anrief.

»Ich wollte mich gerade auf den Weg zur Gendarmerie machen«, antwortete er ebenso förmlich, wofür er sich insgeheim schämte. Schließlich kannten sie einander viel zu gut für solche Mätzchen. Er schlug einen Ton an, der ein wenig von seiner Zuneigung zu ihr zum Ausdruck brachte, und fügte hinzu: »Soll ich Balzac mitbringen? Er würde sich freuen, dich zu sehen.«

Es entstand eine Pause. Dann hörte er ein Geräusch, bei einer Katze hätte man es ein Schnurren genannt. »Ich würde mich auch freuen, aber es passt jetzt nicht. Vielleicht findet sich noch eine Gelegenheit. Wir haben einen Hubschrauber losgeschickt, der zuerst das Haus bei Castels anfliegt und dann nach Saint-Cyprien …«

»Augenblick«, unterbrach Bruno, als er sah, dass Amélie ihr Smartphone am Ohr hatte und ihm ein Zeichen machte. »Da ergibt sich vielleicht was Neues.«

»Keine Antwort?«, sprach Amélie in ihr Handy. »Bist du sicher? Vor ein paar Minuten war noch jemand im Haus. Versuch es bitte noch einmal. Es ist wichtig.«

Bruno sagte zu Isabelle: »Ich habe eben eins der gemeldeten Häuser antelefoniert und einen Mann am Apparat gehabt, der wie ein Holländer klang. Wir versuchen es gerade noch einmal, um uns zu vergewissern, aber jetzt antwortet niemand. Ich ruf dich später zurück.«

Kaum hatte er sein Handy zugeklappt, klingelte es wieder. Eine ihm nicht bekannte Männerstimme fragte: »Spreche ich mit Chef de police Courrèges?«

»Ja. Und wer sind Sie?«

»Mein Name ist Laurier. Mir gehört der *tabac* an der Hauptstraße in Saint-Cyprien. Ich habe eine E-Mail von Ihnen bekommen. Gerade eben war ein Kunde im Laden, der genauso aussieht wie der ältere Mann auf Ihren Fotos. Ich habe ihn mir genau angesehen, weil er zwei Stangen Marlboros gekauft hat, das sind vierhundert Zigaretten. Macht zusammen hundertvierzig Euro. So was haben wir hier äußerst selten. Dann wollte er noch ein Feuerzeug, ein paar Schokoriegel und Pfefferminzbonbons. Er hat mit drei druckfrischen Fünfzigern bezahlt. Das Feuerzeug habe ich ihm umsonst gegeben, auch eine Plastiktüte, in der er alles verstauen konnte.«

»Wie lange ist das her?«

»Fünf bis zehn Minuten. Ich habe ihn bedient und mir dann die Nachrichten auf meinem Tablet angesehen. Das hat mir meine Frau zum Geburtstag geschenkt. Äh – also ich habe die Schlagzeilen gelesen und dann meine E-Mails gecheckt, wobei mir Ihre Nachricht aufgefallen ist.«

»Können Sie mir seine Kleidung beschreiben?«

»Darauf habe ich nicht so genau geachtet. Ich glaube, er trug Jeans, einen Rollkragenpullover und eine Lederjacke. Und eine Baseballkappe, ja, daran erinnere ich mich genau.«

»War er zu Fuß oder mit dem Auto unterwegs?«

»Zu Fuß, glaube ich, bin mir aber nicht wirklich sicher, tut mir leid. Vielleicht hat er weiter unten an der Straße geparkt. Wird nach ihm gefahndet? Ich hoffe, die Scheine, mit denen er bezahlt hat, sind echt.«

»Keine Sorge, darum geht es nicht. Vielen Dank jedenfalls, Monsieur Laurier. Könnten Sie mal aus dem Fenster schauen und sehen, ob er noch in Sichtweite ist?«

»Er ist weg«, antwortete Laurier nach einer kurzen Pause. Bruno bedankte sich noch einmal, beendete das Gespräch und wandte sich wieder Amélie zu.

»Meine Freundin hat es noch einmal versucht, aber es geht niemand ran.«

»Nun denn, ich muss jetzt los«, sagte er. »Ich hatte gerade einen Ihrer *tabac*-Männer am Apparat, einen Händler aus Saint-Cyprien. Er hat soeben zwei Stangen Marlboros an al-Husayni verkauft. Danke, Amélie, gute Arbeit. Können Sie es bitte weiter versuchen mit der Nummer? Vielleicht antwortet ja doch noch jemand. Ich rufe Sie von der Gendarmerie aus an.«

Auf dem Fußweg entlang der Rue Saint-Denis meldete er sich bei Isabelle.

»Einer der Verdächtigen wurde gesehen«, sagte er. »Vor wenigen Minuten erst, im Tabakladen in Saint-Cyprien, schnell zu erreichen vom Haus des mutmaßlichen Holländers aus. Der Ladenbesitzer hat ihn als al-Husayni identifiziert.«

»Aber wie –«

Bruno fiel ihr erklärend ins Wort. »Ich habe Fotos der Verdächtigen an alle *tabacs* der Umgebung geschickt, und er hat geantwortet. Sag bitte dem Helikopterteam Bescheid, dass wir möglicherweise fündig geworden sind, und sorg für Verstärkung.«

»Verstanden.« Sie hatte die Verbindung noch nicht beendet, als er sie rufen hörte: »Ruhe bitte, es wird ernst …«

Minuten später fand er in Yvelines Büro jene Atmosphäre kontrollierter Dringlichkeit vor, die er von Einsatzbesprechungen beim Militär her kannte, wenn eine riskante Mission vorbereitet worden war. Isabelle lächelte ihm zu, legte eine Hand auf das Mikrofon des Handys, das sie sich ans Ohr hielt, und sagte: »Der GIGN-Hubschrauber wird in etwa einer Viertelstunde in Saint-Cyprien sein. Eine zweite Maschine hat sich auf den Weg gemacht. Motorradpolizisten riegeln die Stadt ab.«

»Da ist noch etwas«, sagte Bruno, worauf es plötzlich still wurde. Der Brigadier, Prunier und Jean-Jacques, die alle telefonierten, blickten ihn erwartungsvoll an. Yveline stand vor der großen Landkarte an der Wand und drehte sich zu ihm um.

»Vor ungefähr zwanzig Minuten habe ich die Nummer des Hauses bei Saint-Cyprien angewählt und einen Mann am Apparat gehabt, der mit auffällig holländischem Akzent Französisch sprach und behauptete, vor kurzem erst aus Rotterdam angereist zu sein, um Ferien zu machen. Als eine holländische Muttersprachlerin auf meine Bitte hin zehn Minuten später noch einmal anrief, antwortete niemand. Das Haus ist auf der Karte markiert, die ich hier verteilt habe. Dann erreichte mich der Anruf eines Tabakhändlers. Er sagte, al-Husayni habe zwei Stangen Zigaretten und mehrere Schokoladenriegel bei ihm gekauft«, berichtete Bruno und wiederholte die Angaben des Mannes bezüglich der Kleidung des Verdächtigen. »Es handelt sich bei ihm um den Wissenschaftler, nicht um einen ausgebildeten Soldaten.«

»Verstehe«, sagte der Brigadier und setzte sein Telefonat fort. »Es gibt möglicherweise einen ersten Fahndungserfolg. Veranlassen Sie bitte, dass *l'ange deux* Kurs auf ein Objekt zwei Kilometer nordwestlich von Saint-Cyprien nimmt,

Koordinatenpunkt sieben-vier-eins-zwei-zwei-sechs. Setzen Sie die Eingreiftruppe ab. Sie soll aber vorerst nur observieren. Wir schicken Verstärkung. Die anderen Helikopter fliegen nach Saint-Cyprien und warten auf weitere Instruktionen.«

Prunier dirigierte über sein Handy Polizeikräfte nach Saint-Cyprien, die dort mit Fotos der Verdächtigen von Tür zu Tür gehen sollten, während Jean-Jacques sein Team zur Gendarmerie vor Ort schickte, wo es sich in Bereitschaft halten sollte. Und wir, dachte Bruno, warten jetzt darauf zu erfahren, in welche Gefahr wir diese Männer geschickt haben.

»Es wird Zeit, dass ich mich mit Paris in Verbindung setze«, sagte der Brigadier. »Wenn ich Sie also bitten dürfte, mich für ein paar Minuten allein zu lassen? Setzen Sie Ihre Vorbereitungen fort, und denken Sie daran, wir wollen diese Männer lebend.«

Jean-Jacques ging vor die Tür, um zu rauchen. Yveline schaltete im Aufenthaltsraum die Kaffeemaschine ein und reichte Isabelle, die sich nach der Damentoilette erkundigte, ihren Schlüsselbund.

»Gehen Sie in meine Wohnung, Parterre rechts.« Sie zeigte über den Hof hinweg auf das kleine Apartmenthaus, in dem die Gendarmen untergebracht waren und das alle liebevoll *la caserne* nannten. »Bisher war es für uns finanziell nicht drin, hier in der Gendarmerie eine Damentoilette einzurichten.«

Prunier nahm Bruno beim Arm und sagte: »Erzählen Sie mir von den Netzwerken, die Sie eingerichtet haben. Wie funktionieren die so?«

Bruno erklärte, wie er den ersten Verteiler aus Mitgliedern der Police municipale organisiert hatte, um mit den Kollegen anderer Kommunen Kontakt zu halten, und dass er dann nach dem gleichen Schema eine Liste aller Fremdenverkehrsbüros, Hotels und Restaurants der Umgebung und jüngst eine der Jagdvereine zusammengestellt hatte.

»Dank dafür gebührt Amélie Plessis, der jungen Frau aus dem Justizministerium, die mich in meiner Arbeit begleitet und einen Bericht über die Zukunft der Police municipale schreibt. Ihrer Chefin, der Ministerin, gefällt offenbar die Idee der von ihr so genannten Police de proximité, also einer größeren Nähe zwischen Polizei und Öffentlichkeit, und diese Idee will sie empirisch auffüttern. Amélie ist eine gute Ermittlerin und findet, dass ich das Internet viel besser nutzen und alle meine hiesigen Kontakte darüber zusammenführen könnte. Ihr Vorschlag war es auch, alle *tabacs* mit in die Liste aufzunehmen. Selbst hätte ich nicht daran gedacht. Sie hat mir auch mein E-Mail-Programm so eingerichtet, dass ich mit nur einer Mail alle erreiche. Übrigens hat sie auch Leah mit Hilfe der sozialen Medien identifiziert und sich über sie schlaugemacht. Ohne sie wären wir wahrscheinlich nie auf dieses Testament Iftikhars gestoßen.«

»Was wissen Sie sonst noch über sie?«

»Sie hat gute Aussichten, in ihrer Partei, dem PS, groß rauszukommen. Zurzeit ist sie im exekutiven Ausschuss der Jungsozialisten, sitzt in deren internationalen Komitees und plant eine politische Laufbahn. Schade eigentlich. Denn damit geht eine gute Polizistin oder Geheimdienstlerin an ihr verloren.«

»Was hat sie studiert?«

Bruno erzählte, was er wusste, und fügte hinzu, dass Amélie die Verwaltungshochschule absolviert habe.

Yveline hatte sich mit einem Becher Kaffee zu ihnen gesellt. »Wir haben bei Bruno zusammen zu Abend gegessen«, sagte sie. »Sie ist blitzgescheit und singt wie ein Engel. Eine sehr sympathische Frau.«

Bruno fragte sich, ob er erwähnen sollte, dass sich Amélie Sorgen um die Tochter ihrer Cousine machte, doch da kam Jean-Jacques zurück, der immer noch telefonierte. Und auch Isabelle war wieder zur Stelle. Kurz hintereinander klingelten zuerst Pruniers und dann Yvelines Handy.

»Sie haben ihn? Ausgezeichnet«, sagte sie und zeigte Bruno einen nach oben ausgestreckten Daumen, während sie dem Anrufer zuhörte. Plötzlich verdüsterte sich ihre Miene. Sie klappte ihr Handy zu und sagte: »*Merde!* Er wurde niedergeschossen. Nicht von uns. Der Brigadier telefoniert gerade mit Paris. Es ist wohl besser, wenn ich ihn sofort davon in Kenntnis setze. Die Gendarmen des Mannschaftsbusses haben al-Husayni gefunden. Irgendjemand hat auf ihn geschossen, als er die Stadt zu Fuß verlassen wollte. Er lebt noch«, sagte sie an Bruno gewandt und klopfte an die Tür zu ihrem Büro. Bevor sie eintrat, fügte sie hinzu: »Die Kollegen bringen ihn in die Klinik von Saint-Denis.«

»In welcher Richtung war er unterwegs?«, fragte Bruno und schaute auf die Karte.

»Der Mannschaftsbus kam von Les Eyzies und Meyrals«, antwortete Yveline und verschwand hinter der Tür.

»Das wäre also in Richtung auf das Haus des Holländers«, bemerkte Isabelle. Sie saß vor dem Funkgerät und hatte einen Kopfhörer am Ohr. »Der GIGN-Hubschrauber ist auf dem Weg dorthin.«

»Es ist noch keine halbe Stunde her, dass ich mit dem Holländer gesprochen habe, wenn es denn einer war«, sagte Bruno. »Wenn sie beschlossen haben, zu fliehen und al-Husayni im Stich zu lassen, können sie noch nicht weit sein.«

»Die Straßen sind gesperrt. Sie müssen uns bald ins Netz gehen.«

Der Brigadier kam aus Yvelines Büro und steckte sein Handy weg. »Einen haben wir, drei sind noch auf freiem Fuß. Haben wir einen Haftgrund für al-Husayni? Zu diesem frühen Zeitpunkt wäre es nicht gut, Antiterrorvollmachten anzuwenden. Die Presse bekäme Wind davon.«

»Unterlassene Hilfeleistung nach Leahs Sturz«, schlug Bruno vor. »Vielleicht sogar Mordverdacht, möglich auch, dass er und seine Kumpane in de Villiers' Haus eingebrochen sind, wenn er von dort kam.«

Der Brigadier wandte sich an Isabelle. »Gibt's Neues vom GIGN-Team?«

»Nein. Es hat die neuen Koordinaten und müsste gleich zur Stelle sein«, antwortete sie und drückte den Hörer fester auf ihr Ohr.

»Na schön, hier herumzusitzen und auf Nachrichten zu warten hat keinen Zweck. Wer wird al-Husayni ins Verhör nehmen, wenn er hier in der Klinik ist?«

»Das mache ich mit Bruno«, antwortete Jean-Jacques.

»Brauchen wir einen Dolmetscher?«

»Nein«, erwiderte Bruno. »Von Dumesnil, der ihn und Leah getroffen hat, weiß ich, dass er fließend Französisch spricht. Ich glaube übrigens, dass er kooperativ sein wird oder zumindest nicht feindselig gestimmt.«

Der Brigadier sagte nichts, wirkte aber skeptisch.

Da rief Yveline: »Das GIGN-Team ist gelandet und hat Stellung bezogen. Im Haus regt sich nichts, die Eingangstür steht offen.«

»Durchsuchen«, befahl der Brigadier. »Und stellen Sie sicher, dass die Straßensperren in Alarmbereitschaft sind.«

22

Saïd al-Husayni, Mitte vierzig und Brillenträger, lag, bleich und erschöpft, in der Klinik von Saint-Denis. Sein linker Arm war verbunden, ebenso die Schulter, das Gesicht voller Hämatome und Kratzspuren.

»Er hat sehr viel Glück gehabt«, sagte Fabiola, als Bruno und Jean-Jacques das Krankenzimmer betraten. »Ein Durchschuss am Oberarm und eine zweite Kugel, die direkt unter der Schulter eingeschlagen und von einer Rippe abgeprallt und wieder ausgetreten ist. Den Arm wird er eine Weile nicht gebrauchen können. Wir mussten ihn lokal betäuben, weil wir hier keinen Anästhesisten haben. Ich gebe Ihnen zehn Minuten«, sagte sie zu Jean-Jacques. »Aber wenn ich Veranlassung sehe, die Befragung früher abzubrechen, hören Sie bitte auf. Ist das klar? Er hat viel Blut verloren.«

»Ganz, wie Sie meinen«, erwiderte Jean-Jacques, der wie Bruno ein Abzeichen trug, das ihm der Brigadier angesteckt hatte.

Er begrüßte den Verletzten ganz *comme il faut*, stellte sich und Bruno vor und fragte, ob Monsieur al-Husayni ein Glas Wasser oder irgendetwas anderes zu trinken wünsche.

»Kaffee, wenn ich bitten darf«, antwortete der Verletzte, sichtlich irritiert von der Höflichkeit, die ihm entgegengebracht wurde. »Und könnte ich vielleicht auch eine Zigarette haben? Man hat mir meine Sachen abgenommen.«

Jean-Jacques holte sein Päckchen Royale aus der Jackentasche, doch Fabiola schüttelte den Kopf und sagte: »Ich kann Ihnen ein Wasser bringen, aber der Kaffee ist alle, und in der Klinik wird nicht geraucht.«

Jean-Jacques kam gleich zur Sache: »Können Sie sich und uns erklären, warum auf Sie geschossen wurde?«

»Alle wollten Zigaretten haben, und ich wurde abbeordert, welche zu kaufen, aber sie haben mir allein nicht über den Weg getraut. Darum hat mich Sadiq in die Stadt gefahren, mir Geld gegeben und aufgetragen, zwei Stangen zu kaufen. Als ich aus dem Laden kam und zum Auto zurückging, war er dabei, es zu wenden. Er telefonierte gerade, und als ich die Beifahrertür öffnete, hat er auf mich geschossen, peng-peng, einfach so.«

»Hat er einen Schalldämpfer verwendet?«

»Das weiß ich nicht, der Pistolenlauf war jedenfalls ziemlich lang. Und es war nicht besonders laut. Trotzdem habe ich die Schüsse deutlich gehört.«

»Sind Sie freiwillig mit Mustaf nach Frankreich gekommen?«, fragte Jean-Jacques freundlich. Er hatte auf einem Stuhl neben dem Bett Platz genommen. Bruno lehnte in Hemdsärmeln an der Wand neben dem Fenster, nachdem er ein Aufnahmegerät auf den Nachttisch gelegt und eingeschaltet hatte.

»Ein freier Mann war ich das letzte Mal als Student in Spanien«, antwortete al-Husayni und holte tief Luft, als inhalierte er Zigarettenrauch. »Ich habe Familie in Ramallah, und Mustaf hat damit gedroht, alle zu töten, wenn ich nicht tue, was er mir befiehlt. Sie können sich wahrscheinlich nicht vorstellen, wozu diese Leute in der Lage sind.«

»Wir wissen, was sie Dumesnil angetan haben«, entgegnete Bruno.

»Sie sind die reinsten Tiere. Sie wollten, dass ich ihn, diesen freundlichen, harmlosen Mann, ausfrage und unter Druck setze. Mir wurde ganz schlecht dabei. Haben Sie sie festgenommen?«

»Fangen wir am Anfang an«, sagte Jean-Jacques. »Waren Sie in Commarque, als Leah starb?«

»Starb? Sie wurde umgebracht.« Al-Husayni sprach voller Empörung. »Mustaf hat sie gehasst. Er hasst alle Frauen, Jüdinnen ganz besonders. Geduldet hat er sie nur meinetwegen. Er wollte immer, dass ich ihm von der Geschichte des Kalifats und der arabischen Herrschaft in Spanien erzähle. Davon träumt er – dass es dazu wieder kommt. Ich musste ihm immer wieder bestätigen, dass die Araber auch hier, in diesem Teil Frankreichs, das Sagen hatten.«

»Wie wurde Leah getötet?«

»Mustaf hat das Seil durchgeschnitten und sie von der Mauer gestoßen, weil sie sich nicht davon abbringen lassen wollte, ihren Spruch an die Wand zu malen. Ich habe mit dem Belgier unten gewartet und sie stürzen sehen.«

Bruno fragte sich, wen er mit dem Belgier meinte, und warf Jean-Jacques einen Blick zu.

»Ah ja, der Belgier«, sagte Jean-Jacques. Er öffnete einen braunen Briefumschlag, der auf seinen Knien lag, zog ein Blatt Papier daraus hervor und tat so, als habe er genau danach gesucht. Bruno sah, dass es sich um den von Yveline aufgestellten Dienstplan für ihre Gendarmen handelte. Jean-

Jacques blickte auf und fragte: »Und welchen Namen hat er sich für Sie gegeben?«

»Ahmed, aber er spricht nur schlecht Arabisch, sehr schlecht, mit algerischem Akzent. Sein Französisch ist viel besser. Er spricht auch niederländisch, oder vielleicht ist es flämisch. Ich glaube, er kommt aus Antwerpen.«

Jean-Jacques zeigte ihm die an der Gare de l'Est aufgenommenen Fotos. »Wie Sie sehen, standen Sie seit Ihrer Ankunft in Paris unter Beobachtung.«

»Ja, das ist Ahmed. Und das da sind Mustaf, Leah und ich«, sagte al-Husayni. »Und Sadiq natürlich.« Er zeigte mit dem unverletzten Arm auf den noch nicht identifizierten Mann. »Er ist Franzose, ein Konvertit, stammt aus der Normandie. Wie er wirklich heißt, hat er uns nicht verraten. Ahmed und Sadiq haben beide in Syrien gekämpft und sind stolz, dass Mustaf sie für diese Mission ausgewählt hat.«

»Wann war das – dass er sie ausgewählt hat?«, wollte Bruno wissen in Erinnerung daran, dass sich Leah schon vor längerer Zeit einen falschen Ausweis zugelegt hatte.

Al-Husayni versuchte, mit den Schultern zu zucken, und verzog das Gesicht vor Schmerzen. »Das weiß ich nicht.«

»Und Sie? Wann hat man Sie gezwungen mitzumachen?«

»Vor einem Monat. Sie haben mich über den Sinai geschmuggelt und dann mit einem gefälschten spanischen Pass von Kairo nach Spanien. Sie wussten, dass ich fließend Spanisch spreche. Von Barcelona aus musste ich nach Frankfurt fliegen und von da aus mit der Eisenbahn nach Paris fahren.«

»Und Leah? Wann ist sie aufgebrochen?«

»Zur selben Zeit. Als israelische Staatsbürgerin konnte

sie über Zypern nach Paris fliegen. Sie haben uns damit gedroht, den jeweils anderen zu töten, wenn wir nicht spuren.«

»Wussten Sie, dass Leah schon vor längerer Zeit eine falsche Identität angenommen hat?«, fragte Jean-Jacques.

»Ja, natürlich. Das war unser Plan. Wir wollten in Frankreich so zusammenleben, wie es uns in Palästina oder in Israel nicht möglich gewesen wäre. Wir haben darauf gewartet, dass ich zur Mediävistik-Konferenz nach Sevilla eingeladen werde und ein Visum bekomme, mit dem ich aus Israel hätte ausreisen können.«

»Wieso war für Frankreich eine falsche Identität nötig?«, hakte Bruno nach.

»Ich musste fürchten, dass diese Typen nach mir suchen und mich zwingen, für sie zu arbeiten.«

»Außerdem ist es für einen Palästinenser doch nicht verboten, eine Israelin zu heiraten und mit ihr in Israel zu leben«, vermutete Jean-Jacques.

»Oh doch«, entgegnete al-Husayni. »Das Nationalitätengesetz Israels hat seit 2003 einen Zusatz, der genau das ausschließt. Und 2006 hat das oberste Gericht festgestellt, dass es den Grundrechten nicht widersprechen würde. Und selbst wenn es es täte, sagt das Gericht, wären Sicherheitsbedenken höher zu veranschlagen als das Recht der freien Partnerwahl.«

»Das ist mir neu«, sagte Jean-Jacques.

»Wir wollten heiraten und eine Familie gründen.« Er trank einen Schluck Wasser. »Leah machte sich Sorgen, dass ihr die Zeit knapp werden könnte.«

»Verzeihen Sie, aber ich muss Sie das fragen: Wussten Sie, dass Leah im dritten Monat schwanger war, als sie starb?«

Jean-Jacques konnte, wie Bruno bemerkte, sehr einfühlsam klingen, wenn er wollte. Normalerweise war er in Verhören eher ruppig.

Der Palästinenser legte den Kopf in den Nacken und starrte zur Decke, während Jean-Jacques geduldig auf eine Antwort wartete. Nach längerem Schweigen nannte er ihren Namen, was wie ein Seufzen klang. »Sie sagte, sie glaube, schwanger zu sein. Und wir haben so sehr gehofft – dass es stimmt.« Er schüttelte den Kopf und legte sich eine Hand auf die Augen. Bruno warf Jean-Jacques einen Blick zu, mit dem er ihn aufforderte, nicht weiter in den Verletzten zu dringen. Jean-Jacques ließ ihm Zeit.

»Sie verstehen vielleicht, dass es, als wir mit Mustaf in Frankreich waren, keine Möglichkeit gab, einen Frauenarzt aufzusuchen. Wir waren ihm ausgeliefert«, fuhr al-Husayni schließlich fort.

»Erinnern Sie sich an ein Kuhhorn, das Leah in der Hand gehalten hat?«, fragte Bruno vorsichtig.

Al-Husayni nickte. »Auf dem Weg zur Burg bin ich darüber gestolpert, und als ich sah, dass Leah tot ist, habe ich es ihr neben die Hand gelegt. So, wie sie dalag, hat sie mich an ein prähistorisches Kunstwerk erinnert, das sie sehr gemocht hat. An der Wand unseres Schlafzimmers in Ramallah hing eine Postkarte davon.«

»Die Venus von Laussel«, sagte Bruno.

Al-Husayni lächelte. »Ja.«

»Was hat Mustaf von Ihnen verlangt?«, fragte Bruno, um das Gespräch auf die erwähnte Mission zurückzubringen. »Sie sind doch kein Dschihadist, kein Kämpfer.«

»Leah hat sich öfter und ganz ungezwungen über dieses

Testament Iftikhars ausgelassen und darüber, dass es Gerüchten zufolge authentifiziert worden sei und demnächst der Öffentlichkeit präsentiert werde. Für sie stand fest, dass es sich nur um eine Fälschung handeln konnte. Es stand aber zu befürchten, dass das gefälschte Dokument trotzdem von Experten aus dem Westen beglaubigt werden würde, und deren Wort hat mehr Gewicht als das arabischer Gelehrter. Aus meinen Kreisen haben das viele sehr ernst genommen, unter anderem auch viele einflussreiche Imame. Sie haben ihre Kontakte in der radikalen Szene alarmiert und uns gewissermaßen zwangsverpflichtet.«

»Warum sollten sich Dschihadisten, die einen Anschlag in Frankreich planen, mit Amateuren wie Ihnen und Leah belasten?«

»Mein jüngerer Bruder ist einer von ihnen«, antwortete al-Husayni. »Er wusste, dass Leah und ich nach Frankreich auswandern wollten und dass sich Leah falsche Papiere besorgt und hier ein Bankkonto eingerichtet hatte. Das kam ihnen gelegen. Sie glaubten, uns an der Leine führen zu können. Ich glaube kaum, dass sich Mustaf für das Testament interessiert. Aber ein sauberes Konto und eine französische Identität zur Beschaffung von Mietautos und dergleichen – die waren ihm wichtig.«

»Wie haben Sie das zweite Haus gefunden?«, erkundigte sich Bruno.

»Schon als wir die erste Unterkunft bezogen haben, hat Mustaf die beiden anderen losgeschickt, um nach Alternativen zu suchen für den Fall, dass wir auf die Schnelle würden abtauchen müssen.«

»Mit den beiden anderen meinen Sie Ahmed und Sadiq?«

»Nein, die beiden neuen, Franzosen, die sich uns später angeschlossen haben. Sie sind arabischer Herkunft, aber hier geboren und aufgewachsen. Ich habe sie nur einmal gesehen, als sie uns zu diesem Haus in der Nähe von Saint-Cyprien geführt haben. Ein sehr hübscher Ort.«

Jean-Jacques machte sich Notizen und gab sie Bruno mit der Bitte, den Brigadier zu informieren. Als er ging, hörte Bruno Jean-Jacques fragen: »Haben die beiden Franzosen auch Namen?«

Bruno rief in der Gendarmerie an, diktierte, weil der Brigadier gerade nicht zu sprechen war, Sergeant Jules die Informationen von Jean-Jacques' Notizzettel und bat ihn, sie dem Brigadier so schnell wie möglich zukommen zu lassen. Wenige Sekunden später meldete der sich zurück.

»Das hat uns gerade noch gefehlt«, sagte der Brigadier. »Keine Namen, keine Ausweise?«

»Noch nicht, aber er ist sehr kooperativ. Vielleicht brauchen wir einen Zeichner zur Anfertigung von Phantombildern. Was ist mit dem Haus?«

»Die Vögel sind ausgeflogen. Wir haben sie wieder verpasst. Die Kaffeekanne, die auf dem Tisch stand, war noch heiß. Sie hatten es offenbar eilig und haben einige Unterlagen zurückgelassen, hauptsächlich Computerausdrucke. Die sehen wir gerade durch.«

»Ich melde mich wieder, sobald es Neues gibt«, versprach Bruno.

»Was für ein Fahrzeug benutzen die beiden?«, fragte Jean-Jacques, als Bruno ins Krankenzimmer zurückkehrte.

Al-Husayni deutete wieder ein Schulterzucken an. »Ich kenne mich mit Autos nicht gut aus. Es ist eine dunkle Limousine mit einem silbernen Abzeichen auf der Haube, das aussieht wie der griechische Buchstabe Omega. Bei unserem ersten Treffen trugen die beiden Anzüge und Krawatten. Ich habe sie anfangs für Geschäftsleute gehalten. Sie hätten als Zwillinge durchgehen können. Gestern Abend kamen sie in Jeans und khakifarbenen Wetterjacken.«

Fabiola brach die Vernehmung ab und bestand darauf, dass sich al-Husayni ausruhte, bis der Polizeizeichner eintreffen würde.

»Moment noch«, sagte er. »Dürfte ich Auguste Dumesnil besuchen? Ich möchte mich bei ihm entschuldigen.«

»Später«, erwiderte Fabiola. »Wie gesagt, Sie sollten sich jetzt eine Weile ausruhen.«

Doch al-Husayni redete einfach weiter. »Die Sache ist aus dem Ruder gelaufen, weil Mustaf fand, dass Dumesnil der Prototyp eines Kreuzfahrers wäre, ein militanter Christ.«

»Es reicht jetzt!«, sagte Fabiola. Bruno und Jean-Jacques verließen das Zimmer, widerstrebend, weil sie ahnten, dass noch sehr viel mehr von al-Husayni zu erfahren sein würde. In der Einsatzzentrale der Gendarmerie wurden Fahndung und Straßensperren neu organisiert. Sergeant Jules nahm Anrufe von Zeitungs- und Rundfunkredaktionen entgegen, die von Jean-Jacques eine Stellungnahme zum Selbstmord der ehemaligen Nonne haben wollten. Philippe Delaron, der vor der Tür Stellung bezogen hatte, wurde von Jean-Jacques wortlos beiseitegeschoben. Die Gendarmerie wurde regelrecht belagert. Bruno spürte, wie die gemeinsame Konzentration auf die Fahndung ein wenig verlorenging und sich erste Anzeichen von Frustration und Routine einschlichen.

Bruno wusste: Es war ein Punkt erreicht, an dem ein

Team Führerschaft brauchte, keine durchgreifende autoritäre Amtsperson, sondern jemanden, der sich auf subtilere Mittel verstand und in der Lage war, Stimmungen aufzugreifen und günstig zu beeinflussen. Er war gespannt darauf zu erfahren, ob der Brigadier oder Isabelle über solche Fähigkeiten verfügten und eine komplexe Operation zu leiten vermochten, in die Polizeikräfte, Gendarmen, mobile Einsatzkommandos, Straßenpatrouillen und Militäreinheiten eingebunden waren, während gleichzeitig einschlägige Vertreter der Politik zufriedengestellt werden mussten. Was würde er unter solchen Umständen tun, um die allgemeine Moral zu heben?, fragte er sich. Ein neuer Fokus auf die Fahndung war jetzt nötig. Vielleicht sollte den bewaffneten Einheiten eine andere Aufgabe zugeteilt werden, etwa die Bewachung möglicher Anschlagsziele. Den Flüchtigen freie Hand zu lassen war zwar riskant, doch es erhöhte die Chance, sie zu ergreifen. Und es galt jetzt, die beiden Fremden ins Auge zu fassen, die der Fahndung eine neue Dimension gaben.

Er war noch in seine Gedanken vertieft, als Yveline, den Telefonhörer am Ohr, in den Raum rief: »Wir haben einen Treffer. Im Haus sichergestellte Fingerabdrücke passen auf einen Vorbestraften namens Abd el-Kader Demirci. Er hat in Fresnes zwei Jahre wegen Drogenhandels eingesessen.«

Wo er wahrscheinlich radikalisiert wurde, dachte Bruno; wie so viele junge Männer aus Migrantenfamilien. Zwei Drittel der Strafgefangenen in französischen Gefängnissen waren Muslime, und von denen waren nach ihrer Entlassung immer mehr bereit, sich den Dschihadisten anzuschließen.

Yveline eilte zum Drucker, der gerade Polizeiporträts von

Demirci ausspuckte, gefolgt von seiner Straf- und Gefängnisakte. Eines der Fotos brachte sie auf direktem Weg in die Klinik, um es mit Fabiolas Erlaubnis al-Husayni zu zeigen.

Bruno warf einen Blick auf die anderen Seiten, die aus dem Drucker kamen. Demirci entstammte einer Familie, die der türkischen Minderheit in Algerien angehörte, Nachfahren türkischer Landpfleger, die zur Zeit der Herrschaft der Osmanen Nordafrika verwaltet hatten. Weil sie während des algerischen Unabhängigkeitskriegs auf der Seite Frankreichs gestanden hatten, waren viele von ihnen nach der Niederlage und dem Abzug der Franzosen hingerichtet worden. Demirci hatte drei Brüder, und weil sich Bruno daran erinnerte, was al-Husayni über die wie Zwillinge aussehenden jungen Männer gesagt hatte, bat er Yveline nachzufragen, ob es weitere Akten, Fotos oder Strafregister der Brüder gebe. Dass sich eine Terroristenzelle in der Gegend aufhielt, die in der Lage war, gleichzeitig an mehreren Orten zuzuschlagen, machte ihm zunehmend Sorge.

»Yves ist am Tatort«, sagte Jean-Jacques, womit er den Teamchef der Kriminaltechniker meinte. »Er hat die Geschosse gefunden, die auf al-Husayni abgefeuert worden sind, aus einer Manurhin mit Schalldämpfer, wie er glaubt. Die Manurhin ist die französische Version der Walther 5,56 Millimeter beziehungsweise Kaliber 22.«

Ein kleines Kaliber, gebremst von einem Schalldämpfer, dachte Bruno. Ein schwereres Geschoss hätte al-Husaynis Arm abgerissen. Aber warum wollten sie ihn töten? War er ihnen nicht mehr nützlich? Der Schütze hatte telefoniert, wahrscheinlich mit der Basis. Vielleicht war Mustaf nach Brunos Anruf in Panik geraten, obwohl sich Ahmed mit seinem Akzent als Holländer ausgegeben hatte. Möglich, dass sie al-Husaynis Fahrer alarmiert und ihm gesagt hatten, dass sie den Standort wechseln würden und al-Husayni, der ihnen nicht mehr helfen könne, zum Abschuss freigegeben sei. Der Anruf ließe sich zurückverfolgen, wenn man die Funkdaten aller Sendemasten in der näheren Umgebung auswerten würde.

Bruno meldete sich ein weiteres Mal bei der France Télécom und bat um eine schnellstmögliche Auflistung aller Anrufe, die rund eine halbe Stunde nach der Meldung des *tabac*-Besitzers über Sendemasten in und um Saint-Cyprien weitergeleitet worden waren. Er nannte Yvelines E-Mail-Adresse in der Gendarmerie, an die die Liste geschickt werden sollte. Er bereitete Jean-Jacques und Yveline darauf vor und sagte, dass er mit dem Bürgermeister verabredet sei und gehen müsse.

»Was soll ich Delaron über die ehemalige Nonne sagen?«, fragte er Jean-Jacques zwischen Tür und Angel. »Er wartet draußen auf Ihre Stellungnahme. Wahrscheinlich hat er auch Fragen zu den Hubschraubern, vielleicht sogar zu der Schießerei.«

»Ich habe ihm nichts zu sagen«, antwortete Jean-Jacques müde. »Dass sich die Frau das Leben genommen hat, tut mir leid. Wir haben sie ausführlich zu Wort kommen lassen und sind ihren Anschuldigungen nachgegangen, haben aber niemanden gefunden, der sie erhärten konnte. Sagen Sie ihm, er soll sich an unseren Pressesprecher wenden. Von mir erfährt er nichts.«

»Soll ich ihm etwas zu den jüngsten Entwicklungen im Fall al-Husayni sagen?«, fragte Bruno. »Wäre vielleicht nicht schlecht. Bislang sind wir ausschließlich über Hinweise aus der Öffentlichkeit weitergekommen. Außerdem lassen sich Straßensperren und Hubschrauberpatrouillen nicht viel länger verheimlichen.«

»Das sollten wir aber«, schaltete sich der Brigadier ein. »Der Minister will die Sache bedeckt halten und verhindern, dass Panik entsteht. Er hat uns alle Mittel an die Hand gegeben, die wir brauchen. Es ist jetzt an uns, das Problem zu lösen.«

Bruno zuckte mit den Achseln, nahm sein Képi und ging. Wie schön, in einer Demokratie zu leben, dachte er, wenn nur nicht diese Politiker wären. Draußen sah er Philippe an seinem Wagen lehnen, die Kamera schussbereit.

»Was steckt hinter den Schüssen in Saint-Cyprien?«, wollte er wissen.

»Ich bin nicht befugt, die Presse davon in Kenntnis zu setzen«, antwortete Bruno. »Außerdem lässt Jean-Jacques ausrichten: Wenn Sie mehr über den Freitod der Nonne erfahren wollen, wenden Sie sich bitte an den Pressesprecher der Polizei.«

»Können Sie mir sagen, ob die Schüsse etwas mit der Toten von Commarque zu tun haben oder mit den Fotos, die wir unseren Lesern zeigen sollten?«

Bruno zog eine Braue hoch und ging dann lächelnd weiter.

»Duteiller, die Psychologin, macht Jean-Jacques für den Selbstmord der Frau verantwortlich. Wussten Sie das?«

»Also ernsthaft – das glauben Sie ihr? Auf Wiedersehen, Philippe.«

»Jetzt haben Sie sich nicht so, Bruno. Eine Hand wäscht

die andere, oder? Ich helfe Ihnen, wo ich kann.« Philippe versuchte es mit Charme. Was nicht so recht seine Sache war.

Bruno blieb stehen und tippte ihm mit dem Zeigefinger auf die Brust. »Wissen Sie, warum wir uns alle glücklich schätzen dürfen, in einem Land mit freier Presse zu leben?«

Philippe seufzte. »Sagen Sie es mir.«

»Das Schöne ist, dass ich die Freiheit habe, Ihre Fragen unbeantwortet zu lassen.«

»Aber Sie sind der Öffentlichkeit verpflichtet. Wir zahlen Ihr Gehalt.«

»Zugegeben. Und gut, dass Sie darauf zu sprechen kommen. Mein Gehalt ist seit zwei Jahren eingefroren, obwohl ich befördert worden bin. Darf ich in diesem Jahr um eine Erhöhung bitten?«

»Sehr komisch.«

»Tja, ich hätte da doch einen Hinweis für Sie. Wussten Sie, dass die ehemalige Nonne, die sich das Leben genommen hat, Alkoholikerin war?«

Philippe nickte. »Das ist nicht neu.«

»Aber Folgendes: Fahren Sie doch mal ins Pfadfinderlager. Vielleicht geben Ihnen die Hausmeister Alain und Anne-Louise ein Interview.«

»Der Priester, der aus der Kirche ausgetreten ist und seine Putzfrau geheiratet hat?«

»Sie ist Krankenschwester. Die Kirche hat sie ehrenamtlich geputzt. Sie war als Kind im Waisenheim von Mussidan. Vielleicht gibt sie Ihnen Auskunft über die ehemalige Nonne. Der Polizei hat sie sich anvertraut, aber sonst kennt niemand ihre Version der Geschichte.«

23

Yacov und der Bürgermeister saßen in Ivans Bistro schon am gedeckten Tisch, als Bruno eintraf. Yacov begrüßte ihn mit einer Umarmung, Ivan winkte und rief ihm vom Tresen aus zu: »Etwas anderes als das *menu du jour* gibt's nicht.«

»Es wurde aber auch Zeit, dass wir uns wiedersehen«, sagte Yacov.

»Ich bekomme Bruno dieser Tage auch kaum zu Gesicht«, fand der Bürgermeister. »Ich nehme an, Sie können uns erklären, was es mit den Hubschraubern und dem Aufgebot an bewaffneten Spezialkräften vor unserer Gendarmerie auf sich hat.«

»Dazu darf ich mich nicht äußern«, antwortete Bruno. »Aber da ich Yacov leider darüber in Kenntnis zu setzen habe, dass die Einweihung des Pfadfinderlagers aus Sicherheitsgründen verschoben werden muss, werden Sie sich wohl denken können, um was es geht.«

»Das habe ich unserem Gast auch schon gesagt«, erwiderte der Bürgermeister. »Ich habe ihm auch mitgeteilt, was Sie dem Stadtrat berichtet haben, und ihn gebeten, Stillschweigen zu bewahren.«

Bruno nickte, als Ivan eine Terrine Gemüsesuppe auf den Tisch stellte und einen Korb Brot dazu servierte. Anschließend brachte er eine Flasche Hauswein und eine Karaffe Wasser.

»In der Stadt kursieren allerhand Gerüchte«, sagte der Wirt. »Da ist von toten Nonnen die Rede, von arabischen Terroristen, und in der Klinik soll Fabiola gerade einen mysteriösen Patienten operieren, während ein Gendarm mit einer Maschinenpistole vor der Tür Wache steht.«

Ivan deutete mit diskretem Kopfnicken auf Dr. Gelletreau, der auf der anderen Seite des Gastraums mit seiner Frau, der Apothekerin, zu Mittag aß. Die beiden schienen Brunos Blicken beflissen auszuweichen. Er winkte ihnen trotzdem zu. In einer Stadt wie Saint-Denis waren Geheimnisse nirgendwo sicher.

»Ich glaube, ich verstehe, warum wir die Einweihung nicht wie geplant feiern können«, sagte Yacov. »Die Gerüchte haben sogar die Botschaft in Paris erreicht.«

Bruno wunderte sich nicht. Er wusste, dass Yacovs Anwaltskanzlei auch für die israelische Botschaft tätig war und dass er, obwohl französischer Staatsbürger, in Israel Wehrdienst geleistet hatte und dort immer noch Reservist der Marine war.

»Was hört man denn da?«, fragte Bruno.

»Es heißt, dass eine mittelalterliche Urkunde aufgetaucht sein soll, die den arabischen Anspruch auf Jerusalem in Frage stellt, und eine Israelin, die mit den Palästinensern sympathisierte, tot aufgefunden wurde.«

»Hat Maya auch schon davon gehört?«, erkundigte sich Bruno.

»Ja, ich habe mit ihr telefoniert. Sie will trotzdem nach Paris kommen. Der Beirat der Familienstiftung tagt, und ich werde zu berichten haben, wie das Pfadfinderprojekt vorankommt. Sie möchte auch einen Abstecher nach Saint-Denis machen, um Sie zu sehen, Bruno, und um Pamela, dem Bürgermeister und all den Schulkindern hallo zu sagen, die das Museum geplant haben. Sie reist inkognito, will aber unbedingt persönlich an den Einweihungsfeierlichkeiten teilnehmen.«

»Das wird sich einrichten lassen«, meinte der Bürgermeister. »Wir drei sollten uns vielleicht heute Nachmittag ein Bild vor Ort machen, wenn Bruno sich denn für ein oder zwei Stunden freimachen kann.«

Bruno nickte und goss ein halbes Glas Wein in den Rest seiner Suppe. »Durchaus.« Er hob die Schale an den Mund und schlürfte.

»*Chabrol*«, sagte Yacov lächelnd. »Daran erinnere ich mich vom letzten Mal.« Er nahm noch eine Kelle Suppe, goss Wein hinzu und schlürfte seine Schale aus.

Ivan tischte *pâté* und eingelegtes Gemüse auf und erklärte Yacov: »Aus Wildfleisch, geht das in Ordnung für Sie? Und das hier ist eine neue Spezialität des Hauses, karibische *épice*. Das Rezept hat mir eine Freundin von Bruno verraten. Inzwischen sehr beliebt bei meinen Gästen. Ziemlich scharf, aber ich glaube, Sie werden es mögen. Danach gibt's *poulet chasseur*.«

»Großartig, vielen Dank. Ich esse nicht ausschließlich koscher. Wild ist okay, natürlich auch Hühnchen. Und welches Dessert empfehlen Sie uns heute?«

»*Tarte aux pommes*. Die haben Sie schon mal bei mir gegessen, das letzte Mal, als Sie hier waren. Rotwein kommt sofort. *Bon appétit*.«

»Ivan vergisst kein Gesicht seiner Gäste«, sagte der Bürgermeister. »Ich freue mich, Ihre Großmutter wieder hier bei uns begrüßen zu können, sobald die Sicherheitsfragen gelöst sind. Wann kommt sie nach Frankreich?«

»Am Montag. Sie wird sich einen Tag ausruhen, am Mittwochnachmittag an der Stiftungssitzung in Paris teilnehmen und dann übers Wochenende herunterkommen. So war's jedenfalls geplant, aber natürlich warten wir damit, bis Sie glauben, dass keine Gefahr mehr besteht.«

Der Bürgermeister seufzte, nahm einen Schluck Wein und begann zu essen. Nach einer Weile sagte er: »Ich fürchte, nach den schrecklichen Anschlägen von Paris ist man nirgendwo mehr sicher. Nicht einmal in Saint-Denis.«

»Für uns stellt sich die Frage, ob wir israelische Pfadfinder hierher einladen können. Darauf hatte Maya so gehofft. Auch auf Gegenbesuche französischer Pfadfinder in Israel.«

»Darin sehe ich kein Problem«, meinte der Bürgermeister.

»Ich bin mir sicher, Monsieur Mangin wird nichts dagegen haben, wenn ich mich persönlich für die Sicherheit der Gäste aus Israel einsetze und mit ins Lager einziehe, wenn sie kommen«, sagte Bruno. »Alle Mitglieder unseres Jagdvereins werden sich ebenfalls einspannen lassen und Patrouille gehen. Unsere Verpflichtungen Gästen gegenüber nehmen wir hier sehr ernst. Ihre Großmutter hat für unsere Stadt viel getan. Wir werden uns ihr immer erkenntlich zeigen.«

Yacov hob sein Glas und stieß mit Bruno und dem Bürgermeister an.

»Gibt's was zu feiern?«, fragte Ivan, als er die Teller abräumte.

»Das kann man so sagen«, erwiderte der Bürgermeister.

»Und warum feiert die hübsche Amélie nicht mit?«, wollte Ivan wissen, was Bruno ein schlechtes Gewissen machte. Er hatte versäumt, sie anzurufen und ihr zu sagen, dass er aufgehalten worden sei. Und er hatte gar nicht daran gedacht, sie zum Mittagessen einzuladen, obwohl sie ihm doch so behilflich gewesen war.

»Sie arbeitet an einem Bericht, den sie schreiben muss«, antwortete er und schämte sich ein wenig dafür, dass ihm die Schwindelei so locker über die Lippen kam. »Aber wenn wir gleich die Begegnungsstätte besuchen, wird sie uns bestimmt begleiten.« Er erklärte Yacov, wer Amélie war, und lobte ihre Mitarbeit.

»Ja, tüchtig, unsere Hospitantin«, fand auch der Bürgermeister. »Ich weiß ja, dass Sie wegen dieser Sicherheitsfragen sehr eingespannt sind, wundere mich aber, dass Sie sie nicht mit zu uns an den Tisch eingeladen haben.«

Zerknirscht griff Bruno nach seinem Handy. »Sie haben recht, das hätte ich tun sollen«, sagte er und wählte ihre Nummer an.

»Tut mir leid, Bruno«, antwortete Amélie. »Aber ich lasse mir gerade eine vorzügliche Quiche bei Monsieur und Madame Fauquet in ihrer Wohnung über dem Café schmecken. Wirklich köstlich, und sie sind so reizend! Vielleicht treffen wir uns später auf einen Kaffee.«

Der Bürgermeister war ebenso überrascht wie Bruno, als er von ihr berichtete. Fauquet und seine Frau, in ihrem Café die Gastlichkeit in Person, achteten sonst streng auf ihre Privatsphäre in der Wohnung.

»Ich bin noch nie zu einer Quiche nach oben gebeten worden«, beklagte sich Bruno.

»Ich auch nicht«, sagte der Bürgermeister. »Und sie ist kaum eine Woche hier.«

»Scheint eine außergewöhnliche Frau zu sein«, meinte Yacov.

Sie aßen Apfelkuchen zum Nachtisch und verabredeten, mit dem Wagen des Bürgermeisters zu fahren, der sehr viel bequemer war als Brunos Transporter. Als Mangin ging, um ihn zu holen, führte Bruno den Gast in Fauquets Café und fragte Amélie per Handy, ob sie sich zu ihnen gesellen mochte. Sie solle sich wieder Gummistiefel anziehen, riet er ihr. Dann rief er Alain in der Begegnungsstätte an und bereitete ihn auf ihren Besuch vor.

Yacov erhob sich lächelnd, als Amélie an ihren Tisch trat. Bruno hatte sich an ihre farbenfrohe Aufmachung schon gewöhnt. Yacov hingegen war sichtlich beeindruckt von der Kombination aus gelben Jeans, einem dazu passenden Turban und dem knallroten Polohemd. Ebenso angetan zu sein schien Amélie von Yacovs schlanker, athletischer Gestalt und seinem guten Aussehen. Sie reichte ihm die Hand, nicht, damit er sie schüttelte, sondern zum Handkuss, und schenkte ihm ein strahlendes Lächeln.

Bruno machte die beiden miteinander bekannt, und schnell stellten sie fest, dass sie in Paris dasselbe juristische Institut besucht hatten, was natürlich Anlass war, nach gemeinsamen Bekannten unter den Dozenten zu suchen. Als der Bürgermeister kam, wollte er wissen, wie die Quiche geschmeckt hatte.

»Perfekt«, antwortete Amélie fast beiläufig. »Der Boden war federleicht.« Sogleich wandte sie sich wieder Yacov zu und tauschte mit ihm Erinnerungen an die Studienzeit aus.

Es war ein wunderbarer Frühlingsnachmittag. Die Sonne strahlte vom blauen Himmel, über den ein paar weiße Wattewölkchen segelten. Eine warme Brise bewegte das frische Laub der Weiden am Fluss, und es schien, als tanzten die Bäume auf dem Wasser. Enten paddelten ruhig in der Strömung, gefolgt von gelben Küken, aufgereiht wie ein Marinegeschwader *en miniature,* dachte Bruno. Im seichten Kehrwasser stand ein Angler, der eine lange Fliegenschnur im weiten Bogen über den Fluss peitschte.

»Ich habe mich schon richtig verliebt in diesen Ort«, hörte Bruno Amélie sagen, die auf der Rückbank saß. »Es ist alles so grün, die Landschaft so weit und sanft. In Paris vergisst man, wie sich Frankreich anderenorts anfühlt.«

Der Bürgermeister fuhr einen Umweg an Oudinots *ferme* vorbei, wo die eine Hügelhälfte von blühenden Narzissen übersät war und auf der anderen Kühe weideten. Weiter oben an der Straße sahen sie Mutterschafe mit schneeweißen Lämmern. Den Horizont entlang zog, wie auf eine Schnur aufgezogen, ein Grüppchen auf Ponys reitender Kinder, die, wie Bruno zu erkennen glaubte, von Angela angeführt wurden. Er ließ das Fenster herunterfahren und rief ihnen zu, doch sie waren zu weit entfernt. Dann hörte er zu seiner Freude die unverwechselbare Terz eines Kuckucks, das erste Mal in diesem Jahr.

»Er ist da«, platzte es aus ihm heraus. Yacov und Amélie schauten neugierig zum Fenster auf der anderen Seite heraus, wobei sich ihre Wangen fast berührten. »Der Kuckuck macht es amtlich. Wir haben Frühling.«

Bruno richtete den Blick wieder nach vorn und sah, wie ihm der Bürgermeister zuzwinkerte. Anscheinend hatte er

Yacov und Amélie im Rückspiegel beobachtet. Was für ein Geschenk, dachte Bruno, dieses Mysterium menschlicher Anziehungskraft. Was ging zwischen den beiden vor? Und in Gedanken an Isabelle fragte er sich, was ihre Kraft wohl so dauerhaft machte.

Es gab Frauen, von denen er sich, obwohl sie nicht im herkömmlichen Sinn als attraktiv zu bezeichnen waren, unwiderstehlich angezogen fühlte, und solche, die atemberaubend schön waren, ihn aber kalt ließen. Es gab Frauen, die er gernhatte und hübsch und objektiv anziehend fand, die ihn aber nicht wirklich berührten, etwa Amélie. Dagegen schien es zwischen ihr und Yacov sofort gefunkt zu haben. Er fragte sich, was daraus werden mochte. Im Grunde, dachte Bruno, hatte das Mysterium der Anziehungskraft offenbar nichts mit dem Alter zu tun. Horst und Clothilde waren über sechzig und seit fast drei Jahrzehnten ein Paar, auch wenn es in ihrer Beziehung mal mehr, mal weniger intensive Phasen gegeben hatte. Jetzt wollten sie heiraten. Ob ihm auch einmal eine Frau begegnen würde, die mit ihm zu leben bereit war, ihm Kinder schenkte und mit ihm alt werden mochte, während Enkel nachwuchsen?

»Wir sind da«, sagte der Bürgermeister, als sie die letzte Hügelkuppe überquert hatten und er den Wagen kurz anhielt, um die Aussicht zu genießen.

Die vormals holprige Schotterpiste war mit frischem Kies ausgebessert worden und führte auf einen Bauernhof zu, dessen honigbraune Mauern in der Sonne schimmerten. Auf dem Scheunendach glänzten Solarpaneele. Die kegelförmigen Zelte auf der Wiese erinnerten Bruno an Indianerwigwams aus amerikanischen Westernfilmen. Oder wurden sie Tipis genannt? Die Regenfälle der letzten Tage hatten den Bach zu einem schäumenden Wildwasser anschwellen lassen. Das frische Gras der Uferböschung wirkte so weich wie ein langfloriger Teppich, und das ganze Tal schien mit Frieden und einladender Ruhe gesegnet zu sein.

»Schöner hätte ich es mir nicht träumen können«, sagte Yacov, als der Bürgermeister den Wagen vor dem Wohnhaus abstellte.

Die kleinen Bauschutthaufen waren entfernt worden. Einige Hühner gluckten im Staub und erkundeten ihr Gehege, das nach Brunos letztem Besuch angelegt worden war. Alain und seine Frau warteten auf sie am großen Holztisch auf der Terrasse vor dem alten Wohnhaus, in dem sie nun lebten und arbeiteten. In vier großen Terrakottatöpfen, die die Terrasse säumten, leuchteten frischgepflanzte Geranien.

»*Vous avez fait chabrol?*«, fragte Anne-Louise den Bürgermeister, als dieser Alain die Hand schüttelte. Hatten Sie Ihren *chabrol*? So hatte sich im alten Périgord die Landbevölkerung begrüßt, der stets daran gelegen war, den Gast bewirten zu können.

»Ja, danke, wir haben schon gegessen. Wie schön Sie hier alles hergerichtet haben!«, lobte der Bürgermeister und stellte Yacov vor. Alain führte sie zur Scheune, doch Anne-Louise legte Bruno eine Hand auf den Arm, hielt ihn zurück und flüsterte, dass sie mit Philippe Delaron über ihre Jahre im Waisenheim von Mussidan gesprochen habe.

»Wenn diese Kuh einen guten Priester nach seinem Tod verunglimpft, finde ich es nur fair, der Öffentlichkeit zu sagen, dass sie eine grausame Frau war, grausam und heimtückisch. Es hat ihr gefallen, uns zu schlagen. Das sah man ihren Augen an. Und wenn sie uns schlug, behauptete sie immer, es sei nur zu unserem eigenen Besten, sie wolle uns vor der Hölle bewahren. Als Kind ist man so hilflos.«

Bruno nickte. »Sie und Alain werden den Jugendlichen, die zu Ihnen kommen, gute Gastgeber sein. Sie haben schon dafür gesorgt, dass sie sich hier wie zu Hause fühlen können.«

Sie warf einen liebevollen Blick auf ihren Mann, der Yacov zeigte, wo er einen Gemüsegarten anlegen wollte, wo das Basketballfeld und wo den Sportplatz.

»Er ist glücklich hier«, sagte sie. »Jetzt sieht er wieder einen Sinn im Leben. Die Zeit nach seinem Ausscheiden aus dem Priesteramt war sehr schwer für ihn, und ich habe mich unter Druck gefühlt, ihm zu beweisen, dass sich sein Opfer gelohnt hat.«

»Ist er noch gläubig?«

»Das sind wir beide, aber auf eine Weise, die die Kirche so nicht anerkennt. Ich habe nie verstanden, was Gott mit sakralen Bauten oder dem Klerus zu tun haben soll. Der Gott, an den wir glauben, ist uns immer nah in diesem kleinen Tal. Es atmet seinen Geist.«

»Ich verstehe, was Sie meinen«, erwiderte Bruno. »Dass die beiden jüdischen Kinder hier im Krieg Unterschlupf gefunden haben, macht diesen Ort zu etwas ganz Besonderem. Wussten Sie, dass der Bauer und seine Frau, die hier gelebt haben, Protestanten waren?«

»Ja, das weiß ich von Alain.« Sie schaute ihm in die Augen. »Ich bin froh, dass Sie Philippe zu mir geschickt haben. Ich habe mir das schon lange von der Seele reden wollen, aber gefürchtet, kein Gehör zu finden, schon gar nicht in der Kirche. Die hält mich doch für eine Hexe, die einen Priester dazu verführt hat, sein Gelübde zu brechen. Aber so war es nicht, Bruno. Alain war unglücklich, hin- und hergerissen, nicht zwischen mir und der Kirche, sondern zwischen sich und seinem Glauben, den er von der Kirche untergraben sah.«

»Ich kann mir vorstellen, was für Kämpfe er mit sich austragen musste.«

»Jetzt hat er Frieden gefunden. Kommen Sie, schließen wir uns den anderen wieder an.«

Alain und Yacov stiegen die Treppe hinauf ins Obergeschoss der ehemaligen Scheune. Der Bürgermeister und Amélie erkundeten die Küche. Sie machte mit ihrem Smartphone Fotos, während der Bürgermeister in die Schränke schaute und einen Blick in den Ofen warf, um zu sehen, wie groß die Brennkammer war. Alain hatte schon einen Vorrat an Feuerholz gehackt und fein säuberlich vor der Scheunenwand gestapelt.

»Ich bin begeistert«, hörte man Yacov von oben. »Es ist alles noch schöner geworden als erhofft.«

»Würden Sie bitte das Päckchen holen?«, fragte der Bürgermeister Bruno. »Es liegt im Kofferraum.«

Es war ungefähr einen halben Quadratmeter groß, dick wie ein Buch, in braunes Papier eingeschlagen und eingeschnürt. Bruno reichte es Yacov und schlug vor, es auszupacken. Zwei blaue Emailleschilder kamen zum Vorschein. Der Bürgermeister hatte sie bei derselben Firma in Périgueux in Auftrag gegeben, die auch die Straßenschilder der gesamten Region herstellte. Auf dem einen Schild stand »CAMP DAVID«; darunter, in kleinerer Schrift: »*Dieses Lager wurde in respektvollem Gedenken nach Professor David Halévy benannt, der hier mit seiner Schwester Maya zwischen 1943 und 1944 Zuflucht gefunden hatte.«*

Auf dem anderen Schild hieß es schlicht: »*Hier wohnten Michel und Sylvie Desbordes, die in ihrem bescheidenen Haus zwei jüdischen Kindern Schutz geboten hatten und 1944 in feindliches Feuer gerieten und getötet wurden, als sie versuchten, die Kinder den Eltern zurückzuführen.*«

Yacov betrachtete die Schilder, sagte dann einfach danke und schüttelte dem Bürgermeister, Bruno und Alain die Hand. Amélie hatte Tränen in den Augen und versuchte, Fotos zu machen.

»Wir dachten, das Camp-David-Schild könnte sich gut über dem Scheunentor machen«, meinte der Bürgermeister. »Und das andere über der Eingangstür zum Wohnhaus.«

»Genau«, erwiderte Yacov. »Sie bringen mich auf eine Idee. Vielleicht könnten wir ein drittes Schild anfertigen lassen und neben dem Wasserfall anbringen, an der Stelle, wo wir, Sie, Bruno, und ich ein Bad genommen haben – ein Schild mit der Aufschrift »*Mayas Pool*«.

24

Es müsste einen Begriff für in Rudeln auftretende Archäologen geben, dachte Bruno, als er zusammen mit Amélie und dem Bürgermeister die Grotte unter der Burgruine von Commarque hinter den Freunden und Kollegen von Horst und Clothilde betrat, die sich neugierig und aufgeregt vor einem aufgeklappten Laptop scharten. Horst balancierte auf einem gefährlich wackelnden Gesteinsbrocken am Rand des Gewölbes und griff mit der Hand durch ein Loch in der Wand. An seinem Arm schlängelte sich ein Kabel entlang, das mit dem Laptop verbunden war. Clothilde versuchte, den Felsblock mit dem Fuß zu stabilisieren und mit ausgestrecktem Arm Horst am Rücken abzustützen. Dabei reckte sie den Hals zur Seite, um zu sehen, was sich auf dem Bildschirm abspielte.

Clothilde hatte Bruno im Camp angerufen, ihn mit einem triumphalen »Heureka!« überrascht und ihm dringend empfohlen, sofort nach Commarque zu kommen.

Ein »Gesperre« Archäologen kam ihm plötzlich in den Sinn, wie das Gesperre von Fasanen und Waldhühnern. Das passte auf die Gruppe, die sich in der Grotte drängte. Er erkannte unter anderen den Oxford-Don Barrymore, Manners, den ehemaligen britischen Soldaten, und den Deutschen aus dem »Neandertal«. Eine Frau, die sich mitten im

Gedränge vor dem Laptop befand, kannte er noch nicht. Das musste, dachte er, Manners' Frau Lydia sein. Alle redeten durcheinander und riefen Horst auf Deutsch, Französisch, Englisch zu, wie er die Minikamera zu halten habe, sie mehr nach links oder rechts, nach oben oder unten richten sollte.

»Hier ist richtig was los«, sagte der Graf, der sich aus der Menge gelöst hatte, um die Neuankömmlinge zu begrüßen. »Sie werfen einen Blick durch den Felsspalt in das, was eine Grabstätte zu sein scheint.«

»Wie geht das?«, fragte der Bürgermeister.

»Mit einer Sonde ähnlich dem Endoskop, wie es in der Medizin verwendet wird, nur ein bisschen größer«, erklärte der Graf. »Einer der Deutschen hat sie Horst zur Hochzeit geschenkt.«

»Wäre es nicht besser, den Laptop anzuheben, damit sich Horst daran orientieren und das Objektiv gezielt einsetzen kann?«, fragte Amélie. Sie griff in ihre Handtasche und holte ihr Smartphone und ein kleines Kästchen hervor, das mehrere Kabel enthielt. »Augenblick, ich glaube, ich kann helfen.«

Sie schob sich durch die Menge und untersuchte die Schnittstellen des Laptops. Proteste wurden laut, als der Bildschirm schwarz wurde. Sekunden später aber zeigte sich auf ihm wieder der gespenstisch graue Raum jenseits der durchbohrten Wand, der nun auch auf dem Display ihres Smartphones zu sehen war.

»Sie sind der Längste hier«, sagte sie zum Grafen und reichte ihm ihr Gerät. »Halten Sie es Horst hin, damit er sehen kann, was er tut.«

»Schon viel besser«, freute sich Horst, als der Graf Amélies Vorschlag in die Tat umsetzte. Aus der Archäologenrunde waren nun anerkennende Murmellaute zu vernehmen und ein Hin und Her unterschiedlicher Einwürfe. Bruno schnappte Worte wie »spätromanisch«, »Tomba«, »Kreuzzug«, »dreizehntes Jahrhundert« auf und schließlich auch, aus Lydias Mund, »Templer«.

Der Graf reichte Amélies Smartphone an Manners weiter und verließ die Grotte. Zurück unter freiem Himmel, erklärte er Bruno, dass mit dem Bodenradar hinter der Grotte, in der sich die Archäologen gerade aufhielten, ein sechs Meter tiefer und vier Meter breiter Hohlraum entdeckt worden sei. Die Höhe nehme mit der Tiefe von drei auf einen Meter ab. Einen Eingang oder Anschluss an ein Tunnelsystem gebe es offenbar nicht. Die an die Grotte angrenzende Felswand sei gut zwei Meter dick.

Lydia Manners habe bemerkt, so der Graf, dass ihr bislang nirgendwo eine vergleichbare Kalksteinformation zu Gesicht gekommen sei, und auf eigentümliche Farb- und Texturunterschiede in der Wand zwischen Grotte und Hohlraum aufmerksam gemacht, die ein fast geometrisches Streifenmuster aufwiesen.

Einer der anderen Archäologen, fuhr der Graf fort, habe mit einem befreundeten Geologen telefoniert und ihm Handyaufnahmen von dem Felsgestein ringsum zugeschickt. In seiner Antwort habe dieser bestätigt, dass es sich im Fall der dunkleren Streifen wahrscheinlich um Glimmerschiefereinlagerungen handelte, die auf eiszeitliche Verwerfungen zurückzuführen seien. Lydia Manners und ihr Mann hätten unterdessen Proben von der Wand genommen und etwas abgeschabt, das sich wie reiner Kalk ausnehme. Clothilde habe sich an Kappadokien in der Türkei erinnert gefühlt, wo es versteckte Höhlen gebe, die von Kalksinterwänden verschlossen worden seien.

»Da waren plötzlich alle ganz aus dem Häuschen«, berichtete der Graf. Man habe die äußere Grotte vermessen und spekuliert, dass der trennende Fels nachträglich vor den tieferen Teil der Höhle gebracht und mit kleinerem Gestein an den Rändern ausgemauert worden sein könnte, um sie zu verschließen. Am oberen Rand habe man tatsächlich festgestellt, dass die Kalksteinschicht nur sehr dünn sei. Einer der Männer habe ein Loch gemeißelt, durch das er mit einer Taschenlampe einen ersten Blick in den Hohlraum dahinter habe werfen können. Horsts deutscher Neandertal-Freund sei dann auf die Idee mit der optischen Sonde gekommen, und so hätten alle sehen können, was sich hinter der Wand verbarg. In diesem Moment habe Clothilde dann Bruno angerufen.

»Die Höhle ist also absichtlich verschlossen worden«, rekapitulierte Bruno. »Aber dieser Felsen wiegt doch gewiss Tonnen.«

»Vielleicht ist er auf Baumstämmen herbeigerollt worden wie die großen Felsquader beim Bau der Pyramiden«, erwiderte der Graf. »Jedenfalls haben sie nun die Grabstätte entdeckt, in der womöglich die Überreste eines meiner Vorfahren liegen und wer weiß was noch. Clothilde hat sich schon mit dem Ministerium in Paris in Verbindung gesetzt«, fuhr er fort. »Es muss die Öffnung der Höhle genehmigen, das wird aber wohl nur eine Formalität sein, zumal Clothilde eine anerkannte Expertin des Musée National ist, das in solchen Fällen stets zu Rate gezogen wird. Und ich bin als der Eigentümer des Grundstücks ohnehin einverstanden.«

»Sie klingen nicht gerade glücklich«, bemerkte Yacov, der ebenfalls nach draußen gekommen war. »Gibt es ein Problem für Sie?«

»Es handelt sich mit Sicherheit um eine mittelalterliche Grabkammer. Über dem Sarkophag ist das Bildnis eines Ritters mit gekreuzten Beinen zu sehen, was auf einen Templer schließen lässt. Das ist zwar interessant, aber richtig freuen kann ich mich nicht. Denn jetzt werden wohl erneut Horden von Templerfreunden über uns herfallen und nach dem verlorenen Schatz suchen.«

Bruno nickte in Erinnerung an die zahllosen Autos und Schaulustigen, die sich von Philippe Delarons Story in der *Sud Ouest* hierher hatten locken lassen.

»Sehen Sie mal – da!«, sagte der Graf und zeigte auf den Hang jenseits des engen Taleinschnitts, wo sich bereits etliche Zaungäste mit Feldstechern eingefunden hatten. »Ich mache den Laden für heute dicht, kann aber niemanden daran hindern, zu kommen und sich von nahem anzusehen, was hier geschieht. Sobald wir weg sind, werden sie hier überall herumklettern.«

»Sie können doch den Zugang zur Grotte absperren«, sagte Amélie, die ihnen ebenfalls nach draußen gefolgt war.

»Das würde sie nicht aufhalten«, murrte der Graf. »Wir bräuchten hier rund um die Uhr Wachposten und eine weiträumige Absperrung, was aber viel zu kostspielig wäre.«

»Vielleicht können wir Ihnen helfen und Geld aus dem Budget des Conseil régional lockermachen«, meinte der Bürgermeister.

»Denken Sie auch an die Öffentlichkeitswirkung«, schaltete sich Yacov ein. »Commarque wird eine touristische Attraktion sondergleichen sein.«

»Und wie Sie schon sagten: Wer weiß, was noch alles in dieser Grabstätte gefunden wird«, sagte Amélie. »Vielleicht fördern sie sogar noch das Testament Iftikhars zutage. Sie kennen doch die Templerlegenden. Stellen Sie sich vor, sie finden den Heiligen Gral, die Bundeslade!«

»Ich muss mich jetzt entschuldigen und zurück nach Saint-Denis«, sagte Bruno und warf einen Blick auf seine Uhr. »Ich will nur vorher noch kurz mit Clothilde reden.«

Er ging zurück in die Grotte, gefolgt von Amélie, die sich ihr Smartphone zurückgeben ließ und Lydia Manners zeigte, wie sie ihres stattdessen zu Horsts Orientierung mit dem Laptop koppeln konnte. Die anderen schauten immer noch auf dem Laptop-Bildschirm zu.

»Ich gehe jetzt«, sagte Bruno zu Clothilde. »Wir sehen uns um halb acht in Laugerie-Basse.«

»Könnte sein, dass wir uns verspäten«, erwiderte sie, ohne den Blick vom Bildschirm zu heben. »Es scheint, dass wir auf der Höhlenwand links altsteinzeitliche Einritzungen haben. Ich bin mir fast sicher, einen Pferdekopf zu erkennen und einige dieser mysteriösen Zeichen wie die in Lascaux.«

»Es wird extra für uns und anlässlich deiner bevorstehenden Hochzeit die innere Grabkammer geöffnet, damit ihr Archäologen standesgemäß tafeln könnt«, sagte Bruno. »Also seid bitte pünktlich.«

»Alle Gäste sind hier versammelt, und hier spielt die Musik«, entgegnete Clothilde. »Die Hochzeit ist erst morgen.«

»Leg dich nicht mit dem Küchenchef an, denn der hat andere Prioritäten.«

Als sie nicht antwortete, kehrte Bruno achselzuckend zu seinem Wagen zurück und ließ Jean-Jacques telefonisch wissen, dass er sich auf den Weg nach Saint-Denis machte.

»Tut mir leid, dass wir uns heute Abend nicht um Sie kümmern können«, sagte er zu Yacov, als der auf dem Beifahrersitz Platz nahm.

»Sie haben mich ja darauf vorbereitet, dass Sie verhindert sind, also habe ich Amélie zum Essen eingeladen.« Die beiden tauschten Blicke, für die Pamela das Attribut »bedeutsam« oder »signifikant« verwendet hätte.

»Er führt mich ins Vieux-Logis aus«, sagte sie. »Aber Hochzeitsfeiern gefallen mir auch. Dürfen wir morgen vor der *mairie* warten und Reis und Konfetti werfen?«

»Natürlich«, antwortete Bruno. »Clothilde wird sich freuen. Offenbar sind in dem Hohlraum, der gerade freigelegt wird, prähistorische Wandzeichnungen zu sehen.«

Amélie hatte sofort wieder ihr Smartphone zur Hand. »Ich maile Ihnen bloß ein paar Bilder von der Kammer, die Sie dann an Ihre Pressefreunde weiterleiten können«, erklärte sie.

Vor der Gendarmerie von Saint-Denis angekommen, wurde Bruno vom Brigadier mit einem missmutigen »Wo zum Teufel haben Sie gesteckt?« begrüßt. Bruno hatte am Morgen Isabelle erklärt, was er vorhatte, und erinnerte den Brigadier daran, dass er mit dem Bürgermeister und einem Treuhänder der Stiftung des Pfadfinderlagers verabredet gewesen war, um die Eröffnungsfeierlichkeiten zu verschieben. Der Brigadier stand offenbar unter Druck aus Paris und grummelte ein widerwilliges »Schon gut!«.

Glücklicherweise kam in diesem Moment Jean-Jacques

aus der Gendarmerie und schleifte Bruno über die Straße in die Bar des Amateurs. Sie hatten kaum auf der kleinen Terrasse Platz genommen und bestellt, als Jean-Jacques lospolterte, dass er die gereizte Stimmung in der Gendarmerie nicht länger ertrage, und seinen Frust in einem hastig runtergeschütteten Glas Bier zu ertränken versuchte.

»Die Fahndung nach Mustaf läuft bisher ergebnislos«, berichtete er. »Isabelle glaubt, dass sie schon im Vorfeld für eine weitere Ersatzunterkunft gesorgt haben, vielleicht in einem Wohnmobil. Die Verkehrspatrouillen sind entsprechend instruiert worden und kontrollieren alle Fahrzeuge, die in Frage kommen. Aber so viel Personal können wir auf die Dauer nicht binden, das wird viel zu teuer. Hoffentlich geben Ihre Jäger und Hoteliers bald mal wieder ein paar verwertbare Hinweise.«

Bruno schüttelte den Kopf. Auf seinem Handy waren noch keine Nachrichten eingegangen.

»Außerdem müssen wir für Professor Philippeau in Paris Personenschutz beantragen«, fuhr Jean-Jacques fort. »Der Esel von Krankenhausarzt hat vergessen, uns mitzuteilen, dass Dumesnil dessen Namen genannt hat. Anscheinend war es das Erste, was Dumesnil von sich gegeben hat, als er wieder sprechen konnte. Nur gut, dass sich die Krankenschwester erinnert hat. Wir werden ihn wohl morgen früh vernehmen können, das heißt, wir sollten uns Punkt sieben hier in der Gendarmerie treffen. Übrigens habe ich eine Nachricht erhalten, die uns weiterbringen könnte. Wir haben doch in der Psychiatrie, in der Leah Wolinsky in Behandlung war, herauszufinden versucht, wie sie in den Besitz des Ausweises der anderen Patientin gekommen ist, und bei der Sichtung der Unterlagen ist uns ein interessanter Name aufgefallen. Ahnen Sie, von wem?«

»Nein.«

»Madame Duteiller, die Psychologin, die uns in dieser Missbrauchsgeschichte auf die Nerven gegangen ist. Sie hat dort gearbeitet, wurde aber entlassen, wegen fachlicher Unstimmigkeiten, wie es heißt. Auf Nachfrage sagte einer ihrer ehemaligen Kollegen, ich zitiere: ›Sie war unzuverlässig und nicht besonders hilfreich.‹«

»Sie wurde gefeuert?«

»Und hat unmittelbar danach eine neue Anstellung gefunden, hier bei uns provinziellen Dumpfbacken, die es nicht besser wissen. Wenn der Magistrat und die Frau des Präfekten mir wieder Ärger machen, bekommen sie was zu hören. Nebenbei bemerkt, wir haben den Verwaltungschef der Klinik in Périgueux schon darauf angespitzt, dass er sich in der Pariser Psychiatrie nach den fachlichen Referenzen von Madame Duteiller erkundigt.«

»Sie gehen hart zur Sache«, bemerkte Bruno. »Schießen Sie da nicht mit Kanonen auf Spatzen?«

»Das ist erst der Anfang. Einer meiner Leute hat einen Freund in der Nachrichtenredaktion von Radio France Bleu Périgord und der hat durchsickern lassen, was die Pariser Kollegen von Duteiller halten.« Jean-Jacques warf einen flüchtigen Blick auf Bruno. »Und wie ich höre, hat Ihr Freund Delaron von der *Sud Ouest* Nachforschungen über diese ehemalige Nonne angestellt, die Kinder in ihrer Obhut geschlagen hat. Wenn also Duteiller glaubt, sie könne die Medien nutzen, um uns in Verlegenheit zu bringen, werden wir den Spieß umdrehen, und dann wird es peinlich für sie.«

»Wird sie wegen Steuerhinterziehung belangt werden?«

»Das entscheidet letztlich der *Procureur*, und der wird nur dann Klage erheben, wenn sich auch der Bürgermeister der Kommune dafür ausspricht, denn Gewerbesteuern, und um die geht's in erster Linie, sind Sache der Kommunen. Aber Prunier hat sich schon mit dem Bürgermeister in Verbindung gesetzt und ihm klargemacht, dass er gut daran täte, das Steuerrecht in voller Schärfe anzuwenden, zumal in dieser Sache unter anderem Einkünfte aus der Vermietung an Terroristen erzielt wurden.«

Jean-Jacques leerte sein Glas, stellte es mit Wucht auf den Tisch und schaute Bruno in die Augen.

»Ich hatte viel Arbeit mit diesem Missbrauchsfall, habe jede Menge Personen vernommen, Daten und Zeitabläufe überprüft und bin zahllosen Hinweisen nachgegangen. Und trotzdem sind wir am Ende nicht schlauer als zu Anfang. Wir haben lediglich fragwürdige Erinnerungen, die durch Hypnose geborgen wurden, und Behauptungen einer verbitterten Nonne, die sich nicht bestätigen lassen. Was hätten Sie an meiner Stelle getan?«

»Ich hätte der Staatsanwältin die Fakten auf den Tisch gelegt und gesagt, wenn sie der Sache trotzdem weiter nachgehen wolle, könne sie ja Prunier überreden, von seinem Budget noch mehr auszugeben – für Ermittlungen, die zu nichts führen.«

»Prunier ist ganz meiner Meinung, das weiß ich, und er würde sich auch mit der Frau des Präfekten anlegen. Aber das ist nicht der springende Punkt. Mir geht's darum, den Fall mit dem Ergebnis abzuschließen, dass die Anschuldigungen unbegründet und diese Leute fälschlicherweise angeklagt worden sind. Die Staatsanwältin ist damit aber nicht einverstanden. Sie will recht behalten, und es scheint sie nicht zu kümmern, dass wahrscheinlich zu Unrecht Beschuldigte in Misskredit geraten sind, von denen einer tot ist, der andere senil und der Dritte zu alt, um sich zu verteidigen. Das macht mich krank.«

Bruno lehnte Jean-Jacques' Angebot zu einem zweiten Bier ab; er dachte an das Essen am heutigen Vorabend der Hochzeit. Er wusste, dass Jean-Jacques, der sich nach einem Treffen mit Horst und Clothilde im Rahmen der Ermittlungen zu einem vorangegangenen Fall mit ihnen angefreundet hatte, zur morgigen Feier eingeladen war und wohl auch kommen würde, wenn es seine Zeit erlaubte.

Bruno fuhr nach Hause. Er wollte die Hühner füttern und mit Balzac eine schnelle Runde durch den Wald drehen. Dass die beiden Übernachtungsgäste noch nicht da waren, wunderte ihn nicht, wohl aber das fremde Auto, offenbar ein gemietetes, das in der Auffahrt stand. Sein Hund war nirgends zu sehen. Er pfiff nach ihm und hörte ihn hinterm Haus bellen. Eine vertraute Stimme rief: »Wir sind hier.«

Von der Abendsonne beschienen, saß Isabelle auf dem Rasen vor der Scheune. Balzac lag auf ihrem Schoß und ließ sich den Bauch kraulen. Auf einem Tablett neben ihr standen ein Glas Weißwein und eine halbleere Flasche Château des Eyssards, eines trockenen Bergeracs, den auch er besonders gern trank. Sie wusste, wo der Ersatzschlüssel hing, und fühlte sich hier offenbar immer noch ganz zu Hause. Bruno war es mehr als recht.

»Ich dachte, du wärst schon weg zu deiner Verabredung, aber ich wollte ihn unbedingt wiedersehen«, sagte sie.

»Ja, ich wollte ihn nur kurz ausführen, die Hühner füttern und mich umziehen«, erwiderte Bruno etwas verschnupft, weil sie angeblich nur des Hundes wegen gekommen war. Aber konnte er tatsächlich eifersüchtig auf ihn sein? »Schön, euch beide so einträchtig beieinander zu sehen. Und herzlichen Glückwunsch zu deinem neuen Job.«

»Ach, der besteht hauptsächlich aus langweiliger Büroarbeit und politischen Runden. Es tut gut, mal wieder in Aktion zu treten«, entgegnete sie. »Und immer, wenn ich wieder hier bin, frage ich mich, warum ich das Périgord eigentlich verlassen habe.«

Früher hätte Bruno ihr vorgeschlagen, doch zu bleiben. Aber er war während ihrer gelegentlichen Besuche schon so oft von ihr enttäuscht worden, dass er sich bedeckt hielt. Schließlich war sie auch immer wieder gegangen. Ihre Karriere hatte Priorität für sie. Manchmal schien es ihm, als ob Balzac der einzige Schwachpunkt in ihrer Rüstung war. Balzac liebte sie ohne Wenn und Aber. Wenn er nicht vors Haus gelaufen kam, um ihn zu begrüßen, konnte es nur einen Grund dafür geben: ihre Gegenwart.

»Zieh dich einfach nur um. Ich gehe mit ihm spazieren und füttere die Hühner. Und ich schließe auch wieder ab, wenn ich gehe. Einen schönen Abend wünsche ich dir.« Sie blies ihm eine Kusshand zu.

Er ging ins Haus und warf einen Blick auf die Uhr. Zeit zum Duschen blieb ihm allemal. Aber vorher rief er Clothilde an, die noch in Commarque war und sich entschuldigte; sie habe schlicht die Zeit vergessen. Entsprechend schlug er vor, dass Édouard Lespinasse sie dort abholen würde, nachdem er ihn, Bruno, vorab zum Restaurant gebracht hätte. Er duschte, und während er sich ein sauberes Hemd und seine Khakihose anzog, hörte er die Nachrichten des lokalen Radiosenders. Édouard ließ auf sich warten, und Isabelle war mit Balzac schon losgezogen.

In der ersten Nachrichtenmeldung war von einer »Antiterrorübung« die Rede, bei der Hubschrauber zum Einsatz kämen und Straßensperren errichtet würden. Commissaire Prunier entschuldigte sich bei den Anwohnern für dadurch entstandene Unannehmlichkeiten und hoffte auf Verständnis. Édouard kam vorgefahren, als die zweite Meldung Bruno aufhorchen ließ.

»Der Fall von Kindesmissbrauch im Waisenheim von Mussidan hat eine neue Wendung genommen. Die Ermittler prüfen nunmehr unter anderem die beruflichen Referenzen der Psychologin Marie-France Duteiller, die alle drei mutmaßlichen Missbrauchsopfer betreut hat. Die Leitung der Klinik, in der sie arbeitet, hat bekanntgegeben, dass ihr heute gekündigt worden sei, nachdem man von ihrem ehemaligen Arbeitgeber, der Psychiatrie in Paris, Auskünfte erhalten habe, die eine Fortsetzung der Beschäftigung ausschlössen. Unter Anwendung von Hypnosetechniken, die in Fachkreisen umstritten sind, will Madame Duteiller verschüttete Erinnerungen der drei Klägerinnen aufgedeckt haben. Eine von ihnen erklärte heute unserem Reporter gegenüber, dass sie nicht mehr sicher sei, woran sie sich erinnert.«

Nachdenklich stieg Bruno zu Édouard ins Auto und ließ sich von ihm nach Laugerie-Basse chauffieren. Jean-Jacques hatte seine Drohung offenbar wahrgemacht und den Spieß umgedreht.

Eines der markantesten Panoramen im Périgord bot sich

Bruno auf der D47 wenige Kilometer vor Les Eyzies, und zwar mit dem beeindruckenden Bild des Grand Roc, der, über fünfzig Meter hoch und fast einen Kilometer lang, fast senkrecht zum Ufer der Vézère hin abfiel. Auf halber Höhe dieser Sandsteinwand befand sich ein horizontaler und rund fünfzehn Meter tiefer Felsriss samt Überhang, in dem gut fünfzehntausend Jahre lang Menschen gewohnt und Spuren ihrer prähistorischen Kultur hinterlassen hatten: Pfeil- und Speerspitzen aus Flintstein und gezahnte Harpunen, in den Fels geritzte Darstellungen von Tieren und Jägern, Messer, Steinsägen, Schabwerkzeuge und Ahlen, mit denen sich Rentierhäute durchbohren und vernähen ließen.

Bruno würde Horst und Clothilde auf ewig dankbar sein für ihre Anregung, solche Artefakte wie auch die vielgerühmten Malereien von Lascaux und Font de Gaume als das Werk von Menschen zu betrachten, die mit Mut und Einfallsreichtum auf die harten Lebensbedingungen reagiert und sich darin kaum von ihm und den heutigen Menschen unterschieden hatten. Bruno fragte sich oft, ob er würde überleben können, wenn ihm nur Flintsteine und Jagdgeschick zur Verfügung stünden, ob er sich und eine Familie unter vergleichbaren Umständen würde ernähren, kleiden und ihnen ein Dach über dem Kopf bieten können.

Wenn er jetzt mit den Augen eines modernen Menschen zum Grand Roc aufblickte, dachte Bruno lächelnd an die Bereitschaft seiner Zeitgenossen im Périgord, von ihren Vorfahren zu lernen. In dem horizontalen Felseinschnitt, in dem Menschen der Steinzeit gewohnt hatten, gab es auch einige Einrichtungen jüngeren Datums, deren Erbauer den Vorteil genutzt hatten, keine Rückwände oder Dächer einziehen zu müssen: ein kleines Museum, einen Eintrittskartenschalter und sogar genügend Raum für ein halbes Dutzend Fahrzeuge. Am Fuß der Eingangsstufen stieg er aus und schickte Édouard weiter nach Commarque.

Er ging auf eines der Gebäude zu, die in den Fels gebaut worden waren, ein Restaurant in Familienhand, das mittlerweile zu seinen bevorzugten Lokalen zählte und einfache, traditionelle Kost zu erschwinglichen Preisen anbot. Einmal pro Woche kehrte er mit seinen Jagdfreunden hier ein und ließ sich das *menu du jour* für dreizehn Euro schmecken, das aus einer Suppe, *pâté, confit de canard,* Salat und Nachtisch bestand. Im Sommer aß er auf der Terrasse unter dem überkragenden Fels und hoch über dem Fluss. An diesem Abend aber sollte nach Clothildes Wunsch alles anders sein. Sie hatte einen Raum im hinteren Teil des Abris reserviert, die letzte Ruhestätte eines Steinzeitmenschen, der in Hockstellung beigesetzt worden war, ein Raum, der nur selten der Öffentlichkeit zugänglich gemacht wurde. Das Skelett war längst in ein Museum gebracht worden, aber die klamme Atmosphäre der Kammer wie auch das Wissen darum, dass hier ein Toter geruht hatte, war für Archäologen sehr einladend. Die Kellner allerdings bekreuzigten sich, bevor sie die Kammer betraten.

Für das Festmahl am Vorabend der Hochzeit hatte Clothilde einen langen Tisch decken lassen und bei Madame Jugie eine ganz besondere Speisenfolge in Auftrag gegeben. Bruno begrüßte sie mit *bisous* und trat zur Seite, damit sie die nächsten Gäste willkommen heißen konnte: Gilles und Fabiola, Pamela und den Baron, Jack Crimson und seine Tochter, Brunos Übernachtungsgäste und Florence vom *collège*. Horst, Clothilde und die anderen Archäologen waren noch nicht da. Manners und seine Frau Lydia hingegen tranken schon an der Bar ein Glas Champagner mit dem Grafen und dessen Tochter.

Raquelle, eine der Künstlerinnen, die an der für Touristen zugänglichen Nachbildung von Lascaux mitgewirkt hatte, traf nun in Begleitung von Professor Barrymore und den deutschen Kollegen ein. Sie richtete aus, dass Clothilde noch nach Hause gefahren sei, um sich umzuziehen. An der Bar wurde eine weitere Champagnerflasche geöffnet, die dann auch fast geleert war, als das Brautpaar endlich dazu kam. Clothilde sah phantastisch aus in ihrem grünen Seidenkleid, das sich kontrastreich von ihren roten Haaren absetzte und Lydia veranlasste, Florence den Namen »Armani« zuzuflüstern. Horst war anzusehen, dass er sich in aller Eile angekleidet hatte; sein Hemd war falsch geknöpft und der Schnürriemen eines Schuhs entweder wieder aufgegangen oder gar nicht erst gebunden worden. Doch daran nahm natürlich niemand Anstoß. Vielmehr freuten sich alle über seine glückliche Miene, mit der er die versammelten Freunde betrachtete und weiteren Champagner bestellte. Bruno sah sich darin bestätigt, mit der Organisation des Taxidienstes durch Édouard und zwei seiner Freunde das Richtige getan zu haben.

Gemeinsam gingen sie durch eine Seitentür und ein paar Stufen hinunter in die hintere Kammer. Manche mussten sich ducken, um sich nicht den Kopf an der niedrigen Decke zu stoßen. An dem langen Tisch sorgten ausschließlich Kerzen für Licht. Clothilde nahm am Kopfende Platz, während Horst vor den Stufen stehen blieb, um eine kleine

Ansprache zu halten und ein paar Tropfen Champagner aus seinem Glas auf die Stelle zu träufeln, an der das Skelett gefunden worden war.

»Seht her: eine Libation für unsere Ahnen«, erklärte er. »Gäbe es einen geeigneteren Ort für die Trauung zweier Archäologen als diesen großartigen Grand Roc, der uns schon so viel aus der Frühzeit der Menschheit erzählt hat? Und dann machen wir auch noch gemeinsam diese uns alle begeisternde Entdeckung in Commarque, was ich als Zeichen der alten Götter deute, die mit unserer Hochzeit offenbar einverstanden sind.«

Die Kerzen fingen zu flackern an, und unter dem Tisch drückte Bruno beide Daumen. Er hielt sich nicht für abergläubisch, doch an diesem Ort, an dem die Vergangenheit geradezu greifbar erschien, die alten Götter anzurufen, kam ihm dann doch wie ein Spiel mit dem Feuer vor. Und als er in die Runde blickte, sah er, dass nicht nur er alarmiert war, denn es wurden allenthalben nervöse Blicke getauscht, und sowohl Pamela als auch Florence und Fabiola klopften diskret auf Holz.

»Auf Clothilde und Horst und auf die Freundschaft, die uns alle hier zusammengeführt hat«, rief Bruno und erhob sein Glas. Und zu seiner großen Erleichterung kam in diesem Moment Madame Jugie mit strahlendem Lächeln und einer Suppenterrine in den Händen die Stufen herunter. Der Duft von Knoblauch und einer herzhaften Bouillon vertrieb sofort den Anflug von Beklemmung und ließ stattdessen Appetit und Geselligkeit aufleben.

25

Bruno war um sechs aufgestanden, als seine deutschen Gäste noch schliefen, hatte zwei Gläser Wasser mit Aspirin getrunken, sich zu einer Laufrunde mit Balzac durch den Wald gezwungen und anschließend geduscht, zuerst heiß, dann kalt. Er hatte die Hühner gefüttert, Kaffee gemacht, sich ein Ei gekocht und brav seinen Toast mit Balzac geteilt, ehe er losgefahren war, um sich mit Jean-Jacques zu treffen.

»Ich habe in den Nachrichten gehört, dass Madame Duteiller gekündigt worden ist«, sagte er, als sie sich in Jean-Jacques' Wagen gesetzt und auf den Weg zum Krankenhaus von Sarlat gemacht hatten.

»Dann wissen Sie erst die Hälfte«, erwiderte Jean-Jacques und zeigte mit dem Daumen auf die Rückbank, wo die jüngste Ausgabe der *Sud Ouest* lag, aufgeschlagen auf einer der hinteren Seiten. Bruno nahm sie zur Hand und las Philippe Delarons Interview mit Anne-Louise vom Pfadfinderlager, in dem sie zur Sprache brachte, als Heimkind damals von der Nonne geschlagen worden zu sein. Sie glaube kein Wort davon, sagte sie zu den Missbrauchsvorwürfen gegen den Priester, warf aber der Nonne ausdrücklich vor, sich in zahllosen Fällen sadistischer Strafmaßnahmen schuldig gemacht zu haben.

»Ob die Psychologin wusste, was sie mit dieser Geschichte auslöst?«, hatte Delaron nachgefragt.

»Keine Ahnung«, war Anne-Louise' Antwort. »Und ich will's auch gar nicht wissen. Ich bin mir allerdings sicher, dass nach den Nachrichten im Radio und in der Zeitung der Bürgermeister Klage gegen sie wegen Steuerhinterziehung erheben wird. Nicht nur gegen sie, sondern auch gegen ihren Mann, denn er ist derjenige, der die Barzahlungen der Mieter entgegengenommen hat, und außerdem geben sie eine gemeinsame Steuererklärung ab. Also ist er klar mitverantwortlich.«

Bruno nickte, fand aber die saftige Strafe, die Vaugier wegen einer Steuerlappalie zu erwarten hatte, immer noch zu milde in Anbetracht dessen, was er dem Bäcker Hugues angetan hatte.

»Der Missbrauchsfall kommt also zu den Akten, nicht wahr?«, fragte er.

»Vorher bestehe ich auf einer offiziellen Erklärung, dass die Anschuldigungen grundlos waren. Ich will, dass diejenigen, die durch Verleumdung geschädigt wurden, voll rehabilitiert werden. Wenn die Staatsanwältin dazu nicht den Mumm hat, werde ich eine eigene Erklärung abgeben, selbst wenn es mich meinen Job kostet. Ich ziehe mich ohnehin bald in den Ruhestand zurück.«

»Haben Sie schon mit Prunier darüber gesprochen?«, fragte Bruno. Als Leiter der Polizeibehörde des Départements war Prunier Jean-Jacques' Vorgesetzter.

»Er hat mir immer schon den Rücken gestärkt. Der Präfekt ist das Problem, beziehungsweise seine Frau. Sie ist die Tochter eines Kabinettmitglieds, und ihr Wunsch ist ihrem

Mann Befehl.« Jean-Jacques wuchtete sich aus dem Wagen und stampfte ins Krankenhaus.

Auguste Dumesnil war von der Intensivstation in ein Zweibettzimmer verlegt worden. Er war allein, lag auf dem Bauch und las in einem Buch. Ein Gestell über seinem Hinterteil verhinderte, dass das Laken mit der verbrannten Haut in Berührung kam.

Der Arzt teilte ihnen mit, dass der Patient in spätestens zwei Tagen nach Bordeaux zur Hauttransplantation gebracht werden würde. Vielleicht stand ihm auch eine weitere Operation bevor, falls er Schwierigkeiten mit dem Wasserlassen haben sollte. Bruno schluckte, als er das hörte, und versuchte, eine ungezwungene Miene aufzusetzen, als er den bewaffneten Gendarmen an der Tür begrüßte und das Krankenzimmer betrat.

»Schön zu hören, dass es Ihnen schon etwas bessergeht. Ich habe eine Nachricht, die Sie zusätzlich aufmuntern könnte«, sagte Bruno. »Gestern war ich in Commarque. Da hat man eine bislang verborgene Grabkammer entdeckt. Hier sind ein paar Fotos.« Er reichte Dumesnil sein Handy.

»Danke.« Er nahm es vorsichtig entgegen und versuchte, nur Kopf und Arme zu bewegen. »Könnte das Grab eines Kreuzfahrers sein, vielleicht eines Tempelritters, spätes dreizehntes oder frühes vierzehntes Jahrhundert, würde ich sagen. Sieht so aus, als wäre der Sarkophag aus Marmor, was bedeuten würde, dass der Tote zu Lebzeiten reich und bedeutend war. Hat man den Sarkophag schon geöffnet?«

»Sie sind noch gar nicht bis in die Grabkammer vorgestoßen. Sie wurde mit einem großen Felsbrocken verschlossen und versiegelt. Die Fotos sind von einer optischen Sonde, die man durch ein Loch in der Wand geführt hat.«

»Ich wäre gern dabei, wenn der Steinsarg geöffnet wird. Hoffentlich bin ich wieder früh genug auf den Beinen.«

»Verzeihen Sie, wenn ich unterbreche«, sagte Jean-Jacques. »Aber wir haben nur wenig Zeit, und ich muss Ihnen ein paar Fragen stellen.«

»Damit habe ich gerechnet und deshalb schon auf Band aufgenommen, was ich zu dem Überfall sagen kann. Die Kassette liegt dort auf dem Schränkchen. Einen der Männer kann ich identifizieren, nämlich Saïd al-Husayni. Er war offenbar nicht freiwillig mit von der Partie. Der Große, dessen Name, glaube ich, Mustaf ist, hat diesem Saïd den Arm umgedreht und ihn gezwungen, deren Fragen und meine Antworten zu übersetzen. Er, Saïd, ist irgendwann zusammengebrochen und musste sich übergeben. Statt seiner hat dann ein anderer übersetzt, jemand mit holländischem Akzent. Ich habe ihnen alles gesagt, was ich weiß, und das ist nicht viel, im Grunde nur das, was ich Saïd schon gesagt hatte, als er mit Leah bei mir gewesen war. Sind Sie sicher, dass sie die Tote ist, die gefunden wurde?«

»Ja. Es scheint, dass sie und al-Husayni von den anderen massiv unter Druck gesetzt worden sind.«

»Das tut mir leid. Sie war eine vielversprechende Wissenschaftlerin. Ich mochte sie. Wer hätte gedacht, dass eine so unverfängliche Disziplin wie die Mediävistik ihr zum Verhängnis werden konnte und mir beinahe auch?«

»Haben Sie immer noch schlimme Schmerzen?«

»Als schlimme Schmerzen würde ich sie eigentlich nicht bezeichnen, mehr ein permanentes starkes Brennen. Zu Anfang hat man mir Morphium gegeben, aber weil ich Angst habe, abhängig zu werden, möchte ich jetzt lieber darauf verzichten. Sie wollen die Dosis allmählich reduzieren und mir dann ein anderes Schmerzmittel geben. Seit ich weiß, dass die Verletzungen nicht lebensbedrohlich sind, fühle ich mich schon sehr viel besser. Mich quält allerdings, dass ich mir nicht erklären kann, was dieser Überfall überhaupt sollte. Ich hoffe, Sie können mir eine Antwort darauf geben.«

»Es hat mit Nahostpolitik zu tun, damit, dass manche Araber aus naheliegenden Gründen verhindern wollen, dass dieses Testament Iftikhars an die Öffentlichkeit gelangt«, antwortete Bruno. »Falls es denn tatsächlich existiert.«

Dumesnil verdreht die Augen. »Falls, ja. Was ich bezweifle. Aber darum geht's offenbar gar nicht mehr. Es scheint, dass die Spekulationen darüber eine Art politisches Eigenleben angenommen haben.«

»War das der einzige Grund, warum Sie gefoltert wurden?«, fragte Jean-Jacques. »Oder wollten die Kerle sonst noch was von Ihnen wissen?«

»Nein, es ging nur um das Testament. Ich habe alles gesagt, was ich wusste, aber damit waren sie nicht zufrieden. Sie haben wohl geglaubt, ich wüsste, wo es zu finden ist, und dass ich womöglich das Original oder zumindest eine Kopie besitze. Unabhängig davon scheint dieser Mustaf einfach Lust daran gehabt zu haben, mich zu quälen.«

»Sind noch andere Namen gefallen?«, wollte Jean-Jacques wissen.

»Nein. Ich bin mir nicht einmal sicher, ob Mustaf der Name des großen Kerls ist. Im Zimmer nebenan hat irgendwann das Telefon geklingelt. Das war, als sich Saïd übergeben musste und von dem Großen dafür geschlagen wurde. Der Dritte rief dann von nebenan seinen Namen, und ich bilde mir vielleicht nur ein, ›Mustaf‹ gehört zu haben.«

»Was ist dann passiert?«

»Das weiß ich nicht genau. Ich muss wohl zwischendurch immer wieder in Ohnmacht gefallen sein. Ein paarmal haben sie mir Wasser ins Gesicht gespritzt. Wenn ich mich richtig erinnere, sind sie gleich nach dem Anruf oder kurze Zeit später Hals über Kopf abgezogen. Ich weiß noch, wie ich versucht habe, mit einem Stuhlbein die Kerze umzustoßen.«

»Das ist Ihnen gelungen«, sagte Bruno. »Und es hat Ihnen das Leben gerettet.«

»Mir wurde gesagt, dass ein Polizist gekommen ist und mich gerettet hat, zusammen mit einer dunkelhäutigen Frau.«

»Das war Bruno hier«, sagte Jean-Jacques. »Er hat Sie von Mund zu Mund beatmet, bis der Krankenwagen gekommen ist.«

»Vielen Dank. Ich stehe in Ihrer Schuld.«

»Ach was. Es tut mir nur leid, dass ich nicht früher zur Stelle war. Aber wer weiß, was passiert wäre, wenn ich diese Typen auf frischer Tat ertappt hätte. Möglich, dass sie in Panik geraten wären und Sie kurzerhand getötet hätten.«

»Haben Sie sie inzwischen gestellt?«

»Nein, aber wir haben Saïd al-Husayni. Er wurde von ihnen angeschossen, als sie Reißaus genommen haben. Er liegt im Krankenhaus, hat aber das Schlimmste überstanden. Übrigens macht er sich große Sorgen um Sie.«

»Immerhin lebe ich noch. Der Arzt schätzt, dass ich noch

drei Monate im Krankenhaus verbringen und dann für weitere drei Monate in die Reha muss, ehe ich wieder laufen und selbständig meinen Alltag bestreiten kann.«

»Können Sie einen der Männer auf diesen Fotos identifizieren?«, fragte Jean-Jacques und zeigte ihm ein paar Standbilder aus den Aufzeichnungen, die an der Gare de l'Est aufgenommen worden waren. Er legte eines nach dem anderen auf das Buch, in dem Dumesnil gelesen hatte.

Der schaute sorgfältig hin. »Ja, der Große da, das ist der, von dem ich glaube, dass er Mustaf heißt. Er hat nur kurz, als sie mich verhört haben, den Schal vom Gesicht genommen, aber die Nase und der Mund sind unverkennbar. Und ich glaube, der Typ, der da neben dem Tisch steht, ist der mit dem holländischen Akzent.«

»Haben sie sofort mit der Folter angefangen?«

»Nein, aber gleich, nachdem sie gekommen sind, haben sie mir in den Bauch geboxt und mehrfach ins Gesicht geschlagen. Die Fragen, die al-Husayni übersetzen musste, stellte dann dieser Mustaf, während die anderen meine Wohnung durchsuchten. Erst als ich sagte, dass ich nicht mehr wisse, haben sie mich ausgezogen und an den Stuhl gefesselt.«

»Wonach haben sie gefragt?«

»Es drehte sich alles um das Testament – was ich darüber weiß, wo es ist, ob es einen Bezug zu Commarque gibt. Als ich sagte, dass mir über einen solchen Bezug nichts bekannt sei, haben sie mich wieder geschlagen. Sie scheinen geglaubt zu haben, dass es bei den seismischen Untersuchungen am Château um die Suche nach dem Testament geht.«

»Sie wussten von den Untersuchungen?«, hakte Bruno nach.

»Sie haben mir die *Sud Ouest* mit einem Foto von Professor Vogelstern vor die Nase gehalten.«

»Ich muss das genau wissen«, unterbrach Jean-Jacques. »Wann sind Sie gefesselt worden, zu welchem Zeitpunkt des Überfalls?«

»Ungefähr zehn, vielleicht fünfzehn Minuten nachdem sie mich überrascht haben, und das war kurz vor fünf. Ich wollte gerade zur Chorprobe gehen.«

»Haben sie untereinander gesprochen?«

»Ja, aber davon habe ich nichts verstanden. Ich kann das klassische Arabisch lesen, aber das hat mit dem modernen gesprochenen Arabisch nicht mehr viel zu tun. Einzelne Worte konnte ich aufschnappen. Dabei ging es darum, ob ich wohl lügen würde, ob sie mich knebeln sollten und wie sie mich dann würden verstehen können, wenn ich etwas zu sagen hätte. Außerdem war von einer jüdischen *ferme* die Rede und einer anderen Gruppe, die sie als die ›Soldaten‹ bezeichneten.«

Es klopfte. Eine Krankenschwester kam zur Tür herein und sagte, dass der Patient jetzt ruhen müsse. Als Dumesnil meinte, die Befragung fortsetzen zu können, fühlte sie seinen Puls, warf einen prüfenden Blick auf die Tropfkammer der Infusion und legte ihm eine Armmanschette an, um den Blutdruck zu messen.

»Sind Sie die Krankenschwester, die uns daran erinnert hat, den Professor in Paris zu warnen?«, fragte Bruno.

Sie nickte. »Tut mir leid, dass ich nicht früher nachgefragt habe, ob die Nachricht weitergeleitet wurde. Ist mit ihm alles in Ordnung?«

»Gleich nach unserem Gespräch wurde er unter Personenschutz gestellt«, antwortete Jean-Jacques. »Wir sind Ihnen sehr dankbar.«

»Der Puls des Patienten ist ziemlich schnell, der Blutdruck leicht erhöht«, sagte sie. »Sie können ihm noch ein oder zwei Fragen stellen, aber dann sollten Sie lieber gehen.«

»Wir sind gleich fertig«, erwiderte Jean-Jacques. »Eine Frage noch: Haben die Männer Andeutungen gemacht, wo sie hinwollten? Ist ein Ortsname oder dergleichen gefallen?«

»Ich erinnere mich nur an die ›jüdische *ferme*‹«, antwortete Auguste Dumesnil. »Richten Sie bitte Horst und Clothilde Grüße von mir aus, und sagen Sie ihnen, dass ich es sehr bedauere, an ihrer Hochzeit nicht teilnehmen zu können.«

»Das mache ich«, erwiderte Bruno. »Apropos, als die Männer Ihnen die Zeitung gezeigt haben ... Hatten Sie den Eindruck, dass sie Horst kennen?«

»Oh ja, sie kennen ihn. Als Leah und al-Husayni bei mir waren, haben wir uns über Horst und Clothilde und die geplanten Grabungen in Commarque unterhalten. Ich habe ihnen sogar von der bevorstehenden Hochzeit erzählt und darauf aufmerksam gemacht, dass sie, falls sie mit den beiden sprechen wollten, sich beeilen müssten, weil sie bald zu ihrer Hochzeitsreise aufbrechen. Kann es sein, dass ich sie unwissentlich in Gefahr gebracht habe?«

»Wenn Sie jetzt bitte gehen würden ...«, sagte die Krankenschwester. »Er regt sich zu sehr auf.«

Vor dem Krankenhaus, das auf einem der Hügel am Rand Sarlats thronte, blieb Jean-Jacques erst einmal stehen und ließ den Blick über das Land schweifen. Bruno vermutete, dass er an die vielen leerstehenden Höfe, Scheunen und die zahllosen Ferienwohnungen und Mietobjekte dachte, die erst wieder in der Feriensaison von Touristen bezogen werden würden. Unterschlupfmöglichkeiten gab es hier mehr als genug. Dazu erschwerten die Wälder eine Fahndung per Hubschrauber, zumal das Laub zu sprießen begonnen hatte und die Baumkronen von Tag zu Tag dichter wurden.

»Während des Krieges haben die Deutschen eine ganze Division hier zusammengezogen, bestehend aus Soldaten, die in Jugoslawien gegen Titos Partisanen gekämpft hatten«, sagte Bruno. »Das waren erfahrene Guerillakrieger, und trotzdem ist es ihnen nicht gelungen, die Résistance-Kämpfer aufzustöbern. Hier kann man sich bestens verstecken.«

»Was haben die Kerle bloß vor?«, murmelte Jean-Jacques, als fragte er sich selbst. »Worauf haben sie es abgesehen? Sie betreiben offenbar großen Aufwand, aber mir fällt kein lohnendes Ziel ein. Nicht mal ein symbolisches.«

»Die Anschläge auf die Bars, Cafés und Restaurants in Paris hatten auch nichts Symbolisches«, entgegnete Bruno.

»Ja, aber an diesem Abend fand das Fußballspiel zwischen Frankreich und Deutschland statt. Eine vergleichbare Veranstaltung wird es hier nicht geben, außer vielleicht die Eröffnung von Lascaux, und die wird strengstens bewacht sein. Sogar Spürhunde kommen zum Einsatz.«

»Trotzdem«, erwiderte Bruno. »Horst und Clothilde haben für ihre Gäste eine Sonderführung organisiert. Sie dürften jetzt schon vor Ort sein. Raquelle macht die Führung und will erklären, wie sie die Malereien kopiert haben.«

»Kommen Sie, ich brauche einen Kaffee und ein Croissant«, sagte Jean-Jacques und steuerte auf seinen Wagen zu. Sie fuhren ins Zentrum von Sarlat, parkten am Boulevard

Eugène le Roy und kehrten in einem Café an der Rue de la République ein. Jean-Jacques bestellte sich einen doppelten Espresso, ein Croissant und ein *pain au chocolat*. Bruno nahm mit einem einfachen Kaffee vorlieb.

»Wenn ich Dschihadist wäre, würde ich Selbstmordattentäter oder ein schwerbewaffnetes Überfallkommando in die Kathedrale von Notre-Dame schicken«, meinte Jean-Jacques. »Oder vor den Louvre, wenn dort Besucher Schlange stehen, ins Kaufhaus Lafayette oder auf den Place du Tertre in Montmartre, also dahin, wo ich sicher sein kann, eine Menge Touristen zu treffen. Oder zu einem großen Bahnhof oder Flughafen oder einer Métrostation. Bei der Anschlagsserie von 1995 kamen acht Menschen ums Leben, über zweihundert wurden verletzt. Oder denken Sie an den Anschlag auf den Brüsseler Flughafen. Das nenne ich Ziele. Was diese Typen hier bei uns wollen, kann ich mir nicht erklären. Harmlose Historiker foltern? Was soll das?«

Brunos Handy klingelte. Es war inzwischen halb neun. Er nahm den Anruf entgegen und erkannte die Stimme des Grafen.

»Tut mir leid, wenn ich störe, Bruno. Ich bin zum Château gerufen worden. Meine Tochter fährt mit. Irgendjemand steht auf der Brustwehr und droht damit, sich in die Tiefe zu stürzen. Er verlangt, mit dem Polizisten zu sprechen, der in der Missbrauchssache ermittelt. Wissen Sie vielleicht, wie ich ihn erreichen kann?«

»Er sitzt zufällig neben mir«, antwortete Bruno. Er reichte Jean-Jacques sein Handy, leerte auf die Schnelle seine Tasse und legte einen Fünfeuroschein auf den Tresen. Das Handy am Ohr, stand Jean-Jacques auf, stopfte sich einen letzten Bissen seines Schokoladenbrötchens in den Mund, steckte das Croissant ein und eilte zum Wagen, wobei er immer wieder mürrische Laute von sich gab.

Fünfzehn Minuten später erreichten sie das Château. Jean-Jacques war viel zu schnell gefahren und hatte der Federung seines alten Citroën auf der holprigen Zufahrt und auf der kleinen Brücke, die über die Beune führte, allerhand zugemutet. Auf dem Parkplatz kam ihnen Jean-Philippe im Laufschritt entgegen.

»Hier lang!«, rief er und führte sie eilends durch das Torhaus, dann links an der Kapellenruine vorbei, hinauf zum Außenwerk und rechts am Graben und den ehemaligen Wohnquartieren entlang zum Bergfried. Während er hinter ihm herlief, gratulierte Bruno insgeheim den mittelalterlichen Erbauern der Festung nachträglich zu ihrer cleveren Anlage, denn sie zwang Angreifer zu allerlei Umwegen unter dem drohenden Beschuss von Bogenschützen, wenn sie denn das gutverteidigte Zentrum der Festung erreichen wollten.

Hoch oben auf dem Turm entdeckte Bruno eine einzelne Gestalt, einen Mann in grauem Anzug. Er stand auf der Brüstung und stützte sich mit den Händen auf den beiden Zinnen links und rechts von sich ab.

Bruno rannte im Turm die Treppe hinauf und hörte Jean-Jacques schwer keuchend folgen und dann immer mehr den Anschluss verlieren. Oben angekommen, rief Bruno dem Mann im grauen Anzug zu: »Gedulden Sie sich noch einen Augenblick. Der Commissaire ist kein junger Mann mehr. Hoffen wir, dass er sich nicht übernimmt.«

»Gehen Sie weg!«, murmelte der Mann im Anzug. Er

drehte sich um, und Bruno sah, dass er ein weißes Hemd und eine breite dunkle Krawatte trug, wie sie zu Beginn der 90er-Jahre Mode war. Die Hosenbeine waren zwei oder drei Zentimeter zu kurz, und das Jackett passte auch nicht mehr.

»Mir scheint, Sie haben sich extra gut angezogen«, sagte Bruno. »Ist bestimmt Ihr bester Anzug, den Sie da tragen. Sie achten auf Ihre Kleidung, stimmt's?«

»Ja, darauf haben schon die Nonnen Wert gelegt«, antwortete der Mann. Ihm war anzuhören, dass er aus der Region stammte. »Vor dem Nachtgebet mussten wir unsere Hosen, am Kniff sorgfältig gefaltet, unter die Matratze legen, damit sie morgens wie gebügelt waren.«

»Ich erinnere mich«, sagte Bruno. »Wir sind ähnlich erzogen worden. Ich musste auch immer vorm Zubettgehen meine Sachen aufhängen.«

Der Mann wandte sich ihm wieder zu und musterte ihn. »Sie sind der Polizist von Saint-Denis, der, den alle Bruno nennen, nicht wahr? Ich nehme an, Sie sind gekommen, weil Sie glauben, mich retten zu können.«

»Wären Sie ein Kind, würde mir das vielleicht gelingen«, erwiderte Bruno und versuchte, sich an den Leitfaden zu erinnern, der ihm einmal auf den Schreibtisch gelegt worden war und Empfehlungen im Umgang mit Suizidgefährdeten zum Thema hatte. »Sie sind aber ein erwachsener Mann. Wenn Sie Ihrem Leben ein Ende machen wollen, haben Sie, wie ich finde, ein Recht dazu. Es täte mir nur leid, vor allem auch für die *pompiers,* die sich dann um Ihre Leiche kümmern müssten. Das sind Freiwillige und für so was eigentlich nicht ausgebildet, wissen Sie. Manche können dann wochenlang nicht richtig schlafen.«

»Ich will niemandem zur Last fallen und habe anderen ohnehin schon viel zu viel zugemutet.«

»Wie soll ich das verstehen?«, fragte Bruno und nahm vorsichtig zwei weitere Stufen, was der Mann nicht bemerkte, weil er wieder über das Tal schaute.

»Ich habe Schande über unschuldige Menschen gebracht, die mir nichts getan haben.«

»Meinen Sie die Leute aus dem Waisenheim?« Bruno hatte die letzte Stufe erreicht und stand jetzt auf dem oberen Treppenabsatz, wo es heftig wehte. Der Wind drehte und kam in Böen, die zum Teil so heftig waren, dass Bruno die Worte des Mannes kaum verstehen konnte. Er war Anfang vierzig, das braune Kopfhaar hatte schon lichte Stellen. Das Gesicht war glattrasiert.

»Ja, das Waisenheim von Mussidan. Ich war dort bis zu meinem fünfzehnten Lebensjahr, bis man eine Anstellung für mich gefunden hatte, als Hilfskraft in der Lohnbuchhaltung eines Unternehmens. Da war ich ganz gut aufgehoben. Immerhin hatten mir die Nonnen Rechnen und Lesen beigebracht.«

»Wie heißen Sie?«, fragte Bruno und gab Jean-Jacques mit einem Handzeichen zu verstehen, dass er zurückbleiben solle. In dem Leitfaden, erinnerte er sich, hatte es geheißen, dass nur eine Person versuchen sollte, Kontakt mit dem Betroffenen aufzunehmen und eine emotionale Verbindung herzustellen, die geeignet sein würde, den Suizidgefährdeten zu beruhigen.

»Francis. Nach dem heiligen Franziskus. Man hat mich gleich nach der Geburt in einem Korb vor dem Tor des Waisenheims abgestellt.«

»Mir ist es ebenso ergangen. Mich hat man vor einem Kirchenportal zurückgelassen«, sagte Bruno. Er achtete darauf, dass sich der Mann nicht umdrehte, während er sein Handy aus der Tasche holte und die Aufnahmetaste drückte.

»Da war ich, ein Jahr nach dem anderen, während andere Kinder das Glück hatten, in Pflegefamilien aufgenommen zu werden«, sagte Francis. »Ich war wohl ein zu hässliches Kind. Mit mir haben die Besucher nicht einmal gesprochen.«

»Vielleicht wurden Sie im Heim gebraucht, Francis«, sagte Bruno dem Leitfaden entsprechend, der dazu riet, die betroffene Person mit Namen anzusprechen. »Ich könnte mir vorstellen, dass Sie den Nonnen geholfen und sich um jüngere Kinder gekümmert haben.«

»Ich weiß nicht. Außerdem traue ich meinen Erinnerungen nicht mehr. Und wem soll ich überhaupt noch trauen, nach dem, was ich heute Morgen im Radio gehört habe? Madame Duteiller schon gar nicht.«

»Arbeiten Sie noch in der Lohnbuchhaltung, Francis?« In dem Leitfaden war geraten worden, das Thema zu wechseln, wenn sich die betroffene Person auf die Gründe für ihren Todeswunsch fokussierte.

»Ich war bei Gaz de France, bis ich krank wurde. Zum Glück ist mir eine Berufsunfähigkeitsrente zugesprochen worden.«

»Wann sind Sie denn krank geworden, Francis?«

»Vor zwei oder drei Jahren. Ich war einsam und wollte heiraten. Jemand hat mir geraten, mir im Internet eine Frau zu suchen, dort habe ich auch ein nettes Mädchen gefunden. Zumindest glaubte ich das. Sie kam aus der Ukraine und hat mir geschrieben. In ziemlich gutem Französisch. Ich habe ihr Geld geschickt, damit sie nach Frankreich kommen kann, aber dann gab es Probleme mit dem Vater ihres Kindes. Er wollte selbst Geld, und zwar dafür, dass er auf seine Tochter verzichtet.«

War der arme Kerl auf diesen alten Trick hereingefallen, dachte Bruno.

»Dann wurde ihre Mutter krank und brauchte Geld für eine Operation. Ich habe alles überwiesen, was noch auf meinem Sparkonto war, aber anschließend nichts mehr von ihr gehört. Wegen starker Depressionen bin ich dann ins Krankenhaus gekommen. Und da habe ich Frau Dr. Duteiller kennengelernt.«

»Was ist dann passiert, Francis?« Bruno wiederholte seinen Namen bewusst.

»Sie sagte, in meinem Fall wäre Hypnose hilfreich. Unter Hypnose stellte sie mir Fragen zu meiner Kindheit im Heim und nahm meine Antworten auf Band auf. Dann holte sie mich in die Wirklichkeit zurück und spielte mir die Aufnahme vor. Wie meine Stimme klang, hat mich sehr überrascht.«

»Wie oft gab es diese Sitzungen, Francis?«

»Zweimal die Woche, manchmal häufiger. Sie fand, dass ich Fortschritte mache. Ich weiß noch, dass ich irgendwie wusste, was sie von mir hören wollte, und ich wollte ihr gefallen, weil sie so nett war, wie eine Freundin. Also sagte ich all diese Dinge, an die ich mich aber eigentlich gar nicht erinnerte.«

»Sie haben Dinge erfunden, um ihr zu gefallen?«

»Sie war die erste Person, die sich für mich interessiert hat. Mir war klar, dass ich ihr nur was vormache. Und was das Tonbandgerät aufgenommen hatte, ließ sich nicht mehr zurücknehmen. Sie hielt meine Erinnerungen für echt, aber das waren sie nicht. Und dann kam die Polizei und nahm meine Aussagen zu Protokoll. Sie hat mir auch vorgespielt, was andere unter Hypnose erzählt haben, und brachte diese schreckliche alte Frau ins Spiel, die Nonne, die mich damals im Heim geschlagen hat, wenn ich ins Bett gemacht habe.«

»Machen Sie sich keine Vorwürfe, Francis«, sagte Bruno und näherte sich leise der Brüstung. »Diese Frau ist keine gute Ärztin und hat Dinge getan, die einfach schlecht sind.«

»Das weiß ich jetzt. Trotzdem bin ich es, der diese Sachen gesagt und den Priester und den Heimleiter in Verruf gebracht hat. Sie sind auf Band. Und diese Frau besteht darauf, dass ich die Wahrheit gesagt habe und dass ich, wenn ich das leugnen würde, mich der Falschaussage schuldig mache und ins Gefängnis muss.«

»Sie irrt. Ihnen ist nichts vorzuwerfen, Francis.« Noch zwei Schritte und Bruno würde ihn ergreifen können.

»Aber es ist meine Schuld, dass diese Männer in Verruf gekommen sind. Ich konnte dem alten Direktor nicht in die Augen schauen, als er vor mir stand. Ich sollte ihn mit der Wahrheit konfrontieren, hat sie gesagt. Aber diese schreckliche alte Nonne war auch da, und ich habe mir in die Hose gemacht, als ich sie sah. Ich habe mich so geschämt.«

Er hob die Hand vor seine Augen, was Bruno zum Anlass nahm, auf ihn zuzuspringen. Er schlang die Arme um Francis' Knie und drehte sich so, dass er mit den Schultern von der Zinne abprallte und auf ihn stürzte. Der breite Schlips flappte Bruno durchs Gesicht. Sekunden später war Jean-Jacques zur Stelle.

26

Nachdem sie Francis in der psychiatrischen Abteilung des Krankenhauses abgeliefert hatten, setzte sich Bruno ans Steuer, um Jean-Jacques Gelegenheit zu geben, seine Notizen von der Befragung Dumesnils sowie eine Stellungnahme zu dem versuchten Suizid in sein Diktaphon zu sprechen und zusammen mit Brunos Tondatei von dem Gespräch mit Francis an Isabelle und in Kopie an seine Sekretärin zum Transkribieren zu schicken. Daraufhin tauschten sie die Plätze, damit Bruno seinen Part erledigen konnte.

In der Gendarmerie trafen sie einen deutlich besser gelaunten Brigadier an, der einen dicken Stapel Fotoausdrucke vor sich auf dem Schreibtisch liegen hatte. Zwei weitere Fotos hatte Isabelle an die Pinnwand gesteckt.

»Isabelle hatte den richtigen Riecher«, sagte er gleich zur Begrüßung. »Sie meinte, dass der eine von al-Husayni erwähnte Unbekannte vielleicht eingesessen haben könnte, weil etliche Extremisten bekanntlich in Gefängnissen radikalisiert worden sind. Also hat sie sich die Porträts aller muslimischen Strafgefangenen zukommen lassen, die in den letzten zwei Jahren entlassen worden sind, und al-Husayni vorgelegt. Und da sind sie.«

Das erste Foto zeigte Demirci, den sie anhand seiner Fingerabdrücke identifiziert hatten. Die Legende unter dem anderen wies den zweiten Mann als einen gebürtigen Pariser namens Idris Lounis aus, der wegen bewaffneten Raubüberfalls zu fünf Jahren Haft verurteilt worden war, wovon er drei Jahre im Fleury-Mérogis, dem größten Hochsicherheitsgefängnis Europas, abgesessen hatte, von dessen rund viertausend Insassen angeblich gut die Hälfte Muslime waren. Die meisten französischen Terroristen waren dort irgendwann inhaftiert gewesen und radikalisiert worden, unter anderem die Kouachi-Brüder, die die Redaktion der Satirezeitschrift *Charlie Hebdo* überfallen hatten, Amedy Coulibaly, der eine Stadtpolizistin und vier Geiseln in einem Supermarkt an der Porte de Vincennes in Paris erschossen hatte, sowie Djamel Beghal, der wegen eines versuchten Bombenanschlags auf die US-Botschaft in der französischen Hauptstadt zu zehn Jahren Haft verurteilt worden war.

»Wieso lassen wir zu, dass so was in unseren Gefängnissen passiert?«, murrte Jean-Jacques. »Diese Kerle begehen Straftaten, wir schnappen sie und bringen sie hinter Schloss und Riegel, wo sie dann radikalisiert werden. Da läuft doch was schief.«

»Wir arbeiten daran«, erwiderte der Brigadier müde.

Isabelle verdrehte die Augen und erklärte, dass alle aus dem Umfeld der beiden Männer bekannten Personen befragt und die Daten ihrer Mobilfunkgeräte und Kreditkarten überprüft würden. Ihre Fotos sollten routinegemäß in das Gesichtserkennungssystem eingespeist werden, das inzwischen bereits mit Dutzenden von Überwachungskameras in Banken, Einkaufszentren und an Tankstellen vernetzt war. Überdies gebe es eine vielversprechende neue Spur. Eine der Knastbekanntschaften Demircis, die jetzt in Limoges lebte und einen Gebrauchtwagenhandel führte, werde zurzeit ebenfalls unter die Lupe genommen.

»Zwei der Fahrzeuge, die seinen Büchern nach im Bestand sein müssten, sind nicht mehr aufzufinden. Nach ihnen wird gefahndet«, fügte sie hinzu.

»Sind vielleicht Überfälle auf *tabacs* gemeldet worden?«, fragte Bruno. »Sie brauchen Zigaretten, zumal al-Husayni seinen Einkauf nicht mehr abliefern konnte.«

»Gute Idee. Ich werde mal nachfragen«, erwiderte Jean-Jacques und griff zu seinem Handy.

»Ich warte noch auf die Polizeifotos der belgischen Kollegen«, sagte Isabelle. »Yveline druckt gerade Fotos von Straftätern aus, die im Laufe des vergangenen Jahres hier bei uns in Frankreich entlassen worden sind. Die zeigen wir dann ebenfalls al-Husayni.«

Sie erklärte, aus den Mobilfunkdaten der Sendemasten in der Umgebung einen möglichen Hinweis auf die Gesuchten herausgefiltert zu haben. Mustafs Team scheine allerdings sehr diszipliniert zu sein und die Handys nach jedem Gebrauch auszuschalten und die Akkus herauszunehmen, und wenn sie sie einschalteten, dann nur, wenn sie sich in dichtbesiedelten Gebieten zwischen mehreren Funktürmen bewegten.

»Wir sollten uns deshalb auf die Fahrzeuge aus dem Fuhrpark des Knastbruders aus Limoges konzentrieren«, sagte sie. »Es kann natürlich auch sein, dass sie Motorräder oder auch Mountainbikes fahren. Mehr haben wir im Augenblick nicht.«

Bruno bewunderte die Ruhe, mit der sie eine komplexe Operation koordinierte und unterschiedlichste Informationen zusammenbrachte, ohne der Gefahr zu erliegen, sich durch Routine in ihren Überlegungen einschränken zu lassen. Sie verstand sich gut auf den Umgang mit anderen Menschen, wusste, die allgemeine Moral zu heben, war klar und deutlich, ohne jemals harsch zu werden. Seltsam, dachte er, beides gleichzeitig empfinden zu können: Respekt und sachliche Anerkennung für eine Kollegin auf der einen Seite und auf der anderen ein tiefes Bedauern über das Ende ihrer Liebe, die, was ihn betraf, jederzeit wieder aufleben mochte.

»Haben Sie von al-Husayni irgendetwas über mögliche Anschlagsziele in Erfahrung bringen können?«, fragte Jean-Jacques, der immer noch sein Handy am Ohr hielt. »Uns hat er gesagt, Mustaf habe ihm und Leah nicht über den Weg getraut und deshalb verschwiegen, was sie eigentlich vorhaben.«

»Das hat er mir auch gesagt«, antwortete Isabelle. »Und ich glaube ihm. Er versucht wirklich, uns zu helfen.«

»Verständlich nach dem Anschlag auf sein Leben«, fand der Brigadier und blickte von seinen Unterlagen auf.

»Hochinteressant ist auch, was er uns über ihre Bewaffnung verraten hat. Demirci, der Bankräuber, scheint ein ganzes Arsenal mitgebracht zu haben: AK-47er, eine Kiste voller Handgranaten und Plastiksprengstoff. Angeblich haben sie auch Gasmasken. Wovor sie sich damit schützen wollen, wissen wir allerdings nicht«, führte Isabelle weiter aus und fuhr sich mit der Hand über ihre Haare, was sie, wie sich Bruno erinnerte, immer tat, wenn sie müde war. »Wir können nicht ausschließen, dass sie den Einsatz von Giftgas oder biologischen Waffen planen.

Von al-Husayni wissen wir auch, dass Mustaf Leah, obwohl sie in islamischen Kreisen sehr beliebt war, abgelehnt hat, insbesondere wegen ihres Interesses an diesem Testament«, fuhr Isabelle fort. »Ja, er scheint sie für eine jüdische Spionin gehalten und al-Husayni Verrat an seinem Volk und seinem Glauben vorgeworfen zu haben, weil er mit ihr zusammengelebt hat. Nützlich war sie für Mustaf nur, weil sie eine Kreditkarte hatte und mit ihrem französischen Ausweis Autos mieten und Ferienwohnungen buchen konnte. Al-Husayni sagt, er habe Mustaf von der Wichtigkeit des Testaments zu überzeugen versucht, und fühle sich jetzt deshalb schuldig, weil er so dazu beigetragen habe, dass Dumesnil gefoltert worden ist.« An Jean-Jacques gewandt, fügte sie hinzu: »Übrigens, danke für das Protokoll der Befragung unseres Zeugen.«

»Wenn Sie es schon gelesen haben, werden Sie wissen, dass Dumesnil auf eine jüdische *ferme* hingewiesen hat, von der die Rede war«, erwiderte Jean-Jacques. »Wir, Bruno und ich, vermuten, dass damit das Pfadfinderlager gemeint sein könnte. Mustaf und seine Komplizen werden nicht wissen, dass die Feier zur Einweihung verschoben wurde, aber ich wette, sie wissen, dass die muslimischen Pfadfinder abgesagt haben. Möglich, dass ihre Pläne genau damit etwas zu tun haben.«

»Könnte also sein, dass sie am nächsten Wochenende zuschlagen«, befürchtete Bruno.

»Wir sollten auf jeden Fall den Hof und das Gelände ringsum observieren. Vielleicht gehen sie uns damit doch noch in eine Falle.«

Bruno zuckte mit den Achseln. Dem Brigadier drohte womöglich eine Suspendierung, wenn er am nächsten Wochenende noch keinen Fahndungserfolg würde vorweisen können. Isabelle wollte seine Meinung zu dem Vorschlag hören, doch der Brigadier telefonierte schon wieder mit Paris. »Ich frage ihn, sobald er fertig ist. Irgendwas müssen wir tun.«

»Ich bin ab heute Nachmittag verhindert«, sagte Bruno. »Du erinnerst dich doch an Horst, den deutschen Archäologen, der von Basken gekidnappt worden ist? Er heiratet heute seine langjährige Lebensgefährtin, ebenfalls Archäologin. Seinen Gästen wird noch heute Vormittag eine Sonderführung in Lascaux geboten.«

»Könnte der geplante Anschlag ihnen gelten?«, fragte Isabelle. »Al-Husayni sagte, dass er, um Leah zu schützen, Mustaf gegenüber erwähnt habe, wie wichtig Archäologen in Frankreich seien und dass Lascaux von uns als eine Art nationales Heiligtum erachtet werde.«

Der Brigadier hatte seinen Anruf beendet und mischte sich wieder ein: »Lascaux wird von einer mobilen Einheit der Gendarmerie bewacht. Wann wird die Führung beginnen?«

»Gebucht ist sie für halb zwölf«, antwortete Bruno und schaute auf die Uhr. Es war kurz nach zehn. »Ich könnte mich noch anschließen. Danach werden sie in Montignac zu Mittag essen. Und um vier findet die Trauung statt, in unserer *mairie*.«

»Ja, fahren Sie nach Lascaux. Ich habe hier nichts mehr für Sie zu tun, es sei denn, Sie erwarten Nachrichten aus Ihrem Netzwerk. Aber Sie könnten auch den Sicherheitsgürtel der Kollegen von der Gendarmerie überprüfen«, entgegnete der Brigadier. »Und stellen Sie sicher, dass Sie ebenfalls bewaffnet sind.«

Bruno rief Amélie an, die immer noch in ihrem Hotelzimmer war, und das nicht allein, wie es schien. Yacov hatte eigentlich am Morgen schon nach Paris zurückreisen wollen, es sich aber vielleicht anders überlegt. »Wie war Ihr Essen gestern Abend?«, erkundigte er sich.

»Phantastisch und sehr nobel.« Der Klang ihrer Stimme ließ vermuten, dass der genussvolle Abend nicht am Esstisch geendet hatte. »Haben Sie etwas für mich zu tun?«

»Nicht wirklich. Ich wollte Sie nur fragen, ob Sie schon einmal in der Höhle von Lascaux gewesen sind. Für die Hochzeitsgäste gibt es am späten Vormittag eine Sonderführung, und ich würde wohl den Groll aller Götter des Périgord auf mich ziehen, wenn ich Sie wieder abreisen ließe, ohne dass Sie die einmaligen Wandmalereien gesehen haben. Ich könnte Sie in einer Viertelstunde abholen.«

»Ich würde liebend gern mitkommen. Gäbe es in Ihrem Wagen noch einen Platz für Yacov? Wir würden draußen vor meinem Hotel auf Sie warten. Muss ich wieder Gummistiefel anziehen?«

»Es reichen feste Schuhe. Und natürlich kann Yacov mitkommen. Er soll seinen Ausweis einstecken.«

Bruno schaute in seinem Büro in der *mairie* vorbei, um einen Blick in seinen Posteingang zu werfen, der aber keine wichtigen Nachrichten enthielt. Aus dem Safe holte er seine private Pistole, eine 9-mm-PAMAS, die selbst ungeladen ziemlich schwer war, über ein Kilo, aber sie lag gut in der Hand und fühlte sich an wie der Händedruck eines alten Freundes. Während er sie putzte, versuchte er, sich auch mental zu wappnen, im Wissen darum, dass die Sicherheit von nicht weniger als fünfzehn Personen unter anderem in seinen

Händen liegen sollte. Er lud die Waffe, vergewisserte sich, dass sie gesichert war, und steckte sie mit Ersatzmagazinen in sein Holster. Als er Amélie und Yacov einsammelte, fiel ihm zu seiner Überraschung auf, dass Yacov das Abzeichen des Brigadiers am Revers trug, und er fragte sich, welchen Rang er damit zum Ausdruck bringen mochte. In Amélies Gegenwart wollte er ihn nicht darauf ansprechen, aber auf der Fahrt über Les Eyzies und Montignac zur Höhle von Lascaux machte er sich doch ein paar Gedanken über Yacov.

Er kannte die Strecke im Schlaf und versuchte, seinen Mitfahrern zu erklären, warum ihm die Höhle so wichtig war. Seit er mit Horst befreundet war, der sein Interesse an der Vorgeschichte der Region noch vergrößert hatte, besuchte er Lascaux mindestens einmal im Jahr. Das ganze Tal der Vézère zählte mit seinen 147 einzelnen Fundstätten und insgesamt fünfundzwanzig Höhlen, von denen Lascaux die bedeutendste war, seit 1979 zum Weltkulturerbe der UNESCO. Bruno hatte mittlerweile sechzehn von ihnen selbst erkundet, die meisten in Begleitung von Horst und Clothilde. Er hatte sich sogar inzwischen eine kleine Bibliothek mit einschlägiger Literatur zugelegt und saß regelmäßig im Publikum, wenn Clothilde Vorträge im Museum, am Institut der SHAP und in der *Société Historique et Archéologique du Périgord* hielt.

Lascaux sei etwas Besonderes, erklärte Bruno, ein überwältigendes Schauspiel aus Formen und Farben, das ihm jedes Mal, wenn er die dunkle Grotte betrete, den Atem stocken lasse. Man könne die Augen kaum stillhalten, denn der Blick werde hin- und hergerissen zwischen galoppierenden Pferden und mächtigen gehörnten Auerochsen. Er habe gelernt, die künstlerische Qualität dieser Bilder zu würdigen, die sich unter anderem darin ausdrückte, dass sie den Eindruck von Bewegung und Räumlichkeit vermittelten. Immer wieder tief beeindruckt sei er auch von den teils nur angedeuteten Vertretern anderer Tierarten: einem Bären, einem Steinbock mit geschwungenen Hörnern, dem Geweih eines Rothirschs und einer Gruppe von Kleinpferden mit zottigem Winterfell, die sich deutlich von den anderen, braunen Pferden mit der dunklen Mähne unterschieden.

Man könne über den kulturellen Fortschritt jener primitiven Jäger und Sammler nur staunen, sagte Bruno, die sich zu solch kunstvollen Schöpfungen hatten aufschwingen können, in wahrscheinlich gemeinschaftlicher Anstrengung und jahrelanger, vielleicht lebenslanger Hingabe. Diese erste Blüte menschlicher Kunst sei eindeutig ein Akt der Verehrung und Freundschaft mit Tieren gewesen, die sie durch ihre Malerei unsterblich gemacht hatten.

Amélie hörte aufmerksam zu. Sie hatte sich auf dem Beifahrersitz zurückgelehnt, um Bruno beobachten zu können, während er in höchsten Tönen von Lascaux und allem, was damit zusammenhing, schwärmte. Yacov, der auf der Rückbank saß, hatte sich nach vorn gebeugt, vielleicht, um ihr nahe zu sein, aber wohl auch, um von Brunos Schilderungen nichts zu verpassen.

Was Bruno für sich behielt, war der immer wiederkehrende Gedanke, dass er, wäre sein frühes Leben anders verlaufen, nämlich in einem bildungsfreundlicheren Klima mit ermutigenden Lehrern und einem Zuhause mit Büchern, vielleicht die Hochschulreife erworben und studiert hätte, um Lehrer zu werden oder vielleicht sogar Archäologe. Vor zehn Jahren hatte er bedauert, dass er in Mathematik und Naturwissenschaften nicht gut genug gewesen war, um sich bei der *Armée de l'air* als Pilot ausbilden zu lassen. Vielleicht würde er in einigen Jahren anderen unerfüllten Wünschen nachtrauern, etwa nie als Chefkoch oder Winzer Karriere gemacht zu haben oder nie Vater geworden zu sein.

In Montignac überquerte er die alte Steinbrücke und fuhr, weil er wusste, dass Horst und Clothilde schon für eine Gruppenkarte gesorgt hatten, am Ticketschalter vorbei geradewegs auf den Hügel zu, in dem sich die Höhlen befanden. Als er sich der großen Baustelle für das neue Lascaux-IV-Museum näherte, winkten ihn zwei Gendarmen mit Schutzwesten an den Straßenrand. Weiter vorn standen zwei weitere Kollegen mit schussbereiten Maschinenpistolen. Zwanzig Meter dahinter parkte ein Panzerwagen vom Typ Berliet VXB mit laufendem Motor, in dessen Gefechtsturm ein Gendarm mit Maschinengewehr zu sehen war.

Bruno bremste seinen Polizeitransporter ab und wartete. Als einer der beiden Gendarmen kam und mit sichtlichem Wohlgefallen die junge Frau an seiner Seite betrachtete, machte Bruno auf sein Abzeichen des Brigadiers aufmerksam und sagte, dass er bewaffnet und mit den Archäologen verabredet sei, die die Höhle besuchen wollten. Amélie wies sich als Mitarbeiterin des Justizministeriums aus, und Yacov zeigte seinen Ausweis. Der Bus der Archäologen sei vor fünf Minuten vorbeigekommen, sagte der Gendarm. Er winkte sie weiter und gab seinen Kollegen über Funk Bescheid, dass weitere Gäste anrollten.

In der Kurve kurz vor dem Eingang zur Höhle passierten sie die letzte Straßensperre, der auch ein Sprengstoffspürhund angehörte. Als er seinen Wagen unter den Bäumen parkte, bemerkte Bruno, dass sehr viel weniger Touristen zu sehen waren als angenommen. Clothilde und Horst entdeckte er inmitten ihrer Freunde, die sich unter dem Vordach des Sammelplatzes für Gruppenführungen eingefunden hatten.

27

Raquelle stand auf einer kleinen Trittleiter, um die Besucher zu begrüßen. Als eine der Kopisten der Originalmalereien war sie die perfekte Führerin. Ihre Gäste warfen immer wieder nervöse Blicke auf den Panzerwagen, der vor dem Eingang des Souvenirladens stand, und den schwerbewaffneten, mit Helm und schusssicherer Weste geschützten Mann im Turm.

Normalerweise waren geführte Gruppen an die dreißig Personen stark. Mehr passten nicht in den Höhlenraum, durch den sie im Abstand von fünfzehn Minuten mit abwechselnd französisch-, englisch- und deutschsprachigen Führern geschleust wurden. Täglich fanden nur wenige hundert Interessierte Einlass. Von den mehr als zwei Millionen Touristen, die jedes Jahr, hauptsächlich im Sommer, die Region besuchten, kam darum nur ein Bruchteil in den Genuss einer Besichtigung. Wegen der starken Nachfrage und damit mehr Menschen die Kunst und das Genie der fernen Ahnen bewundern konnten, wurde das neue Museum errichtet.

Vor der Gruppe von Clothilde und Horst hatte sich ein weiterer Kordon von bewaffneten Gendarmen gebildet. Jeder trug ein FAMAS-Sturmgewehr, das aufgrund seines futuristischen Designs von Insidern auch *clairon,* also Signalhorn genannt wurde. Ein weiterer Spürhund schnüffelte die Gruppe ab. Bruno ging auf den Sergeanten vom Dienst zu und stellte sich und die Gäste vor. Amélie zeigte wieder ihren Amtsausweis mit den rotweißblauen Streifen der *République,* und Bruno fragte, wo er den Einsatzleiter finden könne.

Der Sergeant erkannte offenbar die Abzeichen, die Bruno und Yacov trugen, salutierte und berichtete, der Hauptmann pendele zwischen den einzelnen Posten hin und her. Ein weiteres Team sichere den Zuweg von hinten ab und patrouilliere das Busch- und Waldgebiet.

»Wie steht's um die Originalhöhle?«, fragte Bruno. »Ihnen ist doch bekannt, dass diese hier nur eine Kopie ist.«

»Davon weiß ich nichts. Wir sind aus Bordeaux eingeflogen worden. Wir orientieren uns an einem Audioguide«, antwortete der Sergeant. Er zeigte auf ein Mikrophon, das an seinem Helm steckte. »Soll ich den Hauptmann zu uns bitten?«

Wenige Minuten später war dieser zur Stelle, ein hoch aufgeschossener, schlanker Mann um die dreißig, mit einer Heckler & Koch UMP9, einer Maschinenpistole, bewaffnet, wie sie von Spezialeinheiten favorisiert wurde. An seiner Weste hingen mehrere Handgranaten. Yacov schien der hohe Sicherheitsaufwand nicht weiter zu beunruhigen, er musterte die Stellungen der Wachposten mit, wie Bruno fand, professionellem Blick. Bruno fragte den Hauptmann, ob auch die Originalhöhle gesichert werde, und zeigte in die Richtung: »Da ist ein abgezäunter Bereich, ungefähr hundert Meter östlich von hier, an der Schotterstraße mit dem Hinweisschild für Le Régourdou.«

»Was soll das sein, ein Bauernhof?«

»Das war's einmal. Heute ist es eine Touristenattraktion, der Ort, an dem das älteste Skelett eines Neandertalers gefunden wurde. Hat man Sie nicht darauf hingewiesen?«

»Doch, aber nur flüchtig. Uns wurde gesagt, Lascaux sei bekannt für seine bedeutende Höhlenmalerei und ein beliebtes Ziel für Touristen. Die gilt es in erster Linie zu schützen. Wir sind hier seit zwölf Stunden und werden wohl weitere zwölf Stunden bleiben.«

»Wie groß ist Ihre Einheit?«

»Zwanzig Mann, zwei Panzerfahrzeuge und ein Hubschrauber in Rufbereitschaft.« Er richtete den Blick auf Brunos *Croix de Guerre* am Band, das er auf ausdrücklichen Wunsch des Bürgermeisters an sein Uniformjackett gesteckt hatte. »Sie waren beim Militär?«

»Vor über zehn Jahren, bei den Pionieren, zuletzt als Feldwebel.«

»Und wie sind Sie an die Auszeichnung gekommen?«

»Ich war in Sarajevo den UN-Friedenstruppen angeschlossen.«

»Dann sind Sie mir hier herzlich willkommen. Wissen Sie Neues über die Terrordrohung?«

»Relativ neu ist die Erkenntnis, dass die Verdächtigen offenbar recht diszipliniert sind, zumindest was den Funkverkehr untereinander angeht. Es sind mindestens drei Mann, die, wenn wir richtig informiert sind, durch IS-Trainingslager gegangen und mit AK-47ern bewaffnet sind. Also keine Amateure. Sie werden auf der Hut vor uns sein. Ich schlage vor, dass Sie den Wald im Süden genauestens im Auge behalten. Vielleicht sollte Ihr Hubschrauber dort Patrouille fliegen. Stehen Ihnen Hunde zur Verfügung?«

»Nur ein Sprengstoffspürhund«, antwortete der Hauptmann und fügte hinzu, dass er seinen Kommandanten bitten werde, den Hubschrauber kommen zu lassen.

»Viel Glück«, sagte Bruno und schüttelte ihm die Hand.

Daraufhin rief er Isabelle an, monierte die mangelhafte Einsatzbesprechung und schlug vor, dass sie sich bei Prunier erkundigte, ob die Polizei eine Hundestaffel bereitstellen und damit den Wald durchsuchen könne. Nach dem Telefonat schloss er sich der Gruppe um Clothilde an. Amélie unterhielt sich angeregt mit Florence, und Pamela fragte Yacov, wann seine Großmutter in Saint-Denis eintreffen werde. Mit einem auffälligen Blick auf Brunos Dienstwaffe meinte sie, dass die angebliche Sicherheitsübung doch ernster aussehe als gedacht.

»Fabiola hat mir von dem Mann erzählt, der gestern angeschossen und ins Krankenhaus eingeliefert worden ist«, fügte Pamela hinzu. »Droht Gefahr?«

»Nicht mehr als überall sonst im heutigen Frankreich«, antwortete er bewusst ausweichend. »Belassen wir's dabei, ich will unsere Gäste nicht alarmieren.«

»Aber das sind sie wegen der Panzerwagen ohnehin schon. Sie reden von nichts anderem.«

Raquelle hatte allerdings mit Max Raphael gesprochen, als Bruno angekommen war. Bruno hatte schon von ihm gehört. Raphael war ein deutsch-jüdischer Marxist, der in den 1930er-Jahren nach Frankreich geflohen war. Er galt als einer der bedeutendsten Vertreter der neueren Kunstgeschichte. Zu den Höhlenmalereien sagte er, dass sich in den Tierdarstellungen die Schöpfer von damals zum ersten Mal im Unterschied zum Tier wahrgenommen hätten und die Bewusstwerdung ihrer selbst als menschliche Wesen zum Ausdruck gekommen sei.

Raquelle erklärte der Gruppe, Raphael habe zu seiner eigenen Überraschung festgestellt, dass die prähistorischen Höhlenkünstler offenbar zumindest einen Sinn für den Goldenen Schnitt gehabt haben mussten, jenes Verhältnismaß, das erst die Griechen der klassischen Antike und die alten Meister der Renaissance berechnet und definiert hätten. Euklid habe den Goldenen Schnitt nachgewiesen, von Leonardo da Vinci und seinem Freund, dem Mathematiker Luca Pacioli, sei er als das »göttliche Verhältnis« bezeichnet worden, und moderne Mathematiker hätten den Zusammenhang zwischen dem Goldenen Schnitt und den Fibonacci-Zahlen aufgedeckt.

»Davon hatte ich keine Ahnung«, flüsterte Florence Bruno zu, als sie die Höhle betraten. »Das werde ich mir genauer ansehen und mit meinen Schülern durchnehmen. Was für ein Einstieg in Geometrie und Mathematik!«

Im Vorraum zur großen Kammer stand sie neben ihm, als Clothilde erklärte, welche Werkzeuge und Pigmente den Künstlern damals zur Verfügung gestanden hatten. Um anderen, die hinter ihr standen, Platz zu machen, trat Florence zur Seite und streifte dabei versehentlich Brunos Pistole, die an seiner Hüfte hing. Sie blickte nach unten und riss die Augen auf. Er legte den Zeigefinger an die Lippen und rückte diskret an den Rand.

Von den Gästen ging einer nach dem anderen durch die letzte Schleuse in den Saal der Stiere. Als alle dort versammelt waren, wurden die letzten Lichter ausgeschaltet, woraufhin sich eine so intensive Dunkelheit ausbreitete, wie sie nur wenige bisher erfahren hatten. Sie dauerte nur wenige Sekunden an, doch die reichten, um jedem klarzumachen, wie tief man sich unter der Oberfläche befand und wie sehr man doch zumindest an Reste von Licht gewöhnt war.

Dann wurde es plötzlich wieder hell. Alles atmete unwillkürlich auf, und aus der anfänglichen Überraschung wurde bald Begeisterung, denn das Felsgewölbe schien in Bewegung zu geraten und lebendig zu werden. Es war, als bebten die großen Stiere vor Kraft: so kraftvoll waren sie an die Wände gemalt worden. Erst auf den zweiten Blick fielen die Pferde und kleineren Tiere auf, die in ihrer Zartheit und Eleganz ein auffallendes Gegengewicht zu den mächtigen Stieren bildeten.

Bruno spürte, wie sich eine Hand um seinen rechten Arm legte. Es war die von Florence. Er lächelte in sich hinein, weil er das reflexhafte Bedürfnis nach menschlichem Kontakt an einem solchen Ort verstand, der so viel animalische Kraft ausstrahlte. Sie lehnte sich an ihn. Weiter vorn sah er Horst und Clothilde, denen die Höhle vertraut war und die dennoch Arm in Arm beieinanderstanden, die Köpfe in den Nacken gelegt, um das faszinierende Schauspiel über sich zu bewundern. Hier, dachte Bruno, werden alle wieder Kinder voll unverbildeten Staunens und im vorbewussten Kontakt mit den Menschen, die vor siebzehntausend Jahren diesen heiligen Ort geschaffen haben.

»Der große Historiker Abbé Breuil, ein Mann des vorigen Jahrhunderts, nannte diese Höhle die Sixtinische Kapelle des Steinzeitmenschen«, sagte Raquelle und legte eine Pause ein, um den Gedanken sacken zu lassen. »Wir wissen nicht, warum diese Tiere gemalt wurden, warum so viel kollektive Zeit und Mühe in diese Höhle gesteckt worden sind, ob sie überhaupt eine spirituelle Bedeutung hatte oder einen eher prosaischen Zweck erfüllte, etwa den Wunsch, mit Wohlstand und Kunstgeschick aufzutrumpfen, um andere Stämme zu beeindrucken. Auch von den sozialen Verhältnissen, die diese Kunst möglich gemacht haben, ist nur wenig bekannt. Wir wissen nur, dass uns, die neuzeitlichen Menschen, diese uralten Meisterwerke spontan und unmittelbar ansprechen und dass ihre Schöpfer, die doch ganz anders lebten als wir, einen durchaus vergleichbaren Sinn für Schönheit und ähnliche ästhetische Vorstellungen hatten.«

»Oh, Bruno«, murmelte Florence, die immer noch an ihm lehnte und sich ihm nun zuwandte.

Fernab wurde plötzlich geschossen. Eine Detonation war zu hören, auf die wenige Sekunden später vier oder fünf Schüsse folgten. Aus zwei Waffen, wie Bruno zu hören glaubte.

»Bleibt bitte alle hier!«, rief er und rannte auf den Ausgang zu und hinauf ins Freie. Der Sergeant hockte hinter dem Panzerwagen und hielt sein Funkgerät ans Ohr. Der Mann im Turm blickte nervös, seine Waffe im Anschlag, auf das Wäldchen im Süden, und eine Gruppe von Touristen, die auf ihre Führung wartete, kauerte unter den Treppenstufen, die zum Eingang führten.

»Der Hauptmann ist auf dem Weg!«, rief der Sergeant Bruno zu, als es plötzlich wieder zu krachen anfing und die Touristen verschreckt aufkreischten. »Die Patrouille im Wald hat etwas entdeckt und ist unter Beschuss geraten.«

»Wo ist Ihr Hubschrauber?«, fragte Bruno.

»Keine Ahnung. Auf meiner Frequenz erreiche ich ihn nicht.«

Bruno meldete sich bei Isabelle, fragte, ob Verstärkung komme, und bat sie, die Straßensperre in Montignac anzuweisen, Touristen auf dem Weg nach Lascaux zurückzuhalten, bis die Lage unter Kontrolle sei. Er hörte, wie sie sich mit jemandem unterhielt und ihm dann mitteilte, dass Militär von Brive per Hubschrauber einfliegen werde. Wo er landen solle?

»Auf der Zufahrt und möglichst nah am Parkplatz und der Höhle. Wann werden sie hier sein?«

»In frühestens einer halben Stunde. Allein der Flug dauert fünfzehn Minuten, und vorher müssen sie ja noch eingewiesen und munitioniert werden.«

Bruno beendete das Gespräch, als der Hauptmann angelaufen kam. »Es sind mindestens zwei Angreifer«, keuchte er. »Der eine hat auf unsere Patrouille geschossen, und der andere soeben auf unseren Hubschrauber.«

»Ich habe gerade mit der obersten Einsatzleitung gesprochen«, berichtete Bruno. »In ungefähr einer halben Stunde wird eine Militärstaffel zur Stelle sein. Wir haben jetzt vor allem dafür zu sorgen, dass keiner der Zivilisten zu Schaden kommt. Eine Gruppe ist zurzeit in der Höhle, und eine andere hat unter der Treppe dort Zuflucht gesucht. Ihre Männer an der Straßensperre erhalten gerade den Befehl, weitere Touristen zurückzuhalten. Kann Ihr Hubschrauber aufsteigen?«

»Ich warte noch auf eine Meldung. Einer meiner Männer aus der Patrouille wurde angeschossen.«

»Wenn Sie erlauben, würde ich mit Ihrem Sergeanten gern los und nach dem Hubschrauber sehen. Und wir könnten den Verletzten in Sicherheit bringen.«

»Einverstanden.«

Die Touristen, hauptsächlich Holländer und Deutsche, waren froh, in die Höhle geführt zu werden. Ihnen kam jemand entgegen, der durch den Eingangsbereich nach draußen drängte und auf Bruno zulief. Es war Horsts englischer Freund, der ehemalige Soldat mit Namen Manners.

»Lassen Sie mich wissen, wie ich helfen kann, Bruno. Es scheint, Sie können Verstärkung gebrauchen.«

»Danke für Ihre Hilfsbereitschaft, Monsieur. Vielleicht könnten Sie hier dafür sorgen, dass keine Panik ausbricht. Sagen Sie den Leuten, dass Verstärkung auf dem Weg ist.«

»Wird gemacht.«

Der Sergeant holte aus dem Heck des Panzerwagens ein FAMAS-Sturmgewehr, das er Bruno reichte, zusammen mit einem Gürtel voller Ersatzmagazine. Im Abstand von gut zehn Metern eilten sie durch den Wald, wobei der eine immer hinter einem Baum in Deckung ging, wenn sich der andere weiter fortbewegte. Sie waren ungefähr hundert Meter weit gekommen, als der Sergeant plötzlich rief: »Fougières!«

Von weiter vorn kam die Antwort: »Gaston.«

Bruno verstand die Zurufe als Austausch einer Losung, die aller Wahrscheinlichkeit nach nur für Gendarmen Sinn ergab. Gaston de Fougières galt als der erste Gendarm, der im Kampf gefallen war. Seine Überreste hatte man unter dem Gendarmerie-Denkmal von Versailles beigesetzt.

Vorsichtig rückten Bruno und der Sergeant weiter vor und entdeckten einen Gendarmen, der hinter einem Baum Wache stand, während ein anderer einem dritten, der auf dem Boden saß, mit einer Aderpresse den Oberschenkel abschnürte. Die Wunde war offenbar gerade frisch versorgt worden, denn ein blutdurchtränkter Verband lag neben ihm im Laub.

»War nur ein Streifschuss, Sergeant, die Arterie ist nicht getroffen worden.«

Auf einer kleinen Lichtung stand ein Fennec-Hubschrauber mit dem Kennzeichen der Armée de l'air. Aus einem Leck tropfte Öl oder Treibstoff. Die gewölbte Glasscheibe des Cockpits hatte mehrere Einschüsse, aus deren Position sich Bruno ausrechnen konnte, dass der Angriff aus östlicher Richtung erfolgt war, irgendwo links von ihm.

»Wie viele sind es?«, fragte Bruno den, der Wache stand.

»Das weiß ich nicht. Ich habe nur Schüsse aus einer Waffe gehört, die mit Sicherheit nicht uns gehört. Sie kamen aus unterschiedlichen Richtungen. Vielleicht sind es zwei Schützen, es könnte aber auch einer gewesen sein, der von einer Stelle zur anderen gerannt ist.«

»Wo ist die Hubschrauberbesatzung?«

»Keine Ahnung. Es sind Männer der Armée de l'air und keine von uns.«

Bruno wandte sich frustriert ab und rief seinen Kollegen Louis an, den Gemeindepolizisten von Montignac, um ihn zu fragen, wo er sich gerade aufhalte und ob er abkömmlich sei. Der antwortete murrend, der Bürgermeister habe ihn dem Kommando der Gendarmerie unterstellt, weshalb er jetzt den Verkehr regeln müsse.

»Sind eure Braques zu Hause, Louis?«, fragte Bruno, womit er die französischen Vorstehhunde vom Typ Gascogne meinte, die zu den besten Jagdhunden überhaupt zählten und sich auf jedwedes Wild ansetzen ließen, »egal, ob auf Fell oder Federn«, wie es unter Jägern hieß. Sie eigneten sich ausgezeichnet für die Jagd vor und nach dem Schuss. Bruno erklärte, wo er sich gerade befand und wozu er die Hunde brauchte, und versicherte Louis, dass er sich für ihn vom Gendarme Général höchstpersönlich einen neuen Einsatzbefehl geben lassen werde.

Danach rief er Isabelle an, die ihm nach kurzer Rücksprache die Bestätigung des Generals durchgeben konnte. Bruno bat sie, ihre Worte zu wiederholen, und hielt dem Sergeanten sein Handy ans Ohr. »Oui, Monsieur – äh – Madame«, stammelte dieser leicht irritiert. Der Kollege, der Wache stand, und derjenige, der die Aderpresse angelegt hatte, brachten den Verwundeten zurück in den Panzerwagen. Bruno erklärte dem Sergeanten, womit zu rechnen sei und was er dagegen zu tun beabsichtige.

Kurze Zeit später schallte Gebell durch den Wald, und es war schnell deutlich, dass sehr viel mehr Hunde kamen als die erwarteten zwei. Bruno hörte sie anschlagen, was nur bedeuten konnte, dass sie Witterung aufgenommen hatten. Er legte das Sturmgewehr an.

Ein Schuss löste sich, dann ein zweiter, worauf ein Hund zu heulen anfing. Andere bellten umso wütender. Links tauchte am Rand der Lichtung, ungefähr zweihundert Schritte entfernt, eine Gestalt aus dem Dickicht auf, ein Mann, der geduckt aus der Deckung ins Freie rannte. Zweige, die offenbar zur Tarnung dienten und in der Jacke steckten, schlugen ihm über dem Kopf zusammen. Bruno lehnte sich mit der Schulter an einen Baumstamm, zielte sorgfältig und gab drei Schüsse ab.

Am Bein und in der Hüfte getroffen, ging der Mann zu Boden. Vom Waldrand aus pirschte sich ein großer braunweißer Hund über den Bauch kriechend heran, warf sich dann mit einem weiten Sprung auf die Brust des gestürzten Mannes und knurrte drohend. Bruno sah, wie der Mann den Arm bewegte, aber nicht, um den Hund abzuwehren, und plötzlich zuckte grellweißes Licht auf, unmittelbar gefolgt von einem heftigen Donnerschlag, der vom Waldrand widerhallte. Aus einer schwarz aufquellenden Rauchwolke spritzten unter anderem in hohem Bogen Erdbrocken und Grasbüschel durch die Luft und regneten auf den Hubschrauber herab. Von Mann und Hund war nichts mehr zu sehen.

»*Mon Dieu*«, murmelte Bruno. Ein Selbstmordattentäter. Warum hatte er an eine solche Möglichkeit nicht gedacht?

Irgendetwas veranlasste ihn, einen Blick auf die Uhr zu werfen. »*Mon Dieu*«, platzte es wieder aus ihm heraus, als ihm einfiel, dass gleich die Trauung stattfinden sollte.

28

Clothilde sah prachtvoll aus, als sie in einem wunderschön geschnittenen Kleid aus schwerer cremefarbener Seide elegant aus dem gemieteten Rolls-Royce stieg. Der Saum bedeckte die Knie, und die ausgestellten Ärmel reichten bis zu den Handgelenken, so dass der silberne Armreif an der Rechten gerade noch zur Geltung kommen konnte. Ebenfalls aus Silber war das spiralförmige Halsband, das Horst ihr geschenkt hatte, die Nachbildung eines Fundstücks aus einem neusteinzeitlichen Grab in Irland. Die roten Haare hatte sie hochgesteckt, und in der Armbeuge lag ein Frühlingsbouquet aus weißgelben Narzissen und Maiglöckchen, deren Laub farblich wunderbar mit ihrem grünen Seidenschal harmonierte. Sie strahlte über das ganze Gesicht, als sie den Bürgermeister in seiner rotweißblauen Amtsschärpe und Bruno erblickte, der auf die Schnelle geduscht und seinen einzigen feinen Anzug angezogen hatte. Er versuchte, freundlich dreinzublicken und die Erinnerung an den grellen Explosionsblitz und das Entsetzen seines Kollegen Louis über den Verlust seines besten Jagdhundes zu verdrängen.

Lydia Manners, ihre Trauzeugin, war bereits ausgestiegen und hatte sich zu Pamela und Florence gesellt, die sich als Brautjungfern zur Verfügung gestellt hatten. Die Zwillinge Dora und Daniel, beide in Weiß gekleidet, schauten die Braut mit großen Augen an. Die Schar der Zaungäste von Saint-Denis klatschte Beifall, als ihr Bürgermeister Clothilde und Lydia zum Fahrstuhl führte. Bruno schloss sich ihnen mit den Brautjungfern und Kindern an. Gemäß dem alten Brauch, wonach Braut und Bräutigam erst zur Trauzeremonie einander gegenübertreten durften, hatten Horst und seine Freunde schon vor der Ankunft Clothildes die Treppe in der *mairie* genommen, wo sie darüber rätselten, wie viele Füße über die alten Steinstufen hinweggegangen sein mochten, dass sich in ihnen so tiefe Kuhlen hatten bilden können. Bruno hatte während der Wartezeit höflich Konversation betrieben, aber immer wieder einen Blick auf Yveline und Isabelle geworfen, die sich, weil sie die Trauung unbedingt miterleben wollten, eine Auszeit in der Gendarmerie genommen hatten.

Immer aufmerksam für das, was um sie herum geschah, nahm Pamela wahr, wem Brunos Interesse galt, und fragte: »Wer ist die Frau neben Yveline, die mit den dunklen Haaren?«

»Commissaire Isabelle Perrault von Eurojust in Den Haag«, antwortete er wie beiläufig. Er war sich ziemlich sicher, dass Pamela sehr genau wusste, wer sie war, und darüber nicht erst aufgeklärt werden musste. Er erinnerte sich an ihren Wutausbruch, als ihr von einem hiesigen Wichtigtuer zugetragen worden war, dass man Isabelle und ihn zusammen in einem Hotel in Bordeaux gesehen hatte. Sie waren dienstlich dort gewesen und hatten an einem großangelegten Einsatz gegen einen Schlepperring teilgenommen. Isabelle war an diesem Tag angeschossen worden, als sie mit ihrem Team die Schlepper und illegalen Immigranten aus China festgenommen hatte.

»*Das* ist Isabelle? Deine alte Flamme?«, betonte Pamela so frostig, dass Florence die Augen aufsperrte. Um Contenance bemüht, fragte Pamela: »Was führt sie diesmal hierher, abgesehen von eurer sogenannten Sicherheitsübung?«

»Genau darum geht's«, entgegnete Bruno unterkühlt. »Sie ist mit dem Brigadier hier und in der Gendarmerie stationiert.«

Isabelle und Pamela wussten voneinander, hatten sich aber, soweit er wusste, nie persönlich kennengelernt. Er hatte sie beide geliebt, was in gewisser Weise immer noch der Fall war. Aber wieso schien Pamela zu glauben, dass sie immer noch Anspruch auf ihn hatte? Schließlich hatte sie die Affäre beendet und dabei noch behauptet, es sei zu seinem eigenen Besten. Doch die Frage erübrigte sich wohl, denn er ahnte, dass er ähnlich unwirsch reagieren würde, wenn er mit einem neuen Liebhaber Isabelles konfrontiert wäre. Oder mit einem neuen Beau für Pamela. Nur allzu gut erinnerte er sich daran, wie sehr es ihn mitgenommen hatte, als er fälschlicherweise angenommen hatte, dass Pamela und Jack Crimson ein Paar seien.

Bruno schüttelte den Kopf, um wieder klar zu denken. Seine Freunde heirateten, und er hatte die Ehre, die Trauung zu bezeugen. Der Dienstwaffe, die er unter seinem Anzugjackett im Schulterholster bei sich trug, war er sich plötzlich auf unangenehme Weise bewusst. In den Taschen des Jacketts steckten jeweils zwei Magazine, was man womöglich sehen konnte. Aber der Brigadier hatte darauf bestanden, dass er bewaffnet war, Hochzeit hin oder her. Immerhin war das Jackett so weit, dass es nicht ausbeulte. Wenn aber Florence' Kinder wieder einmal von ihm auf den Arm genommen werden wollten, würde er sie enttäuschen müssen.

Der Fahrstuhl kam und setzte sie im Flur vor dem Ratssaal ab. Das Gestühl war entfernt und der alte Tisch, mit Blumen geschmückt, vor die Wand gerückt worden. Die Sekretärin des Bürgermeisters führte Clothilde und Lydia in einen Raum nebenan. Bruno ging, wie immer, wenn er den Saal betrat, an das große Fenster, um einen der schönsten Ausblicke von ganz Saint-Denis zu genießen: auf die weite Flussbiegung und die alte Steinbrücke, das befestigte Ufer, auf dem wieder einmal Angler standen, und die Weiden, deren weit ausladende und tief herabhängende Zweige die Wasseroberfläche berührten.

Schnell füllte sich der Saal mit den Hochzeitsgästen. Der Baron und Raquelle standen links neben Gilles und Fabiola, auf der anderen Seite Jack Crimson und seine Tochter. Die Besucher aus Deutschland und Großbritannien rückten, von Pamela angeführt, in die erste Reihe vor. Aus einer Gruppe von Mitarbeitern des Museums und Gratulanten aus Saint-Denis und benachbarten Kommunen ragte, wie Bruno sah, der großgewachsene Graf heraus. Mit einem riesigen Hut machte eine rundliche, mütterliche Frau auf sich aufmerksam, die Horsts Haushalt besorgte. Neben ihr standen Sergeant Jules und Yveline, beide in Uniform.

Isabelle war nirgends zu sehen. Philippe Delaron kauerte in einer Ecke und hatte zwei Kameras um den Hals hängen. Im Türausschnitt erblickte Bruno Yacov und Amélie Hand in Hand. Sie machten dem Bürgermeister Platz, der nun das Brautpaar in den Saal führte. Amélie zwinkerte Bruno zu und schien ebenso gespannt auf die kleine Überraschung zu sein, die sie sich mit ihm ausgedacht hatte.

Bruno vergewisserte sich, dass er den Ehering in der Tasche hatte, und begleitete Horst und Clothilde, als sie vor den Bürgermeister traten, um sich ihr Eheversprechen zu geben. Eine kirchliche Trauung war für sie nicht in Frage gekommen. Sie begnügten sich mit der standesamtlichen Zeremonie, die der Bürgermeister kraft seines Amtes und gemäß Artikel 212 des *Code civil* der République française vorzunehmen befugt war.

Nacheinander gaben sich Clothilde und Horst, zuerst sie, dann er, das Jawort, worauf der Bürgermeister die Ehe für geschlossen erklärte und beide aufforderte, ihre Unterschriften in die Hochzeitsurkunde zu setzen. Bruno und Lydia wie auch Barrymore und Raquelle unterschrieben als *témoins*. Schließlich reichten Bruno und Lydia dem frischvermählten Paar die Ringe zum Tausch. Horst nahm das *livret de famille,* das Stammbuch, aus der Hand des Bürgermeisters entgegen, der es sich nicht nehmen ließ, der Braut einen ersten Kuss auf die Wange zu geben. Den Formalitäten war damit Genüge getan.

In diesem Moment ließ Amélie ihre Stimme erklingen, hell und klar. Sie sang eines der beliebtesten französischen Chansons, Edith Piafs »La Vie en Rose«. Clothilde wandte sich ihr mit strahlendem Lächeln zu, und Horst klatschte voller Freude in die Hände, bis seine Frau ihn in den Arm nahm und langsam und liebevoll mit ihm zu tanzen begann. Es war, wie Bruno bemerkte, ihr erstes Zusammenspiel als verheiratetes Paar.

»*Mon Dieu,* war das bezaubernd!«, murmelte der Bürgermeister, als das Lied zu Ende war und sich der stürmische Applaus gelegt hatte. »Was für eine tolle Stimme! Wir müssen sie wirklich unbedingt für unser Sommerkonzert engagieren. Ich weiß, mein lieber Bruno, Sie waren anfangs strikt dagegen, aber ich hatte doch recht damit, Sie beide zusammenzubringen. Ich vermute, die Idee zu diesem kleinen musikalischen Intermezzo hatten Sie, stimmt's?«

Bevor Bruno antworten konnte, stand Clothilde neben ihm. Sie hielt Amélie an der Hand, herzte ihn mit dem freien Arm und bedankte sich für das wunderschöne Geschenk, wie sie sagte. Im Übrigen seien Amélie und ihr Begleiter herzlich zum Empfang im Museum eingeladen; das werde schon irgendwie passen.

Bruno wusste, dass am Festmahl, für das im größten Ausstellungsraum des Museums ein Tisch gedeckt worden war, nur eine begrenzte Zahl von Gästen teilnehmen würde, vorab aber auf der Terrasse, wo das große Standbild des Cro-Magnon-Mannes über die Ortschaft blickte, der Stehempfang mit Getränken und Snacks stattfinden sollte. Dort gäbe es genügend Platz für alle.

Die besagte Terrasse befand sich auf einem breiten Sims in der hohen Felswand über Les Eyzies und war vom Obergeschoss des neuen Museums aus über einen gepflasterten Weg zu erreichen, der am alten Château entlangführte, das seit dem Mittelalter die Szene beherrschte. Die Ruinen waren 1913 vom Staat gekauft und zum ersten Museum für Frühgeschichte umgebaut worden, in dem heute nur noch die Museumsverwaltung untergebracht war. Es war, wie Bruno wusste, ein großartiger Ort für eine Party, der genügend Raum für hundert und mehr Gäste bot, und so viele wurden auch tatsächlich erwartet, denn Clothilde hatte auch das ganze Museumspersonal eingeladen.

»Würden Sie mir die Freude machen, auch beim Empfang noch einmal zu singen?«, fragte sie Amélie, die sie immer noch bei der Hand hielt.

»Das kann ich der Braut nicht abschlagen. Sie sehen phantastisch aus, Madame, und ich gratuliere Ihnen zu Ihrem reizenden Mann«, erwiderte Amélie. »Es freut mich, dass Ihnen unsere kleine Überraschung gefallen hat. Es war natürlich Brunos Idee. Aber auch ich hatte viel Spaß dabei, vor allem, als ich sah, dass ich Sie zum Tanzen bewegt habe.«

»Vielen Dank. Wir sehen uns dann später. Jetzt muss ich die Runde machen.« Impulsiv küsste Clothilde sie auf beide Wangen und ließ sich dann von allen anderen Gästen einzeln beglückwünschen. Vor Florence' Kindern blieb sie stehen. »Unser hübscher kleiner Page-Boy und das Blumenmädchen!«, rief sie aus und ging in die Hocke, um beide zu küssen.

»Ich bin froh, dass es geklappt hat«, sagte Amélie zu Bruno. »Ich war mir ja nicht sicher, ob es das richtige Lied für eine Hochzeit ist.«

»Es war perfekt«, erwiderte er. »Und das Vorsingen haben Sie mit Bravour bestanden. Der Bürgermeister will Sie für unser Sommerkonzert gewinnen. Wenn Sie nichts dagegen haben, stelle ich Sie morgen der Band vor: dem Gitarristen – von der Buchhandlung von Saint-Denis –, dem Drummer, der die Kfz-Werkstatt besitzt, und der Leiter unseres Kirchenchors spielt Klavier und Keyboard. Sie sind gut, und sie werden begeistert sein, Sie begleiten zu dürfen.«

»Vielleicht kann ich Florence überreden, ein paar Duette mit mir zu singen.«

»Wenn Sie so weitermachen, wird Saint-Denis Sie nicht mehr gehen lassen.« Bruno streckte lächelnd die Hand nach Yacov aus, der näher kam, Amélie auf den Mund küsste und dann mit beiden Händen Brunos Hand ergriff.

»Eine schöne Hochzeit, Bruno. Ich freue mich, dabei sein zu dürfen. Ich müsste Sie allerdings für einen Moment entführen. Der Brigadier will mit Ihnen sprechen. Es ist etwas Ernstes passiert.«

Als sie sich einen Weg durch die Menge bahnten und Bruno im allgemeinen Überschwang mal hier, mal dort per Handschlag oder mit einem Wangenkuss begrüßt wurde, stießen die beiden plötzlich aneinander, und Bruno spürte einen harten Gegenstand, der unter Yacovs Achsel hervorragte. Der Mann war bewaffnet. Bruno sah ihm fragend ins Gesicht, worauf Yacov den Finger an die Lippen legte und flüsterte: »Die hat mir der Brigadier gegeben.«

»Was hat das zu bedeuten?«, wollte Bruno wissen und ergriff, als sie die Treppe erreichten, Yacovs Arm. »Wie erklärt es sich, dass ein Pariser Anwalt von einem hochrangigen Offizier des Innenministeriums bewaffnet wird?«

»Das fragen Sie ihn besser selbst«, entgegnete Yacov und löste sich sanft aus Brunos Griff. »Er wartet unten.«

Vor der *mairie* hatten sich etliche Schaulustige eingefunden, die auf die Hochzeitsgesellschaft warteten. Der Brigadier stand ein wenig abseits und winkte die beiden zu sich. Isabelle war bei ihm.

»Sie hatten recht, was Lascaux betrifft«, sagte er. »Beim Selbstmörder wurden Teile einer Kalaschnikow sichergestellt, derselben Baureihe, von der nach den Balkankriegen Tausende von Exemplaren in Europa aufgetaucht sind.

Das Problem ist, der Typ, der sich in die Luft gesprengt hat, war allein. Seine Komplizen scheinen sich in Luft aufgelöst zu haben.«

Yacov holte sein Handy aus der Tasche und drehte sich weg, um zu telefonieren. Er sagte: »Syncen, jetzt«, worauf er einen Button auf der Tastatur drückte, woraus Bruno schloss, dass Yacov einen Scrambler benutzte. Er wechselte in eine Sprache, die Bruno für Hebräisch hielt, und er fragte sich, warum er nicht schon früher die Möglichkeit in Betracht gezogen hatte, dass Yacov mehr war als der Patentanwalt, der er zu sein vorgab. Das Innenministerium gab nicht einfach Waffen an irgendwelche Dritte aus. War Yacov vielleicht die israelische Kontaktperson, von der der Brigadier während der Videokonferenz gesprochen hatte?

»Wir müssen davon ausgehen, dass sie aktiv sind und an anderer Stelle zuschlagen.« Der Brigadier unterbrach sich und schüttelte Jack Crimson die Hand, der mit seiner Tochter Miranda hinzugekommen war. Dessen Jackett beulte sich, wie Bruno zu sehen glaubte, nicht aus, doch er erinnerte sich, dass der Brigadier auch ihm erlaubt hatte, eine Waffe zu tragen.

Bruno spürte Wut in sich aufkeimen. Saint-Denis war seine Stadt, die Sicherheit der Bürger lag in seiner Verantwortung, nun aber wurden Außenstehende bewaffnet, als wäre hier der Wilde Westen. Er selbst verabscheute jene seltenen Momente, in denen er gezwungen war, seine Dienstwaffe zu tragen, aber nun waren Yacov, wahrscheinlich auch Crimson und mit Sicherheit der Brigadier und Isabelle bewaffnet.

»Wie ich höre, haben Sie Maître Kaufman erlaubt, eine Waffe zu tragen, Monsieur«, sagte er. »Haben Sie Grund zu der Annahme, ein Zivilist, ein Pariser Anwalt, sei in Gefahr?«

»Ja. Bitte keine weiteren Fragen, ich habe so entschieden.«

»Ich habe noch einmal mit Saïd al-Husayni gesprochen«, sagte Isabelle. »Es ging um diese *ferme,* von der wir glauben, dass das Pfadfinderlager damit gemeint sein könnte – die Anspielung darauf stand im Zusammenhang mit abfälligen Äußerungen über Juden. Das Lager könnte also tatsächlich das Ziel eines geplanten Anschlags sein, wobei man es möglicherweise auch auf Yacov Kaufman abgesehen hat. Er hat Wehrdienst geleistet und weiß mit Waffen umzugehen.«

»Ist er die israelische Kontaktperson, von der Sie gesprochen haben, Monsieur?«

»Ich wiederhole mich, Bruno. Keine weiteren Fragen«, antwortete der Brigadier mit strengem Blick.

Die Hochzeitsgesellschaft verließ gerade die *mairie,* allen voran Horst und Clothilde. Der Bürgermeister und Lydia folgten mit dem ganzen Rest. Die Menge ließ Reis und Konfetti auf sie regnen, während Philippe Delaron, mit der Kamera am Auge, rückwärts vor dem Festzug herging und Foto um Foto schoss. Horst entdeckte Bruno, winkte und ging mit Clothilde auf ihn zu.

»Wir kennen uns doch«, sagte Clothilde zu Isabelle. »Als man Horst entführt hatte, waren Sie eine von denen, die ihn befreit haben. Also verdanke ich auch Ihnen meinen Mann.«

»Es ist schön, Sie beide so glücklich zu sehen«, erwiderte Isabelle. »Ich gratuliere und wünsche Ihnen alles Gute.« Sie deutete auf den Brigadier, der neben ihr stand. »Mein Kollege, Général Lannes, hat damals den Einsatz geleitet. Bedanken Sie sich bei ihm.«

Horst schüttelte ihnen die Hände. »Erweisen Sie uns doch bitte die Ehre, zu unserem Empfang nach Les Eyzies zu kommen und mit einem Glas Champagner mit uns anzustoßen. Ohne Sie beide – und natürlich Bruno – wäre es womöglich gar nicht zu unserer Hochzeit heute gekommen.«

»Wir stecken noch in dieser Übung, aber wenn es die Zeit erlaubt ...« Isabelle wurde von Delaron unterbrochen, der mit seinem Mobiltelefon in der Hand auf sie zukam.

»Eine Schießerei in Lascaux? Was ist da los, Bruno? Meine Redaktion hat gerade angerufen und mich gebeten, dorthin zu fahren.«

»Das können Sie nicht. Wir haben Sie als Fotograf engagiert«, widersprach Clothilde. »Außerdem waren wir gerade in Lascaux. Es sind dort ein paar Schüsse gefallen, aber weiter ist nichts. Wie Sie sehen, leben wir noch.«

»Es soll auch eine Explosion gegeben haben. Und das Gelände ist, soweit ich weiß, weiträumig abgesperrt«, entgegnete Philippe. Er reichte Isabelle die Hand. »Ich erinnere mich: Sie haben in unserer Region gearbeitet. Wenn ich richtig informiert bin, haben Sie inzwischen einen hochrangigen Posten in Paris. Was wissen Sie über den Vorfall in Lascaux?«

»Selbst wenn ich etwas wüsste, dürfte ich es nicht sagen«, antwortete Isabelle, ohne den Reporter anzusehen. »Tut mir leid.«

»Das reicht uns nicht –«, fand der Bürgermeister.

»Die Sache ist überstanden, niemand von Ihnen wurde verletzt, und Lascaux hat keinen Schaden genommen«, resümierte der Brigadier und wandte sich ab. »Das ist alles, was ich sagen kann. Wer mehr wissen möchte, wende sich bitte an die Pressestelle der Polizei.«

Inzwischen hatten viele über ihre Handys von dem Vorfall erfahren, und es wurde aufgeregt getuschelt. Bruno musste sich neugieriger Fragen erwehren und besorgte Mitbürger beruhigen.

Florence erklärte, dass sie ihre Kinder nach Hause bringen wolle, und versprach, nach Les Eyzies nachzukommen, sofern sie denn einen Babysitter fände, was sie allerdings wohl selbst nicht glaubte. Pamela verlangte von Bruno höflich, aber bestimmt, mehr über den Vorfall zu erfahren. Lascaux sei sicher, antwortete er. Sie hakte nach und wollte wissen, ob sie denn auch in Les Eyzies sicher seien, worauf Bruno mit den Schultern zuckte und sagte, dass er für ihren Schutz dort bürgen werde. In diesem Moment sah er, wie sich Raquelle, sichtlich geschwächt, auf einen der Verkehrspoller setzte und sich ein Taschentuch vor den Mund drückte. In der Höhle und auf dem Weg zum Bus war ihr nichts anzumerken gewesen. Aber sie hatte zehn Jahre lang an den Kopien der Stiere und Pferde gearbeitet, die nun von Touristen bewundert wurden. Vielleicht machte sich der Schock erst jetzt bei ihr bemerkbar.

»Wer ist dieser bedeutend aussehende Herr an Isabelles Seite?«, fragte Philippe, als Isabelle mit Yacov und dem Brigadier gegangen war. »Ist er wegen dieser Sache hier?«

In der Zwischenzeit hatten sich Fabiola und Gilles zu ihnen gesellt, Gilles mit gezücktem Notizbuch und Fabiola mit einem Handy am Ohr. Wahrscheinlich erkundigte sie sich gerade, ob ein Notruf an alle Ärzte ergangen war. Die beiden kannten die Höhle von Lascaux und hatten deshalb an der Führung nicht teilgenommen. Gilles befand sich im vorzeitigen Ruhestand, schrieb aber immer noch als Freelancer für die *Paris Match*. Immer noch auf der Jagd nach Nachrichten, dachte Bruno.

Mon Dieu, wie sollte er mit all den Leuten umgehen, die ihn mit ihren Fragen und Ängsten bedrängten? Er selbst kam kaum zum Nachdenken und fühlte sich hin- und hergerissen: zwischen den Belangen seiner Freunde, seinen Pflichten dem Bürgermeister und der Stadt gegenüber, den Anweisungen des Brigadiers, der Sorge um Lascaux sowie der neuen Gefahr durch gewaltbereite und gut ausgebildete Männer auf der Flucht. Nur mit Mühe widerstand er der Versuchung, unter seine Jacke zu greifen und sich Mut zu machen, indem er seine Dienstpistole berührte.

»Ich dachte, es handelt sich nur um eine Übung«, sagte Gilles. »Aber jetzt sieht es so aus, als seien alle Wachen von Lascaux in höchster Alarmbereitschaft. Hat es einen Anschlag gegeben? Und hat der womöglich was mit der toten Frau von Commarque und den Schüssen auf den Gendarmen bei Siorac zu tun?«

Bruno ging auf Gilles' Frage nicht ein und antwortete stattdessen Philippe: »Nennen Sie ihn einen Mitarbeiter des Innenministeriums in höherer Funktion. Sie haben ihn gehört, es ist nichts weiter passiert. Und im Übrigen feiert Clothilde heute Hochzeit.«

Er ließ Philippe und Gilles zurück und ging zu Raquelle, der er einen Arm um die Schulter legte und zuflüsterte, dass alles in Ordnung sei und ihre Höhle keinen Schaden genommen hatte.

»Was war denn los? Hat es einen Anschlag gegeben, von

Terroristen?«, fragte sie benommen und raufte sich mit beiden Händen die Haare. Sie blickte zu ihm auf. »*Mon Dieu*, hört das denn nie auf?« Ihm fiel wieder ein, dass ihre Mutter Israelin gewesen war.

»Wir wissen noch nicht genau, was passiert ist«, sagte er, als Amélie, sichtlich irritiert über Yacovs Abgang, zu ihnen trat.

»Kommen Sie«, sagte er und nahm Raquelle an die Hand. »Wir fahren jetzt zusammen nach Les Eyzies, stoßen miteinander an und lassen Clothilde und Horst hochleben.«

29

Als Bruno mit seinen Fahrgästen das Musée National de Préhistoire erreichte, hatte man aus einem Café in der Nähe Dutzende zusätzlicher Trinkgläser kommen lassen, und Hubert war in seinen Weinladen zurückgefahren, um zwei weitere Kisten Champagner zu holen. Die Partygeräusche nahmen noch zu, als sie die letzte Windung der Wendeltreppe nahmen und in das helle Sonnenlicht und die heitere Geselligkeit auf dem Flachdach hinaustraten. Sie befanden sich in einer tiefen, langgezogenen Kuhle der Felswand, die Les Eyzies überragte, eine kleine Ortschaft mit nur einer Durchgangsstraße auf einem schmalen Streifen Land zwischen Berg und Fluss. Die Gäste strömten vom Museumsdach durch das Tunnelportal des alten Châteaus, das in den Fels und unter dessen gewaltigen Überhang gebaut worden war, und verteilten sich auf der langen Terrasse vor der gigantischen Statue eines steinzeitlichen Mannes.

Château und Terrasse waren nur vom neuen Museum her zu erreichen, entweder über einen kleinen Fahrstuhl für Behinderte oder über die breite Wendeltreppe, an deren Wand zwei Meter hohe Rekonstruktionen von Erd- und Gesteinsschichten, wie sie bei archäologischen Grabungen freigelegt wurden, zu sehen waren. Vor dem Eingang zur unteren Galerie konnten Besucher einen Blick auf die Nachbildung eines riesigen Hirsches werfen, dessen Geweih an die zehn Meter breit war.

Bruno staunte immer wieder über den Mut der Urahnen, die, nur mit Speeren und Flintbeilen bewaffnet, solche Tiere gejagt hatten. Auf der oberen Galerie konnte man die Rekonstruktion eines Jägers aus der Blütezeit Lascaux' vor rund siebzehntausend Jahren sehen, mit einem dünnen Speer in der Hand, dessen Spitze aus Hirschhorn gefeilt worden war. Bruno hatte selbst einmal eine solche Waffe zu werfen versucht, bei einem Bauern aus der Gegend um Pech Merle, der auf einem seiner Felder eine Zielscheibe aus Stroh aufgestellt hatte. Zu seiner eigenen Überraschung war es ihm gelungen, aus dreißig Metern mit einem wuchtigen Wurf die dicke Zielscheibe zu durchbohren. Kein Wunder, dass die Menschen an der Spitze der Nahrungskette standen.

Raquelle hatte sich während der Autofahrt frisch gemacht und gesellte sich nun mit einem Glas Champagner in der Hand zu den Archäologen. Amélie war in ihrem Element und wurde von Bewunderern ihrer Sangeskunst umringt. Bruno hingegen ging an die Bar, um die beiden Kellner zu begrüßen, von denen der eine ein ehemaliger Schüler seiner Rugbyklasse war. Er ließ sich zwei Gläser Champagner geben, eins für Pamela, das zweite für sich, und führte sie durch den Tunnel zur Statue des Steinzeitmannes, vor der sie die Gläser erhoben. Clothilde und Horst posierten davor für Freunde, die mit ihren Handys Schnappschüsse machten.

Die Terrasse war mit mehreren lebensgroßen Wachsmodellen von Neandertalern aus dem Fundus des Museums dekoriert worden. Neben einem nackten Kind kauerte eine mit Fellen bekleidete Gestalt und arbeitete an einem Werkzeug aus Feuerstein. Zwei Frauen schabten Tierhäute, und ein Jäger holte mit einem Speer zum Wurf aus.

»Ich glaube, die beiden werden sehr glücklich miteinander sein«, sagte Pamela. »Mit dem Entschluss zu heiraten haben sie ja lange genug gewartet. Von Clothilde weiß ich, dass sie schon seit dreißig Jahren ein Paar sind und die schlechten Angewohnheiten des anderen zur Genüge kennen. Es hat letztlich keinen Grund mehr für sie gegeben, nicht zu heiraten. Wusstest du, dass Clothilde ihr Haus hier in Les Eyzies verkaufen wird? Sie zieht endgültig bei Horst ein, und den Ausschlag hat wohl das phantastische Badezimmer gegeben, das er sich neu hat einrichten lassen. Allein diese Dusche ... Davon würde ich mich auch mal gern mal verwöhnen lassen.«

»Ich bin sicher, die beiden würden dich gern dazu einladen.«

Bruno fühlte sich ein bisschen beklommen. Seit dem Ende ihrer Affäre war er mit Pamela nur selten allein gewesen. Zwar trafen sie sich jeden Montagabend zum Essen mit Freunden und öfter im Stall oder auf dem Markt. Doch der schnippische Ton, mit dem sie Isabelles Anwesenheit kommentiert hatte, hatte ihn einigermaßen verunsichert. Pamela war für ihn nie leicht zu verstehen gewesen. Auch wenn sie perfekt Französisch sprach, blieb sie für ihn doch immer eine Engländerin oder vielmehr Schottin, und als solche würde sie womöglich nie wirklich mit den unausgesprochenen hiesigen Einstellungen zum Leben, zur Liebe und zu *la République* vertraut werden, Dingen, die die meisten Franzosen für selbstverständlich hielten. Vielmehr schien sie fest davon überzeugt zu sein, dass eine Tasse Tee alle Probleme löste oder sie zumindest weniger schwerwiegend machte. Seltsam fand er auch ihre Leidenschaft für englische Kreuzworträtsel und dass sie bei der Hausarbeit immer BBC auf ihrem Laptop hörte. Er vermisste ihre Schrullen, was er in diesem Moment so deutlich spürte, dass er spontan ihre Hand ergriff und sie drückte.

»Du lässt dich von der Hochzeitsparty doch wohl nicht hinreißen, Bruno?«, frotzelte sie und entwand sich sanft seiner Hand. »Ich frage mich, was sich für die beiden ändern wird. Ob Clothilde auch in Zukunft noch Lust hat auf den Frauenabend mit Fabiola und mir?«

»Ist Miranda nicht mehr mit von der Partie?«, fragte er. »Ihr wohnt doch zusammen.«

»Oh doch, sobald sie die Kinder zu Bett gebracht hat. Und Florence auch. Aber es gibt einen Unterschied zwischen Frauen wie Clothilde und Fabiola und solchen, die noch kleine Kinder haben, vor allem dann, wenn sie alleinerziehend sind. Wie dem auch sei, ich finde es schön, die Kleinen um mich zu haben – solange sich andere um sie kümmern. Apropos –« Sie fischte ihr Handy aus der Handtasche. »Ich sollte Florence anrufen und ihr sagen, dass sie ihre beiden zu uns bringen kann. Félix passt doch ohnehin auf Mirandas Kinder auf.«

Auf der Dachterrasse des Museums wurde Jubel laut. Hubert war mit Champagnernachschub gekommen und schenkte großzügig aus. Aus der Menge, die sich um ihn drängte, tauchten Jack Crimson und seine Tochter Miranda als Erste wieder auf und kamen auf die beiden zu. Jeder von ihnen brachte zwei volle Gläser mit, wovon sie zwei neben Bruno und Pamela auf die Brüstung stellten. In diesem Moment vibrierte Brunos Handy.

»Hubschrauber haben mit Infrarotsensoren das ganze Waldgebiet abgesucht – ergebnislos«, meldete Isabelle. »Der Typ, der sich in die Luft gesprengt hat, war allem Anschein nach allein. Vielleicht sollte er uns ablenken, damit sich Mustaf und die anderen ungestört über das eigentliche Ziel hermachen können.«

»Oder sie machen sich aus dem Staub, weil wir ihnen auf die Schliche gekommen sind.«

»Jedenfalls steckt der Brigadier in der Klemme«, sagte sie. »Du kannst dir wahrscheinlich nicht vorstellen, wie groß der Druck aus Paris ist, zumal nach dem Großeinsatz hier. Er hat sich jede Menge Feinde gemacht, die nur darauf warten, dass er eine Schlappe einstecken muss.«

»Haben denn die *mobiles* das Fahrzeug nicht finden können, mit dem der Typ mit der Bombe nach Lascaux gekommen ist? Wenn nicht, wird man ihn dort abgesetzt haben.«

»Die Suche geht weiter. Ich muss wieder los.«

»Augenblick«, sagte er. »Ich nehme an, du bist verhindert und kannst nicht mit uns feiern. Trifft das auch auf Jean-Jacques und Yacov zu?«

»Yacov ist eben weggefahren. Er sagte, er wolle zu euch. Jean-Jacques ist wieder in Lascaux. Wir bleiben in Kontakt. Schade, dass ich nicht bei euch sein kann.«

Bruno bemerkte, dass mehr und mehr Gäste durch den Tunnel auf die größere Terrasse kamen, weg von der Menge an der Bar. Auch Hubert zeigte sich. Er hatte eine Flasche Champagner in der Hand und unterhielt sich angeregt mit Amélie. Plötzlich tauchte Yacov aus dem Tunnel auf. Amélie strahlte, als sie ihn sah.

»Wie geht's meinem alten Freund Yossi?«, fragte Crimson

den Pariser Anwalt und hielt Hubert sein leeres Glas hin. »Läuft er immer noch Marathon?«

»Keine Ahnung«, antwortete Yacov. Er wirkte bedrückt und wandte sich an Bruno mit der Frage, ob es Neuigkeiten gebe. Bruno stellte sein Glas auf der Brüstung ab, nahm Crimson und Yacov die Gläser aus den Händen und stellte sie daneben. Dann führte er die beiden an den äußersten Rand der Terrasse, wo sie außer Hörweite waren.

»Ich weiß, dass der Brigadier Sie autorisiert hat, Waffen zu tragen. Damit sind wir zu dritt. Wir sollten jetzt mit dem Trinken aufhören, um vorbereitet zu sein, falls hier etwas schiefläuft.« Er berichtete von Isabelles Anruf und erklärte, dass vier potentielle Attentäter noch auf freiem Fuß waren. »Ich schlage vor, wir gehen rüber auf die Museumsterrasse und halten die Augen offen.«

»Glaubst du etwa, sie könnten hierherkommen?«, fragte Crimson.

»Nicht unbedingt, aber wir sollten kein Risiko eingehen. Übrigens, wer ist dieser Yossi, nach dem du dich erkundigt hast?«

»Yossi Cohen, der Chef des Mossad, ein alter Freund von mir«, antwortete Crimson. »Wir hatten miteinander zu tun, als er das iranische Atomprogramm zu sabotieren versucht hat. Ja, er läuft Marathon. Wieso fragst du?« Er schaute Yacov an. »Erzählen Sie mir jetzt nicht, dass Sie nicht für ihn arbeiten.«

»Ich finde, wir sollten Brunos Vorschlag folgen«, wich Yacov aus. »Gehen wir rüber auf die andere Terrasse. Über alte Freunde können wir uns später unterhalten.«

»Was für eine Waffe tragen Sie?«, erkundigte sich Bruno.

»Eine Glock 17«, antwortete Yacov.

Crimson nickte. »Ich auch.«

»Ersatzmagazine?«

Eins, sagte Yacov. Crimson schüttelte den Kopf.

»Ich habe eine PAMAS 9 Millimeter und zwei Ersatzmagazine«, erklärte Bruno. »Zusammen haben wir also ungefähr neunzig Schuss. Falls es Ärger geben sollte, decke ich den Treppenabsatz ab, während Sie die Leute durch den Tunnel in Sicherheit bringen.«

»Meinst du das im Ernst?«, fragte Crimson, als Bruno die beiden auf die Museumsterrasse zuführte.

»Durchaus, ich will mich nicht überraschen lassen.« An der Bar bat er um drei Gläser Mineralwasser. Dann bezog er in einem Winkel Stellung, von dem aus er die Straße und den Museumseingang überblicken konnte, holte dann sein Handy aus der Tasche und rief Isabelle an.

»Jean-Jacques hat doch in seinem Bericht von der Vernehmung Dumesnils erwähnt, dass er Leah und al-Husayni gegenüber von der bevorstehenden Hochzeitsfeier gesprochen hat. Erinnerst du dich?«, fragte Bruno.

»Nein, davon habe ich nichts gelesen.«

»Mist. Nun ja, er hat's jedenfalls gesagt. Und dass er ihm während der Befragung die Zeitung gezeigt habe, auf der ein Bild von Horst und dieses Messfahrzeug der Seismologen auf dem Gelände von Commarque zu sehen war.«

»Ja, jetzt, wo du's sagst, erinnere ich mich, ich hatte mir aber nichts weiter dabei gedacht. Glaubst du, Horst ist in Gefahr?«

»Ich halte es für möglich, dass der Empfang hier ein Anschlagsziel sein könnte. Würdest du bitte Verstärkung schicken, dringend? Hier halten sich mehr als hundert Personen auf.«

»Ich kümmere mich darum«, sagte sie und verabschiedete sich.

Unten auf der Straße sah Bruno eine Gestalt mit Polizeimütze aus dem Museumseingang auf die Straße hinausgehen. Es war Louise Varenne, die Polizistin von Les Eyzies. Er wählte ihre Nummer, worauf sie ihr Handy aus dem Etui am Gürtel zog.

»Louise, ich bin's, Bruno. Es ist dringend. Stecken Sie sich Ihre Dienstwaffe ein, und kommen Sie bitte hoch auf die Dachterrasse des Museums. Es könnte Schwierigkeiten geben. Und ziehen Sie sich vorsichtshalber Ihre Schutzweste an.« Dass diese allenfalls vor Handfeuerwaffen schützten, nicht aber Geschosse aus einer AK-47 aufhalten konnte, war ihm bewusst.

»Dann muss ich noch mal in die *mairie*. Meine Pistole liegt da im Safe. Worum geht's?«

»Das sage ich Ihnen, wenn Sie hier sind. Beeilen Sie sich, und stecken Sie auch Ersatzmagazine ein.«

Er schaute ihr nach, als sie im Laufschritt auf die kleine *mairie* zusteuerte und darin verschwand. Am Straßenrand reihten sich die geparkten Fahrzeuge der Hochzeitsgäste. Ansonsten herrschte kein Verkehr.

»Sie machen sich Sorgen, nicht wahr?«, fragte Yacov, der neben ihm aufgetaucht war.

»Das alles hat mit plötzlich aufkeimenden Gerüchten um das Testament Iftikhars und dem tödlichen Absturz einer Israelin mit Namen Leah Wolinsky angefangen«, erwiderte Bruno, wobei er die Straße im Auge behielt. »Ihnen wird sie wahrscheinlich als Leah Ben-Ari bekannt sein. Sie gehörte der Friedensbewegung Schalom Achschaw an und war mit einem palästinensischen Historiker namens Saïd al-Husayni liiert«, erklärte er. »Anscheinend wurden beide erpresst oder massiv bedroht mit dem Ergebnis, dass sie sich Mustaf und seiner Gruppe in Frankreich anschlossen. Leah hat wahrscheinlich geglaubt, dass das Testament womöglich in Commarque zu finden ist. Sie und al-Husayni haben ihren ehemaligen Lehrer interviewt, einen Mediävisten, der dann von Mustaf und seinen Komplizen gefoltert wurde. Zur selben Zeit haben die Ausgrabungen in Commarque begonnen. Heute ist in der Zeitung von der neuentdeckten Höhle und Grabkammer zu lesen. Es hat ein bisschen gedauert, bis mir die Zusammenhänge klargeworden sind, und jetzt mache ich mir so große Sorgen, dass ich Isabelle um Verstärkung gebeten habe. Spät geschaltet habe ich auch im Hinblick auf Sie, Yacov«, fuhr er fort. »Ich hätte schon Bescheid wissen müssen, als der Brigadier Ihnen das Tragen einer Waffe hat durchgehen lassen. Und jetzt wird mir von Jack Crimson bestätigt, dass Sie für den Mossad arbeiten.«

Yacov zuckte mit den Achseln. »Falls Sie recht haben und Mustaf tatsächlich hier aufkreuzt, wär's vielleicht gut, wenn wir diesen Tisch dort mitsamt den Gläsern in den Tunnel stellen. Am besten verstopfen wir ihn ganz.«

»Gute Idee«, sagte Bruno und wandte sich an die beiden Kellner. Er beauftragte sie, die Bar den Anweisungen Yacovs gemäß zu verrücken, und setzte seine Wache fort. Es dauerte nicht lange, und Louise kam zur Tür der *mairie* heraus. Sie hatte ihre Weste angelegt und einen Holstergürtel samt Dienstwaffe um die Hüfte geschnallt. Sie und Bruno hatten wie in jedem, so auch im vergangenen Jahr am obligatorischen Schießtraining in Périgueux teilgenommen, und Bruno wusste um ihre Zielsicherheit.

Louise blieb stehen und blickte die Straße entlang, in die ein weißer Lieferwagen eingeschwenkt war, der nun langsam auf das Museum zufuhr. Das große Logo auf der Seite kennzeichnete ihn als Fahrzeug eines der größeren Catering-Unternehmens der Region. Wahrscheinlich, dachte Bruno, wurde gerade das Hochzeitsessen angeliefert.

Louise trat auf die Straße hinaus, hob ihre Hand und zeigte auf die Museumseinfahrt. Plötzlich, irgendetwas hatte sie offenbar stutzig gemacht, griff sie an das Holster und zog ihre Waffe, doch der Beifahrer des Lieferwagens war schneller, zielte mit einer langläufigen Pistole aus dem Fenster und feuerte zwei Schüsse ab, die allerdings im Lärm und Gläserklirren auf der Terrasse untergingen.

30

Bruno beugte sich über die Brüstung und sah im Fensterausschnitt des Lieferwagens ein Gesicht, das nach oben auf das Museumsdach gerichtet war. Beschleunigend bog der Wagen dann in die Zufahrt ein, fuhr über die flachen Stufen vor dem Museumseingang hinweg und geradewegs auf die große Glasfront zu, die laut klirrend zu Bruch ging. Die Hecktüren flogen auf, und heraus sprangen zwei schwarzgekleidete Gestalten mit schwarzen Stirnbändern. Mit angelegten Sturmgewehren, offenbar Kalaschnikows, rannten sie um das Auto herum ins Museum. Ihrer klobigen Oberweite nach zu urteilen trugen auch sie Schutzwesten, und beide hatten etwas um den Hals geschlungen, das Bruno nicht identifizieren konnte. Zwei weitere Männer, Fahrer und Beifahrer, blieben im Wagen zurück.

Über die weite Distanz konnte Bruno mit seiner Dienstpistole nichts ausrichten. Er alarmierte Yacov und Crimson, rief Isabelle an und sagte: »Sie sind hier und haben soeben auf eine Polizistin geschossen. Wir brauchen Hilfe, sofort, und einen Krankenwagen!«

»Alarm!«, brüllte er und steckte sein Handy weg. »Alle Mann zurück durch den Tunnel. Schnell, schnell!«

Yacov und Crimson drängten durch die Menge, die zusammen mit dem Tisch voller Gläser den Tunnel fast unpassierbar machte. Ein großgewachsener Mann versuchte, Ordnung zu schaffen, führte die Gästeschar durch einen schmalen Korridor und kontrollierte das offenstehende Holztor im Tunnelausgang.

»Das schließen wir lieber, oder?«, rief er Bruno zu. Es war Manners. Bruno ging in Position, gedeckt von einer vorspringenden Mauer, aber mit freiem Blick auf den oberen Treppenabsatz. Jacov stellte sich neben ihn.

»Werfen wir die leeren Champagnerflaschen doch in den Treppenausschnitt«, schlug er vor. »Damit könnten wir den Typen ein Bein stellen.«

»Ja, machen Sie das«, sagte Bruno, worauf Yacov sofort loslegte. »Ich glaube, sie tragen Schutzwesten. Uns bleibt wohl nichts anderes übrig, als auf die Köpfe zu zielen.«

»*Merde*«, fluchte Yacov. »Die Waffe hier ist neu für mich.«

Crimson eilte herbei, keuchend und mit gezogener Waffe. »Achte auf den Fahrstuhl«, sagte Bruno und zeigte auf die metallene Schiebetür. »Wenn du dein Ohr daranhältst, kannst du hören, ob er angefahren kommt. Drück ab, sobald die Tür aufgeht.«

»Es sind jetzt alle auf der hinteren Terrasse«, meldete Manners aus der Tunnelöffnung, vor die er das Holztor schob. »Haben Sie eine Waffe für mich?«

»Nein. Kann man das Tor verriegeln?«

»Scheint nicht so. Wir könnten es mit dem Tisch verbarrikadieren. Ich schlage vor, einer von Ihnen dreien, die bewaffnet sind, geht dahinter in Deckung. Und Sie, Bruno, brauchen Feuerschutz, wenn Sie zurücklaufen müssen.«

»Wir halten sie auf«, rief Bruno. Er wandte sich an Yacov. »Wir nehmen sie von hier aus unter Beschuss, und wenn ich

Ihnen ein Zeichen gebe, ziehen Sie sich hinter das Tunneltor zurück und geben mir Deckung.

Ist was zu hören?«, rief er Crimson zu, der sein Ohr an die Schiebetür presste.

»Noch nicht. Vielleicht haben sie den Aufzug noch nicht entdeckt.«

Bruno hörte Schritte auf der Treppe und Befehlstöne, die für ihn wie Arabisch klangen.

»Sie kommen über die Treppe«, brüllte er Crimson entgegen. »Weg vom Fahrstuhl und zurück in den Tunnel! Und halte das Tor einen Spaltbreit für Yacov und mich auf, wenn wir zurückweichen müssen. Wenn es uns erwischt, mach es zu und versuch, so lange wie möglich auszuhalten. Hilfe ist auf dem Weg.«

Mon Dieu, dachte er in Anbetracht der grauenvollen Möglichkeit, dass sich die Terroristen durchsetzten und an die hundert Gäste als Geisel nahmen. Wieder hörte er Stimmen, diesmal aus näherer Distanz, und das Scheppern einer weggetretenen Flasche. Dann sah er einen Gewehrlauf hinter dem Rand des Treppenschachtes auftauchen und gleich darauf drei Feuerstöße sich in schneller Folge entladen.

Zwei Gestalten sprangen aus der Deckung und schossen wild um sich. Bruno gab auf die erste zwei gezielte Schüsse ab, die aber zu tief angesetzt waren und nur die gepanzerte Brust trafen. Doch mit seinem nächsten Versuch brachte er den Mann zu Fall. Sein Komplize, der ihm ausweichen musste, stolperte über eine leere Flasche und stürzte. Eine Hand tauchte im Treppenausschnitt auf und zerrte ihn in Sicherheit. Gleich darauf zeigte sich dieselbe Hand wieder und warf etwas auf die Terrasse.

»In Deckung!«, brüllte Bruno und duckte sich hinter der Mauer. Aber die erwartete Explosion blieb aus. Stattdessen war nur ein Zischen zu hören, und Bruno ahnte nun, was sich die Männer um den Hals gehängt hatten. Gasmasken.

»Achtung, Reizgas!«, rief er Yacov zu. »Zurück in den Tunnel! Und geben Sie mir Deckung!«

Bruno gab zwei weitere Schüsse auf den Treppeneinstieg ab und sah, dass sich der Mann, den er getroffen hatte, über die Stufen nach unten zu schleppen versuchte. Seine Waffe hatte er fallen lassen. Bruno spürte einen ersten beißenden Vorgeschmack auf die Wirkung des Tränengases. Er zielte auf die Hüfte des Mannes und drückte zweimal ab. Zwei weitere Schüsse ließ er folgen, um die anderen auf Abstand zu halten. Zehn, zählte er automatisch mit. Ohne ein weiteres Mal Luft zu holen, schlüpfte er durch den Spalt in den Tunnel.

Manners schloss das Tor. Mit Yacovs Hilfe schob Bruno den Tisch der Bar davor. Vorsichtig schnuppernd vergewisserte er sich, dass er gefahrlos atmen konnte.

»Ich habe ein paar Männern gesagt, sie sollen dieses steinerne Standbild umstoßen, um den Ausgang zu verbarrikadieren, aber es ist zu fest verankert«, sagte Manners, der die Scherbe einer zerbrochenen Flasche als Keil unter das Tor trat.

»Versuchen Sie, in das Lager einzubrechen, das sich am Ende der Terrasse befindet«, sagte Bruno und ging in die Hocke. Als Manners loseilte, rief er ihm nach: »Und fragen Sie Clothilde, ob irgendwelche Gegenstände darin sind, mit denen wir unsere Barrikade verstärken können. Irgendwelche alten Möbelstücke vielleicht. Oder falls Sie Feuersteine finden, packen Sie Säcke oder Kisten damit voll, wenn da welche sind.«

»Besser, Sie ducken sich unter den Tisch«, sagte Yacov. »Wollen Sie hier die Stellung halten oder sich nicht doch lieber ans andere Tunnelende zurückziehen?«

Bruno rief: »Ans andere Ende, schnell! Hier laufen sie in die Falle, allein schon deshalb, weil sie im Feuerschein nichts mehr sehen können.«

»Es sei denn, sie bewerfen uns weiter mit Tränengas und tarnen sich mit Rauch.« Yacov hatte seinen Einwand kaum ausgesprochen, als eine Gewehrsalve über ihren Köpfen auf das Holztor einprasselte und ein halbes Dutzend kleine Löcher ausstanzte, durch die Sonnenstrahlen in den Tunnel fielen. Gleich würde auch das Gas eindringen.

»Würden Sie bitte feuchte Tücher besorgen, die wir uns über Mund und Nase legen können?«, rief Yacov Crimson zu, als sich Manners, Gilles, der Baron und drei weitere Männer mit schweren Gegenständen näherten, die sie über den Boden hinter sich her schleiften.

»Die haben wir aus dem Lager: Kisten voller Flintsteine«, erklärte Manners und machte sich mit Hilfe der anderen daran, sie vor das Tor zu schieben, in das nun zwei weitere Schüsse die nächsten Löcher schlugen, in deutlich geringerer Höhe diesmal.

»Nein, zurück vor den Tunneleingang damit!«, rief Bruno. »Das Tor wird nicht lange standhalten«, und an Yacov gewandt: »Packen Sie mit an. Die Kisten bieten uns Deckung. Stapeln Sie sie so, dass ein oder zwei Schießscharten frei bleiben. Und gehen Sie dann weiter hinten in Stellung.«

Horst und einer seiner deutschen Freunde kreuzten auf.

Bruno traute seinen Augen nicht, als er sie beinfrei und mit altertümlichen Speeren bewaffnet sah. »Eine wahre Schatzkammer, dieses Lager«, sagte Horst. »Es kommen gleich noch etliche Kisten voller Flintsteine, mit denen sich eine Barrikade errichten lässt. Wir haben Flintmesser, Beile ...« Horsts Augen leuchteten; er machte einen fast fröhlichen Eindruck.

»Wo ist deine Hose?«, wollte Bruno wissen.

»Clothilde, Pamela und Amélie knoten Hosenbeine und Hemdsärmel zusammen und verwinden das Ganze zu einem Seil, an dem sie sich auf die Hausdächer da unten herablassen und in Sicherheit bringen können«, antwortete Horst. Obwohl ihm gar nicht danach war, grinste Bruno unwillkürlich und fand, dass er darauf auch selbst hätte kommen müssen.

Am anderen Tunnelende brachte Barrymore das Wachsmodell eines steinzeitlichen Jägers mit erhobenem Speer in Position. Gut so, dachte Bruno. Wenn es Mustaf gelingen sollte, in den Tunnel einzudringen, wäre diese Figur das Erste, was er sehen und womöglich unter Beschuss nehmen würde.

Von einem schweren Gegenstand getroffen, bebte plötzlich das Tor. Anscheinend hatte Mustaf im Museum etwas gefunden, das er nun als Rammbock einsetzte. Wieder krachte es, und das Tor öffnete sich ein kleines Stück. Die als Keile unter den Rand geschobenen Glasscherben kratzten kreischend über das Pflaster. Bruno gab drei Schüsse auf den Spalt in Hüfthöhe ab, was zur Folge hatte, dass die Rammversuche ausgesetzt wurden, wenn auch kein Schrei zu hören war. Bruno sah sich jetzt zum Rückzug gezwungen, ging hinter den Kisten neben Yacov und Crimson in

Deckung und tauschte das leergeschossene Magazin gegen ein neues aus.

»Wohin führen diese Stufen?«, fragte Yacov und zeigte nach links.

»Ins Obergeschoss des Châteaus, wo das alte Museum seine Ausstellungsräume hatte«, antwortete Bruno, der sich daran erinnerte, dass es dort Fenster mit Blick auf die Terrasse gab, auf der Mustaf wohl gerade seinen nächsten Schritt plante. »Danke, Sie haben mich auf was gebracht. Bleiben Sie hier; ich will versuchen, die Bande von oben aufs Korn zu nehmen.«

Den Treppenaufgang versperrte eine eiserne Gittertür, über die Bruno aber schnell hinweggeklettert war. Oben trat er die verschlossene Tür zu den ehemaligen Ausstellungsräumen nach zweimaligem Anlauf mit dem Fuß auf. Der Raum dahinter war leergeräumt. Staub wirbelte auf in dem grellen Sonnenlicht, das durch die Steinkreuzfenster fiel.

Im Schutz einer steinernen Wand schlich Bruno an eines der Fenster, blickte nach unten und sah drei Männer vor dem Holztor. Mit seiner Waffe durchstieß er eine der in Blei gefassten Butzenscheiben und gab zwei Schüsse ab. Einer der Männer sackte zu Boden, wälzte sich auf den Rücken und erwiderte das Feuer, doch hatte sich Bruno schon weggeduckt, und noch während die automatische Salve das Fenster bersten ließ, schlich er ans nächste Fenster, von wo er wiederum zwei Schüsse abfeuerte. Die Salve brach ab.

Vier Patronen waren verschossen, elf blieben noch sowie ein volles Magazin. In der Stille hörte Bruno, wie sich von fern ein Hubschrauber näherte. Endlich kam die versprochene Hilfe.

Bruno schöpfte Mut und glaubte jetzt fest an einen glimpflichen Ausgang. Er eilte nach unten zurück und hinter die Barrikade aus Kisten, wo er nur noch Yacov vorfand.

»Wo ist Crimson?«

Yacov zeigte mit dem Daumen über die Schulter. »Sehen Sie das kleine Türmchen, das wie eine Kanzel in der Ecke steht? Da ist er drin, verschanzt hinter einem kleinen Loch in der Mauer, durch das man schießen kann. Unsere letzte Bastion sozusagen. Die Frauen seilen sich von der Brüstung ab.«

Am linken Tunnelrand entdeckte Bruno Manners mit einem Speer in der Hand. Er grinste ihm zu.

»Die siebte Kavallerie ist im Anmarsch«, sagte er und zeigte auf das Tal hinaus, über dem das Knattern des Hubschraubers lauter wurde. Noch war er nicht zu sehen. »Übrigens, wer hatte die Idee mit dem Seil?«

»Pamela, Clothilde, meine Frau und die Sängerin. Sie sind aktiv geworden und haben an die Gäste Aufgaben verteilt. Zuerst dachte ich, sie wollten sich beschäftigen, um nicht in Panik zu geraten, aber es scheint, dass das mit dem Seil funktioniert.«

In Brunos Rücken tauchte jetzt hinter dem hohen Felsüberhang der Hubschrauber auf und näherte sich bis auf fünfzig Meter. Aus der offenen Seitentür ragte bedrohlich der Lauf eines Maschinengewehrs. Bruno stand auf und zeigte sich dem Piloten mit nach oben gestrecktem Daumen. Plötzlich fing Mustaf wieder zu schießen an. Bruno duckte sich und gab dem Piloten mit einem Wink zu verstehen, von wo Gefahr drohte. Der Hubschrauber stieg auf, flog um das Château herum und stieß herab, wo das Maschinengewehr ratterte.

Mustaf hatte allerdings schon das Tor aufgebrochen und zwei Gasgranaten in den Tunnel geworfen. Er näherte sich vorsichtig, gefolgt von einem zweiten Mann, der ihm Feuerschutz bot. Aus der Deckung des Tisches, den er vor sich herschob, gab er immer wieder kurze Salven ab und rückte weiter vor, scheinbar unbeeindruckt von den Schüssen, die Bruno und Yacov auf ihn abfeuerten.

Plötzlich spürte Bruno einen Schlag auf die Stirn und schrie unwillkürlich auf. Er fasste an die Stelle und sah, dass er blutete. Von einer Kugel konnte er unmöglich getroffen worden sein, immerhin war er bei Bewusstsein, aber vielleicht von einem Holzsplitter. Blut rann ihm in die Augen, die ohnehin schon zu tränen angefangen hatten, weil das Reizgas nun seine volle Wirkung entfaltete. Sehen konnte er kaum noch, und ohrenbetäubend laut war das Rattern der automatischen Waffe im Tunnel, die sich auf die mit Flintsteinen gefüllten Kisten entlud. Plötzlich hörte er einen Schrei und spürte Yacov neben sich zusammenbrechen. Auch er verlor das Gleichgewicht und stürzte zu Boden.

Wieder halb aufgerichtet, feuerte er blindlings über die Kisten hinweg. Das automatische Feuer auf der anderen Seite brach ab. Mustaf schien das Magazin zu wechseln. Bruno tauchte aus der Deckung auf und nahm eine Bewegung auf der linken Seite wahr, wo Manners gestanden hatte. Verschwommen sah er den Engländer nach vorn springen. Und der Angreifer vor ihm, das Sturmgewehr in der einen, ein Magazin in der anderen Hand, fing plötzlich heftig zu zucken und zu kreischen an, als sich ihm die lange Knochenspitze des Speers durch den Hals gebohrt hatte.

Mustaf ließ die Waffe fallen und packte nach dem Schaft des Speers. Bruno sprang zu ihm hin, setzte die Mündung seiner Pistole auf dessen Gasmaske und drückte ab.

Epilog

Der Verband um Brunos Kopf war gegen ein Heftpflaster ausgetauscht worden, das die Nähte überdeckte, deren Fäden später in der Woche gezogen werden würden. Horst und Clothilde standen Hand in Hand vor ihm, und Amélie war zur Öffnung der neuentdeckten Höhle eigens aus Paris gekommen. Der Graf unterhielt sich mit dem amerikanischen Kameramann von Discovery Channel, während Techniker die Verankerung der Zugseile prüften. Als sie damit fertig waren, gab der Projektleiter dem Mann an der Winde ein Zeichen, worauf sich das Getriebe in Gang setzte. Die Stahltrossen spannten sich, und der große Felsblock geriet in Bewegung.

Sofort wurde die Winde wieder angehalten und der Fels ringsum auf Anzeichen von Verwerfungen untersucht. Wozu es offenbar nicht gekommen war, denn einer der Techniker gab dem Mann an der Winde wieder grünes Licht. Diesmal rückte der Felsblock um wenige Zentimeter von der Höhlenöffnung ab. Erneut kam es zu einer Unterbrechung. Man führte eine optische Sonde in den entstandenen Spalt und kontrollierte das Höhlengewölbe dahinter. Nachdem man sich auch noch der richtigen Lage der Rollen vergewissert hatte, über die der Brocken geschleppt werden sollte, setzte die Winde zu einem dritten Anlauf an, und der seit Jahrhunderten verschlossene Höhleneingang öffnete sich.

Horst und Clothilde wollten es sich nicht nehmen lassen, die Höhle als Erste zu betreten. Der Projektleiter aber hielt sie zurück und schickte Arbeiter mit hydraulischen Stützen vor, um das Gewölbe abzusichern. Dann stieg er selbst ein, klopfte prüfend mit einem kleinen Hammer auf Decke und Wände und erklärte die Höhle schließlich für sicher. Der Kameramann ging voran, um Horst, Clothilde und den Grafen zu filmen, die nun die Höhle betraten und sich staunend darin umschauten.

»Ich kann's kaum erwarten«, quietschte Amélie aufgeregt und ergriff die Hand des Grafen. »Wann wird endlich der Sarkophag geöffnet?«

Sie war nicht nur der Höhlenöffnung wegen aus Paris gekommen, sondern auch, wie an jedem Wochenende, um Yacov zu besuchen, der immer noch im Krankenhaus von Sarlat lag, nachdem man ihm zwei Kugeln aus der Brust und eine aus der Schulter herausoperiert hatte. Der Arm konnte gerettet werden, würde aber nie mehr voll funktionsfähig sein. Bruno hatte ihn dreimal besucht, aber erst beim dritten Mal ein paar Worte mit ihm wechseln und ihn zum Tatverlauf befragen können. Von den Gästen sei niemand verletzt worden, hatte er erklärt, und zu dem Zeitpunkt, als die mit dem Hubschrauber herbeigeflogene Spezialeinheit eingegriffen habe, hätten sich alle Frauen über das Seil aus Kleidern bereits in Sicherheit gebracht.

Auf den Beistelltischchen zu beiden Seiten des Krankenhausbettes stand je eine Vase voller Blumen. Bruno hatte einen Blick auf die Karten geworfen, die in den Sträußen steckten. Die eine war von Maya, Yacovs Großmutter; auf der anderen war zu lesen: »Gut gemacht, Yossi.«

»Yossi Cohen?«, hatte Bruno gefragt. »Von Ihrem Vorgesetzten, nehme ich an.«

Eine Antwort blieb aus, und Bruno fuhr fort: »Ich frage mich, ob Mustaf richtiglag mit dem Verdacht, Leah sei eine Agentin des israelischen Geheimdienstes. Es lässt sich durchaus nachvollziehen, dass man sie in die Schalom-Achschaw-Bewegung eingeschleust hat, nicht zuletzt wegen ihrer palästinensischen Kontakte und des Vertrauens, das sie in diesen Kreisen genoss. Wieso hätte sie sonst eine falsche Identität annehmen und ein Bankkonto einrichten sollen? Aber es war ein raffinierter Schachzug von ihr, die Gerüchte um das Testament Iftikhars wieder aufleben zu lassen, die Dschihadisten damit in Panik zu versetzen und die Aktion Commarque zu inszenieren. Ich hoffe, Yossi lässt Saïd al-Husayni einen schönen Strauß Blumen zukommen.«

»Danke für Ihren Besuch, Bruno«, erwiderte Yacov. »Wir sind Freunde, aber darüber rede ich nicht.« Er hatte sich zur Seite gedreht und schwieg, obwohl ihm Bruno noch eine Weile Zeit ließ, um etwas zu sagen.

»Die Eröffnung des Pfadfinderlagers wird nächsten Monat stattfinden«, ließ Bruno ihn schließlich wissen. »Die Ärzte meinen, dass Sie bis dahin wieder auf den Beinen sind. Und diesmal wollen auch die muslimischen Pfadfinder dabei sein.«

»Schön«, sagte Yacov und schloss die Augen. »Ich freue mich auf unser Wiedersehen dort, Bruno.«

Bruno war in das Zimmer nebenan gegangen, wo sich Louise, die Polizistin von Les Eyzies, von ihrer Schussverletzung im rechten Lungenflügel erholte. Ihr stand noch eine Reha von sechs Monaten bevor, aber auch in ihrem Fall versprachen die Ärzte, dass sie wieder gesund werden würde und in ihren Beruf zurückkehren könne. Bruno vermutete allerdings, dass sie sich in den vorzeitigen Ruhestand verabschieden und eine weniger gefährliche Tätigkeit aufnehmen würde.

Jetzt, unter der hohen, überhängenden Felswand von Commarque, berichtete er Auguste Dumesnil telefonisch und in allen Einzelheiten von der Öffnung der Höhle. Dumesnil laborierte noch an den Verletzungen, die ihm seine Folterer beigebracht hatten, drängte aber darauf, in die Geheimnisse der Höhle eingeweiht zu werden.

»Horst und Clothilde sehen sich gerade gründlich um und machen Fotos von den Ritzzeichnungen an den Wänden. Ich stehe etwas ungünstig und kann nichts sehen, wohl aber den Grafen, der den Sarkophag in Augenschein nimmt und mit einem Finger über den Deckel streicht.«

Alles war gespannt auf den kritischen Moment der Öffnung des Steinsarges. Der Fernsehsender hatte sich für die Finanzierung der ganzen Operation starkgemacht, und nach einigem Hin und Her sowie weiteren Voruntersuchungen lag nun auch die Erlaubnis des Kultusministeriums vor. Von seinem Krankenhausbett aus hatte sich auch Dumesnil an den Recherchen beteiligt, die zur Auflage gemacht und im Wesentlichen von Horst und Clothilde durchgeführt worden waren. Isabelle, der Brigadier und ein Freund Amélies im Justizministerium hatten schließlich ihre Fäden in der Politik gezogen, so dass die Kulturbürokratie am Ende ihre Zustimmung gab.

Wieder in Paris, hatte Isabelle im Staatlichen Archiv mit Hilfe einiger Bediensteter Leahs Spuren zurückverfolgen können. Sie hatte dort nach Hinweisen auf einen Kreuzritter namens Gérard de Commarque gesucht, einen Vorfahren des Grafen, sowie auf einen Zeitgenossen, der nur unter dem Namen Vélos bekannt war. Offenbar hatte sie nur wenig gefunden und sich den Archivaren gegenüber frustriert geäußert. Immerhin hatte sich bestätigen lassen, dass Gérard und Vélos französische Kreuzfahrer gewesen und zu Konstablern von Bet Sche'an ernannt worden waren, als die Siedlung für kurze Zeit dem Königreich von Jerusalem angehört hatte. Als sie später an Adam de Bessan aus der mächtigen Familie der Béthune abgetreten worden war, hatten sich Gérard und Vélos den Templern angeschlossen.

Leah hatte sich auch nach der Chapelle de Saint-Martin erkundigt, die König Heinrich II von England im Tal der Vézère zum Zeichen seiner Buße für die Ermordung des Erzbischofs Thomas Becket im Jahr 1170 in der Kathedrale von Canterbury hatte erbauen lassen. Beckets Mörder waren vier Ritter, die einen Wutausbruch des Königs – »Wer wird mich von diesem Unruhe stiftenden Priester befreien?« – als Befehl zu dessen Hinrichtung missdeutet hatten. Nach dem Mord an Becket waren sie nach Jerusalem gezogen, wo sie sich den Tempelrittern angeschlossen hatten. Der Legende nach waren sie neben dem Eingang zum Jerusalemer Tempelberg begraben worden.

Inspiriert von ihren Recherchen, war Isabelle am frühen Morgen nach Bergerac geflogen, um der Höhlenöffnung beiwohnen zu können. Sie stand ein wenig abseits von den anderen auf einer kleinen Brücke, die einen schmalen Zulauf der Beune überspannte, und blickte zum hohen Turm der Festung auf. Bruno hatte sie das letzte Mal gesehen, als sie nach dem entschiedenen Kampf um das Museum mit Sanitätern und einem Notarzt zu ihm geeilt war und seine Hand gehalten hatte, während ihm Erste Hilfe geleistet und ein Verband um den Kopf gewickelt worden war. Nachdem man ihm die tränenden und blutüberströmten Augen gespült hatte, war ihr Gesicht das Erste gewesen, was er wieder hatte sehen können. Beruhigt von der Diagnose des Notarztes, der Bruno außer Gefahr gesehen hatte, war sie zur Kommandozentrale in die Gendarmerie zurückgekehrt, um ihren Bericht aufzusetzen. Dass sie ihm beigestanden hatte, würde Bruno nie vergessen.

Leahs Instinkt, der sie nach Commarque geführt hatte, erwies sich als begründet. Unter dem Deckel des Sarkophags, den das Halbrelief eines darauf liegenden Tempelritters schmückte, wurde ein Skelett geborgen, das unter dem Gewicht einer verrosteten Rüstung fast zu Staub verfallen war. Daneben lag ein schweres Schwert, in dessen Griff ein in Gold eingefasster Holzsplitter eingearbeitet worden war.

In die Parierstange eingraviert, standen die lateinischen Worte *Ecce Vera et Santa Cruz* – Seht: die Wahrheit und das Heilige Kreuz.

»Ein Stück des Kreuzes Jesu«, hauchte ehrfurchtsvoll der Fernsehproduzent neben Bruno. Bruno hatte von dem Grafen erfahren, dass die Kreuzfahrer von gewieften Händlern in Jerusalem so viele Holzsplitter gekauft hatten, dass man damit eine Galeone hätte bauen können, und Unmengen von Nägeln, die für ein modernes Panzerschiff ausgereicht hätten.

Der intakte Schädel ließ darauf schließen, dass der Leichnam barhäuptig beigesetzt worden war. Hinter dem Schädel stand aufgerichtet ein schmuckvoller, fast unversehrt gebliebener Helm; nur das Visier war abgefallen. In dem Ausschnitt, den es verdeckt hatte, schimmerte etwas.

»Ich komme mit der Kamera da nicht dran«, sagte der Kameramann, worauf der Produzent die optische Sonde kommen ließ.

»Ich glaub's nicht«, sagte der Kameramann. »Da steht eine Schale auf einem Sockel, kann auch ein Becher sein. Aus Gold. Ein goldener Kelch.«

»Der Heilige Gral vielleicht?«, flüsterte der Produzent.

»*Mon Dieu!*« Amélie bekreuzigte sich.

»Was? Was?«, rief Dumesnil durch das Telefon.

»Ich sehe nichts«, sagte Bruno und tauschte Blicke mit dem Grafen, der mit den Schultern zuckte und die Augen verdrehte.

Bruno schaute zu Horst und Clothilde hinüber, von denen er wusste, dass ihnen schon zahllose Fälschungen untergekommen waren. Sie hatten dem Sarkophag den Rücken gekehrt und bewunderten Hand in Hand die prähistorische Darstellung eines riesigen Mammuts mit mächtigen Stoßzähnen, die in den Fels geritzt war. Clothilde winkte ihre Freunde zu sich. Der Graf kam mit Amélie, die sich bei ihm untergehakt hatte. Bruno folgte und sah plötzlich Isabelle neben sich, die, die Augen auf das Mammut gerichtet, seine Hand ergriff.

»Lädst du mich zum Mittagessen ein?«, fragte sie. »Zu dir nach Hause?«

Danksagungen

Die in diesem Buch geschilderten Begebenheiten und Personen sind frei erfunden, auch wenn einige der Wirklichkeit ein wenig näher kommen als andere. Mein Freund, Graf Hubert de Commarque, hat mich auf seinem malerischen Besitz herumgeführt und meine Phantasie angeregt, die zu diesem Roman geführt hat. Die großartige Burganlage wurde auf einem Hügel errichtet, der von Höhlen mit prähistorischen Felsenzeichnungen durchzogen ist. Sie wurde den Tempelrittern anvertraut, als sich Huberts Vorfahre Gérard de Commarque einem Kreuzzug anschloss, und war während des Hundertjährigen Krieges für kurze Zeit auch in englischer Hand. An diesem einen Ort hat sich die reiche Geschichte der Region also gewissermaßen manifestiert. Ich hoffe, viele Leser werden, von der Lektüre angeregt, das großartige, geschichtsträchtige Château besuchen wollen und meine Bewunderung für die heroischen Bemühungen Huberts um dessen Wiederaufbau und Erhalt teilen. Der Heilige Gral, wenn es ihn denn gibt, hätte hier ein traumhaft schönes Repositorium. Ich empfehle meinen Lesern, sich einen ersten Eindruck von dieser nobelsten aller Châteauruinen mittels der kurzen Filme zu verschaffen, die auf folgender Website zu finden sind: http://www.commarque.com/#!filmjp/c1qif.

Ein Autor hat immer wieder Spaß daran, Figuren aus seinen früheren Büchern wieder aufleben zu lassen. In meinem ersten Roman, der das Périgord zum Schauplatz hat – *Schatten an der Wand* –, treten zwei Archäologen auf, der deutsche Professor Horst Vogelstern und Clothilde Daumier, die französische Kuratorin des Nationalmuseums für Vorgeschichte in Les Eyzies. Sie sind im vorliegenden Buch wieder mit von der Partie. Aus der Versenkung geholt habe ich auch die amerikanische Kunsthistorikerin Lydia Dean und den englischen Offizier Jack Manners. Es war mir ein Vergnügen, sie in *Revanche* wieder mitwirken zu lassen.

Es hat mir auch gefallen, eine Verbindung zwischen Les Eyzies, der Heimat der Cro-Magnon-Menschen, und dem äußerst sehenswerten Neanderthal Museum im nordrhein-westfälischen Mettmann herzustellen, das die im Jahr 1856 in der Nähe ausgegrabenen fossilen Überreste eines Neandertalers aufbewahrt. Herzlich bedanken möchte ich mich bei Sara Willwerth und Freunden aus der Buchhandlung Weber in Erkrath-Hochdahl; sie haben mich durch das Museum und das Tal geführt, das nach dem deutschen Pastor Joachim Neander aus dem 17. Jahrhundert benannt wurde.

Die Aussagen in diesem Buch über die Genetik steinzeitlicher Menschen, Venusfigurinen und die phantastische Höhle von Lascaux entsprechen im großen Ganzen dem Stand der modernen Forschung. Das Testament Iftikhars, angeblich 1099, nachdem Jerusalem von den ersten Kreuzfahrern erobert wurde, aufgesetzt, ist Teil einer umstrittenen Legende, die im Nahostkonflikt unserer Tage kaum eine Rolle spielen dürfte. Denen, die sich für den zwischen jüdischen und arabischen Gelehrten ausgetragenen Streit um die »wahre« Geschichte Jerusalems interessieren, sei Daniel Pipes' grundlegender Aufsatz »The Muslim Claim to Jerusalem« empfohlen, erschienen in *Middle East Quarterly*, September 2001.

Den Bediensteten des *Musée National de Préhistoire* von Les Eyzies bin ich dankbar für viele interessante und informative Stunden, die ich dort bei Vorträgen, Rundgängen durch die Ausstellung und Videopräsentationen erleben durfte, in denen heutige Handwerker die Herstellung von Flintsteinwerkzeugen, Knochenharpunen und prähistorischen Malutensilien wie Farben und Pinsel vorführen. Sie haben wahrlich Besseres verdient als das Blutbad, das in diesem Roman auf ihren Terrassen stattfindet, aber vielleicht gefällt ihnen ja die Vorstellung, dass ein Terrorist von einem Cro-Magnon-Speer niedergestreckt wird.

Wie alle meine Romane verdankt auch diese Bruno-Folge meinen Freunden und Nachbarn außerordentlich viel, ihrer Herzlichkeit, ihrer köstlichen Küche und den Weinen und der Großzügigkeit, mit der sie mich und meine Familie mit ihrer von alters her gepflegten Art zu leben bekannt gemacht haben. Mit ihnen zu essen und zu trinken, ihren Geschichten zuzuhören und an ihrem profunden historischen Bewusstsein Anteil zu nehmen ist ein großes Privileg.

Meine Frau Julia, Koautorin von *Brunos Kochbuch*, und meine Töchter Kate und Fanny sind immer die ersten kritischen Leserinnen meiner Entwürfe. Kate betreut überdies die Website brunochiefofpolice.com. Jane und Caroline Wood in Großbritannien, Jonathan Segal in New York und Anna von Planta in Zürich bewirken Wunder an meinen Manuskripten, wofür ich ihnen herzlich danke. Und unser lieber Basset Benson, inzwischen zu alt und kränklich für Spaziergänge, ist mir nach wie vor Trost und freundlicher Gesellschafter, der mir, wenn ich am Schreibtisch sitze, die Füße wärmt.

Martin Walker, Périgord

Das Diogenes Hörbuch zum Buch

Martin Walker
Revanche
*Der zehnte Fall für Bruno,
Chef de police*

Ungekürzt gelesen von JOHANNES STECK

8 CD, Spieldauer 663 Min.

Martin Walker
im Diogenes Verlag

Bruno
Chef de police

Roman. Aus dem Englischen
von Michael Windgassen

Bruno Courrèges – Polizist, Gourmet, Sporttrainer und begehrtester Junggeselle von Saint-Denis – wird an den Tatort eines Mordes gerufen. Ein algerischer Einwanderer, dessen Kinder in der Ortschaft wohnen, ist tot aufgefunden worden. Das Opfer ist ein Kriegsveteran, Träger des Croix de Guerre, und weil das Verbrechen offenbar rassistische Hintergründe hat, werden auch nationale Polizeibehörden eingeschaltet, die Bruno von den Ermittlungen ausschließen wollen. Doch der nutzt seine Ortskenntnisse und Beziehungen, ermittelt auf eigene Faust und deckt die weit in der Vergangenheit wurzelnden Ursachen des Verbrechens auf.

»Martin Walker hat mit Bruno einen großartigen Charakter geschaffen, den man beim Ermitteln genauso gerne begleitet wie beim Schlemmen! Dieser Flic macht Appetit auf mehr.« *Emotion, München*

Auch als Diogenes E-Hörbuch erschienen,
gelesen von Johannes Steck

Grand Cru
*Der zweite Fall für Bruno,
Chef de police*

Roman. Deutsch von Michael Windgassen

In vino veritas? Ja, aber manchmal ist die Wahrheit gut versteckt.
Ein geheimes Paradies auf Erden, das ist das Périgord. Oder vielmehr war, denn die Weinberge der Gegend sollen von einem amerikanischen Weinunternehmer

aufgekauft werden. Es gärt im Tal, in den alten Freund- und Seilschaften, und in einem Weinfass findet man etwas völlig anderes als Wein – eine Leiche.

»Martin Walker hat schon viele Ideen für die nächsten Folgen. Spannend, lehrreich genug sind die *Brunos* allemal geschrieben. Und zumindest die beiden ersten erinnern uns in leuchtenden Farben daran, dass Gott in Frankreich wohnt. Wo sonst.«
Tilman Krause / Die Welt, Berlin

Auch als Diogenes Hörbuch erschienen,
gelesen von Johannes Steck

Schwarze Diamanten
Der dritte Fall für Bruno,
Chef de police
Roman. Deutsch von Michael Windgassen

Was haben Trüffeln mit Frankreichs Kolonialkrieg in Vietnam und mit chinesischen Triaden zu tun? Die Lösung von Bruno Courrèges' drittem Fall ist so tief vergraben wie die legendären schwarzen Diamanten unter den alten Eichen im Périgord – und genauso schwer zu finden.

»Der Autor schafft das Kunststück, den Fall in ein halbes Jahrhundert französischer Kulturgeschichte einzubetten und damit nicht nur spannend, sondern auch lehrreich zu erzählen.«
Manfred Papst / NZZ am Sonntag, Zürich

»Martin Walker hat wieder ein ebenso packendes wie lehrreiches Buch geschrieben. Dem Leser läuft das Wasser im Munde zusammen, und er beginnt unweigerlich von einer der schönsten Regionen Frankreichs zu träumen.« *Ute Wolf / Nürnberger Zeitung*

Auch als Diogenes Hörbuch erschienen,
gelesen von Johannes Steck

Delikatessen
Der vierte Fall für Bruno,
Chef de police

Roman. Deutsch von Michael Windgassen

Für Brunos Geschmack ist im malerischen Saint-Denis im Périgord entschieden zu viel los: Ein spanisch-französisches Gipfeltreffen ruft die Separatistenbewegung ETA auf den Plan, eine Gänsefarm wird von Tierschutzaktivisten attackiert, und dann ist da auch noch die archäologische Ausgrabungsstätte, deren deutscher Forschungsleiter nach einem prähistorischen Menschen sucht. Das Skelett, das dann auch gefunden wird, ist allerdings längst nicht so alt wie erhofft, und Bruno muss gute Nerven beweisen, um all die Fäden zusammenzuführen.

»Die Deutschen lesen gerne: Krimis und Kochbücher. Eine gelungene Mischung von beidem ist die Krimireihe von Martin Walker.«
Peter Twiehaus / ZDF Morgenmagazin, Mainz

»Martin Walker fängt die beschauliche Kulisse des Périgord mit liebevollem Blick ein.«
Ralf Kramp / Focus Online, München

Auch als Diogenes Hörbuch erschienen,
gelesen von Johannes Steck

Femme fatale
Der fünfte Fall für Bruno,
Chef de police

Roman. Deutsch von Michael Windgassen

Das Périgord ist ein Paradies für Schlemmer, Kanufahrer und Liebhaber des gemächlichen süßen Lebens. Doch im April, kurz vor Beginn der Touristensaison, stören ein höchst profitables Touristikprojekt, Satanisten und eine nackte Frauenleiche in einem Kahn die beschaulichen Ufer der Vézère. Und Bruno, den örtlichen Chef de police, stören zusätzlich höchst verwirrende Frühlingsgefühle.

»Martin Walker schafft es erneut, Gemütlichkeit und Spannung zu paaren. Dabei ist ihm Savoir-vivre ebenso wichtig wie die Aufklärung der Tat – genüssliche Lektüre.« *SonntagsZeitung, Zürich*

Auch als Diogenes Hörbuch erschienen,
gelesen von Johannes Steck

Reiner Wein
Der sechste Fall für Bruno,
Chef de police
Roman. Deutsch von Michael Windgassen

Es ist Sommer im Ferienparadies Périgord. Doch Bruno, Chef de police, muss eine Serie von Raubüberfällen aufklären. Deren Spuren führen zurück in den Sommer 1944, als Résistance-Kämpfer einen Geldtransport überfielen und mit Milliarden alter Francs das Weite suchten. Eine Beute, die in dunklen Kanälen versickerte ...

»*Reiner Wein* ist – einmal mehr – nicht nur geschmeidig geschrieben, sondern auch wieder exzellent recherchiert.« *Axel Hill / Kölnische Rundschau*

Auch als Diogenes Hörbuch erschienen,
gelesen von Johannes Steck

Provokateure
Der siebte Fall für Bruno,
Chef de police
Roman. Deutsch von Michael Windgassen

Saint-Denis im Périgord ist ein Sehnsuchtsort für viele. Auch für einige, die hier aufgewachsen sind. Doch als ein autistischer Junge aus Saint-Denis auf einer französischen Armeebasis in Afghanistan auftaucht und nach Hause möchte, ist unklar, ob als Freund oder

Feind. Dies herauszufinden ist die dringende Aufgabe für Bruno, *Chef de police*, ehe sich verschiedene Provokateure einmischen und alle in tödliche Gefahr bringen können.

»Martin Walker holt mit seinem Buch *Provokateure* zum siebten Schlag aus und ist dabei so aktuell und politisch wie noch nie.«
Frauke Kaberka / Focus Online, München

Auch als Diogenes Hörbuch erschienen,
gelesen von Johannes Steck

Eskapaden
Der achte Fall für Bruno,
Chef de police
Roman. Deutsch von Michael Windgassen

Das Périgord ist das gastronomische Herzland Frankreichs – neuerdings auch wegen seiner aus historischen Rebsorten gekelterten Weine. Doch die Cuvée Éléonore, mit der die weitverzweigte Familie des Kriegshelden Desaix an ihre ruhmreiche Vergangenheit anknüpfen will, ist für Bruno, *Chef de police*, eindeutig zu blutig im Abgang.

»Spannungsgeladen. Faszinierend. Ein Pageturner der Extraklasse.«   *Ingrid Müller-Münch / WDR 1, Köln*

Auch als Diogenes Hörbuch erschienen,
gelesen von Johannes Steck

Grand Prix
Der neunte Fall für Bruno,
Chef de police
Roman. Deutsch von Michael Windgassen

Es ist Hochsommer im Périgord und Hochsaison für ausgedehnte Gaumenfreuden und Fahrten mit offenem Verdeck durch malerische Landschaften. Eine Oldtimer-Rallye, von Bruno, *Chef de police*, organisiert, bringt auch zwei besessene junge Sammler nach Saint-Denis. Sie sind auf der Jagd nach dem begehrtesten und wertvollsten Auto aller Zeiten: dem letzten von nur vier je gebauten Bugattis Typ 57 SC Atlantic, dessen Spur sich in den Wirren des Zweiten Weltkriegs im Périgord verlor. Ein halsbrecherisches Wettrennen um den großen Preis beginnt …

»Martin Walker hat die definitive Erfolgsformel für den literarischen Krimi gefunden.«
Frank Dietschreit / Mannheimer Morgen

Auch als Diogenes Hörbuch erschienen,
gelesen von Johannes Steck

Revanche
Der zehnte Fall für Bruno,
Chef de police
Roman. Deutsch von Michael Windgassen

Bruno Courrèges bekommt eine junge Kollegin aus Guadeloupe zur Seite gestellt, die seine Ermittlungsmethoden studieren und ihn in puncto soziale Medien auf den neuesten Stand bringen soll. Doch ihnen bleibt wenig Zeit, denn vor den prähistorischen Höhlen unterhalb der Templerburg Commarque wird die Leiche einer Archäologin entdeckt, die dort nach einem mittelalterlichen religiösen Artefakt suchte. Dessen Fund würde im Nahen Osten für gefährlichen Aufruhr sorgen – von Saint-Denis ganz zu schweigen. Nur eine sehr innige Abstimmung zwischen Brunos und Amélies Ermittlungsmethoden könnte noch rechtzeitig eine Katastrophe verhindern.

»Die *Bruno*-Romane sind reich an Atmosphäre und an Figuren, deren Herkunft sie niemals loslässt. Man kann sie nicht lesen, ohne hungrig und durstig zu werden.«
The New York Times

Menu surprise
Der elfte Fall für Bruno, Chef de police
Roman. Deutsch von Michael Windgassen

Bruno steht vor einer ungewohnten Herausforderung: Er soll in Pamelas Kochschule Feriengästen lokale Geheimrezepte beibringen. Die Messer sind gewetzt, die frischen Zitaten bereit, doch die prominenteste Kursteilnehmerin fehlt: die junge Frau eines britischen Geheimdienstoffiziers, die sich auf Empfehlung ihrer Familie im Périgord erholen wollte. Bruno spürt sie auf – in einem vermeintlichen Liebesnest, das jedoch bald zum Schauplatz eines Doppelmords wird.
Bruno in einer Doppelrolle als *Chef de police* und *Chef de cuisine*.

»Lust auf Frankreich? Wenn ja, müssen Sie unbedingt *Bruno, Chef de police* kennenlernen. Krimi, Reise- und Weinführer in einem.« *Brigitte Woman, Hamburg*

»Wenn Bruno ermittelt, bleibt immer genug Zeit für köstliche Tafelfreuden, derentwegen seine Leser nicht nur kriminalistisch, sondern auch kulinarisch auf ihre Rechnung kommen.«
Marilyn Stasio / The New York Times

Auch als Diogenes Hörbuch erschienen,
gelesen von Johannes Steck

Außerdem erschienen:

Schatten an der Wand
Roman. Deutsch von Michael Windgassen

Martin Walkers früher Roman über die Entstehung einer prähistorischen Höhlenzeichnung, deren Verwicklung in blutige Kriege und Intrigen zur Zeit der Höhlenmaler von Lascaux und während des 2. Weltkriegs. Die Geschichte gipfelt in dem erbitterten

Kampf von fünf Menschen, sie heute zu besitzen. Denn wer diese Zeichnung findet, erhält den Schlüssel zur Aufklärung eines Verbrechens, das bis in die höchste Politik reicht und von dem bis heute keiner wissen darf.

»Ausgerechnet ein Schotte ist es, der das Périgord auf die literarische Weltkarte gesetzt hat: Martin Walker. Schon vor 17 000 Jahren schufen prähistorische Picassos dort Kunstwerke von atemberaubender Schönheit. ›Sixtinische Kapelle der Wandmalereien‹ nennen sie die Höhlen von Lascaux.«
Gerd Niewerth / Westdeutsche Allgemeine, Essen

Germany 2064
Ein Zukunftsthriller
Deutsch von Michael Windgassen

Deutschland 2064: Das Land ist in zwei Welten geteilt. High-Tech-Städte mit selbstlenkenden Fahrzeugen und hochentwickelten Robotern unter staatlicher Kontrolle stehen Freien Gebieten gegenüber, in denen man mit der Natur, bewusst und in selbstverwalteten Kommunen lebt. Als bei einem Konzert die Sängerin Hati Boran entführt wird, muss Kommissar Bernd Aguilar ermitteln. Sein engster Mitarbeiter und Vertrauter: ein Roboter. Doch ist dieser nach dem letzten Update noch uneingeschränkt vertrauenswürdig?

»Faszinierend und ein wenig unheimlich.«
Ariane Arndt-Jakobs / Trierischer Volksfreund

Brunos Kochbuch
*Rezepte und Geschichten
aus dem Périgord*

100 marktfrische Lieblingsrezepte des Krimihelden Bruno, Chef de police, mit vielen Bildern aus dem gastronomischen Herzen Frankreichs, dem Périgord. Selbst innerhalb Frankreichs hat die Küche des Péri-

gord einen besonderen Stand: Sie gilt als ursprünglich, köstlich und wird gern in möglichst großer Runde genossen.

Mit vielen Klassikern aus der Gegend wie *Tarte Tatin mit roten Zwiebeln, Kartoffeln à la sarladaise, Bœuf à la périgourdine* oder *Crème brûlée aux truffes*, mit Menüvorschlägen, auch vegetarischen, einem kleinen Weinführer, einer kurzen Produktkunde sowie Brunos hilfreichen Tipps.

Kochbuch und kulinarischer Reiseführer zugleich, garniert mit zwei delikaten Fällen für Bruno, *Chef de police*.

Donna Leon
im Diogenes Verlag

»Ich kann nicht behaupten, dass Brunetti eine Erfindung von mir ist, es kommt der Wahrheit viel näher zu sagen, dass ich ihn eines Tages entdeckte, während er hinter dem Opernhaus ›La Fenice‹ in vollendeter Gestalt aus dem Polizeiboot stieg.« *Donna Leon*

»Donna Leons Krimis mit dem attraktiven Commissario Brunetti haben eine ähnliche Sogwirkung wie die Stadt, in der sie spielen.«
Franziska Wolffheim / Brigitte, Hamburg

»Commissario Brunetti ist einzigartig.«
Publishers Weekly, New York

Die Fälle für
Commissario Brunetti:

Venezianisches Finale
Roman. Aus dem Amerikanischen von Monika Elwenspoek

Endstation Venedig
Roman. Deutsch von Monika Elwenspoek

Venezianische Scharade
Roman. Deutsch von Monika Elwenspoek

Vendetta
Roman. Deutsch von Monika Elwenspoek

Acqua alta
Roman. Deutsch von Monika Elwenspoek

Sanft entschlafen
Roman. Deutsch von Monika Elwenspoek

Nobiltà
Roman. Deutsch von Monika Elwenspoek

In Sachen Signora Brunetti
Roman. Deutsch von Monika Elwenspoek

Feine Freunde
Roman. Deutsch von Monika Elwenspoek

Das Gesetz der Lagune
Roman. Deutsch von Monika Elwenspoek

Die dunkle Stunde der Serenissima
Roman. Deutsch von Christa E. Seibicke

Verschwiegene Kanäle
Roman. Deutsch von Christa E. Seibicke

Beweise, daß es böse ist
Roman. Deutsch von Christa E. Seibicke

Blutige Steine
Roman. Deutsch von Christa E. Seibicke

Wie durch ein dunkles Glas
Roman. Deutsch von Christa E. Seibicke

*Lasset die Kinder
zu mir kommen*
Roman. Deutsch von Christa E. Seibicke

Das Mädchen seiner Träume
Roman. Deutsch von Christa E Seibicke

Schöner Schein
Roman. Deutsch von Werner Schmitz

Auf Treu und Glauben
Roman. Deutsch von Werner Schmitz

Reiches Erbe
Roman. Deutsch von Werner Schmitz

Tierische Profite
Roman. Deutsch von Werner Schmitz

Das goldene Ei
Roman. Deutsch von Werner Schmitz

Tod zwischen den Zeilen
Roman. Deutsch von Werner Schmitz

Endlich mein
Roman. Deutsch von Werner Schmitz

Ewige Jugend
Roman. Deutsch von Werner Schmitz

Stille Wasser
Roman. Deutsch von Werner Schmitz

Heimliche Versuchung
Roman. Deutsch von Werner Schmitz

Ein Sohn ist uns gegeben
Roman. Deutsch von Werner Schmitz

Außerdem erschienen:
Himmlische Juwelen
Roman. Deutsch von Werner Schmitz

*Über Venedig, Musik,
Menschen und Bücher*
Deutsch von Thomas Bodmer, Christiane Buchner, Monika Elwenspoek, Reinhard Kaiser und Christa E. Seibicke

Mein Venedig
Deutsch von Monika Elwenspoek und Christa E. Seibicke
Toni Sepeda

Mit Brunetti durch Venedig
Vorwort von Donna Leon. Deutsch von Christa E. Seibicke

Bei den Brunettis zu Gast
Rezepte von Roberta Pianaro und kulinarische Geschichten von Donna Leon. Vignetten von Tatjana Hauptmann. Deutsch von Christa E. Seibicke und Petra Kaiser

Tiere und Töne
Auf Spurensuche in Händels Opern. Deutsch von Werner Schmitz. Mit Bildern von Michael Sowa sowie einer CD des Complesso Barocco, dirigiert von Alan Curtis

Kurioses aus Venedig
Deutsch von Werner Schmitz. Mit einer Vivaldi-CD ›Il Complesso Barocco‹

Gondola
Geschichten · Bilder · Lieder. Deutsch von Karsten Singelmann. Mit einer CD Venezianische Gondellieder, gespielt vom Ensemble ›Il Pomo d'Oro‹. Gesang: Vincenzo Capezzuto. Zugabe: Cecilia Bartoli